NOS OISEAUX

Couverture
- Conception graphique:
  Violette Vaillancourt
- Illustration:
  John Sill

Maquette intérieure
- Illustrations:
  John Sill
  Deborah Prince
  Donald Stokes

DISTRIBUTEURS EXCLUSIFS:

- Pour le Canada:
  AGENCE DE DISTRIBUTION POPULAIRE INC.*
  955, rue Amherst, Montréal H2L 3K4 (tél.: 514-523-1182)
  Télécopieur: (514) 521-4434
  * Filiale de Sogides Ltée

- Pour la France et l'Afrique:
  INTER FORUM
  13, rue de la Glacière, 75013 Paris (tél.: (1) 43-37-11-80)
  Télécopieur: 43-31-88-15

- Pour la Belgique, le Portugal et les pays de l'Est:
  S. A. VANDER
  Avenue des Volontaires, 321, 1150 Bruxelles
  (tél.: (32-2) 762.98.04)
  Télécopieur: (2) 762-06.62

- Pour la Suisse:
  TRANSAT S.A.
  Route des Jeunes, 19, C.P. 125, 1211 Genève 26
  (tél.: (22) 42.77.40)

LES GUIDES STOKES
DE·LA·NATURE

TOME II

DONALD W. STOKES
LILLIAN Q. STOKES

NOS OISEAUX

TOUS LES SECRETS
DE LEUR COMPORTEMENT

Traduit de l'américain
par Marie-Luce Constant

LES EDITIONS DE
L'HOMME

Données de catalogage avant publication (Canada)

Stokes, Donald W.

Nos oiseaux

Traduction de: A guide to bird behavior.
Bibliogr.: p.

ISBN 2-7619-0806-6 (v. 1)
2-7619-0807-4 (v. 2)

1. Oiseaux – Moeurs et comportement. I. Stokes, Lillian Q.
II. Titre.

QL698.3.S7614 1989 598.251'097 C89-096067-4

Édition originale: *A Guide to Bird Behavior . Vol II*
Little, Brown and Company
(ISBN: 0-316-8176-0)

Bibliothèque nationale du Québec
Dépôt légal — 1er trimestre 1989

ISBN 2-7619-0807-4

Remerciements

C'est tout d'abord aux innombrables ornithologues profes-
sionnels et amateurs, dont les méticuleuses recherches
sont venues judicieusement compléter nos travaux sur le
terrain, que nous adressons nos remerciements les plus sin-
cères. Nous aimerions remercier tout particulièrement
Betty Porter et Dick Walton qui nous ont prêté leur précieux concours pendant la recherche des nids.

Pourquoi observer
le comportement des oiseaux?

Les oiseaux nous offrent perpétuellement des indices précieux sur leur existence. Pourtant, la majeure partie de ces richesses passe inaperçue.

Pourquoi? Parce que pour recevoir ces précieuses informations, il faut se trouver au bon endroit au bon moment. Il faut aussi être curieux et posséder certaines connaissances. Les tomes I et II de *Nos oiseaux* devraient vous apporter des connaissances théoriques susceptibles de nourrir vos observations. Il vous restera à faire preuve de curiosité et d'attention.

Par exemple, en nous promenant dans les bois un matin de printemps, nous avons rapidement identifié des cardinaux, une sittelle, quelques pics et une tourterelle triste. Mais en y mettant un peu plus de temps et grâce aux renseignements contenus dans ce guide, voici ce que nous avons découvert.

Le chant des cardinaux est devenu audible dès que nous avons atteint les taillis à l'orée du bois. Les notes claires et aiguës provenaient de deux endroits différents et les oiseaux semblaient chanter en duo. Nous savions que, chez les cardinaux, le mâle et la femelle chantent. Lorsque deux oiseaux du même sexe exécutent un duo, il s'agit d'une revendication territoriale. En revanche, lorsque les chanteurs sont de sexes différents, c'est une manifestation de la cour.

Après avoir repéré les oiseaux, nous avons constaté qu'il s'agissait d'un mâle et d'une femelle. Leur chant en duo signifiait probablement qu'il s'agissait d'un couple et que dans les mois qui suivraient nous aurions l'occasion de surprendre des comportements liés à la cour, tels le transfert de nourriture et les activités de nidification, dans ce secteur.

Nous avons également entendu une sittelle à poitrine blanche émettre un cri semblable à «ouaouaouaoua». Il s'agit du chant du mâle. Nous avons repéré l'oiseau à la cime d'un vieux chêne, ce qui nous a permis de surprendre la curieuse petite révérence qui accompagne le chant. Nous savions que la femelle s'approche souvent lorsqu'elle l'entend, aussi, nous nous sommes mis à l'affût. Nous n'avons pas tardé à entendre le cri «ank» qui trahit l'approche de la femelle. Une fois qu'elle eut atterri aux côtés du mâle, ce dernier a cessé de chanter et les deux oiseaux ont commencé à se déplacer de haut en bas le long du tronc, semblables à des jouets mécaniques, se nourrissant et émettant leur doux cri «ip» afin de rester à portée de voix l'un de l'autre. Il était évident qu'il s'agissait d'un couple et nous savions qu'au cours des semaines suivantes nous aurions le plaisir d'assister aux manifestations de la cour, notamment au transfert de nourriture.

Tandis que nous nous enfoncions dans les bois, nous avons entendu un pic tambouriner énergiquement et très rapidement contre un tronc d'arbre. Nous savions que, chez le pic, le tambourinement remplit les fonctions du chant. Nous avons constaté qu'il s'agissait d'un pic chevelu et l'absence d'une tache rouge sur sa nuque nous a confirmé qu'il s'agissait d'une femelle. Soudain, deux mâles se sont rapprochés en se donnant mutuellement la chasse et en émettant de petits «couikwikwik» excités. Il s'agissait d'une manifestation précoce mettant aux prises un couple et un second mâle. Bien que nous ne soyons pas restés sur place pour assister à l'issue de la poursuite, nous savions que nous étions sur le territoire du couple et que nous entendrions indubitablement la femelle tambouriner au même endroit pendant les semaines suivantes.

En repartant, nous avons entendu une tourterelle triste roucouler au loin. Les tourterelles tristes émettent deux versions du roucoulement, l'une courte et l'autre longue. Celle que nous entendions était manifestement la version courte et notre intérêt s'est accentué, car à cette époque de l'année, c'est généralement le mâle qui s'efforce ainsi d'attirer sa partenaire vers un emplacement favorable à la nidification. Sans avoir vu l'oiseau, nous savions qu'au cours des semaines suivantes le couple allait bâtir son nid dans ces parages.

Ce ne sont là que quelques exemples des innombrables indices que les oiseaux nous donnent de leur vie. Pour la majorité des ornithologues amateurs, cette promenade aurait simplement permis d'identifier des cardinaux, des sitelles, des pics chevelus et une tourterelle triste. Mais pour nous, qui nous intéressons aux mystères du comportement de l'oiseau, elle a été beaucoup plus fructueuse. Non seulement elle nous a permis de mieux comprendre certains aspects de la vie secrète des oiseaux, mais en plus elle nous a révélé la nécessité de revenir sur les lieux pendant les semaines à venir.

Comme dans le premier volume, nous avons choisi de vous présenter, dans ce deuxième tome, des espèces communes, accessibles, dont l'aire de reproduction comprend la majeure partie des États-Unis et la partie méridionale du Canada. Pour peupler le premier tome, nous avions sélectionné les espèces dont le comportement était plus facile à observer soit parce que ces oiseaux étaient extrêmement nombreux, soit parce qu'ils étaient faciles à voir et vivaient dans des zones dégagées. La plupart des oiseaux dont le comportement est étudié dans ce deuxième tome sont tout aussi communs, mais certains se comportent plus discrètement ou vivent dans des biotopes moins accessibles. Par conséquent, leur observation n'en est que plus stimulante.

On peut diviser en deux types les moeurs des oiseaux: habitudes de vie et comportements en société. La première catégorie comprend tout ce que fait un oiseau pour survivre normalement: toilette, alimentation, baignade, etc. (reportez-vous au résumé des habitudes de vie, un peu plus loin dans ce chapitre). La seconde catégorie englobe toutes les activités de la vie en société, soit la cour, la revendication territoriale, la reproduction, la formation des vols, etc. Ce guide traite principalement du comportement en société, car bien qu'il soit l'un des aspects les plus passionnants de l'observation des oiseaux, il a souvent été négligé. En effet, lorsqu'un spécimen coordonne ses gestes avec ceux d'un autre, une communication quelconque en résulte obligatoirement. Celle-ci s'effectue soit à l'aide de sons ou d'attitudes distincts, soit selon un modèle précis. En observant les oiseaux, j'ai l'impression de parvenir mieux à saisir l'importance de ce besoin d'interaction dans la vie de tous les animaux.

Cette application de l'observation des moeurs animales est à la fois l'une des plus enrichissantes et l'une des plus trompeuses, car bien que l'étude du comportement des animaux nous permette de mieux comprendre celui des humains, l'attribution de motifs humains aux habitudes des oiseaux ne peut nous mener bien loin. Ainsi, lorsque nous expliquons le comportement des animaux en leur attribuant des motifs humains: «L'oiseau m'a grondé»; «la mère apprenait aux petits à voler»; «il chantait, tout heureux, sur son perchoir», nous faisons fausse route. Ces affirmations sont anthropomorphiques, à savoir qu'elles expliquent les activités des oiseaux à partir de modèles humains. Il est évident que ce type de raisonnement nous empêche d'en apprendre davantage sur le monde des oiseaux. C'est comme si nous étudiions les animaux et les végétaux qui vivent au fond d'un étang sans parvenir à nous détacher de notre propre image reflétée à la surface.

Le comportement d'un oiseau et les motifs de son comportement constituent deux champs d'études distincts. La simple observation suffit à identifier un comportement, tandis que son interprétation repose sur les conjectures de l'observateur qui, elles, sont contestables. Malheureusement, nous avons tendance à confondre les deux et à mélanger faits et conjectures. Par conséquent, lorsque vous observerez les oiseaux, assurez-vous de distinguer la description de leur comportement de vos conclusions. Des observations ainsi structurées n'ont que plus de valeur, tant pour l'observateur que pour les autres ornithologues.

L'observation du comportement des oiseaux se résume à regarder attentivement ce qu'ils font. Les deux éléments nécessaires au succès de cette entreprise sont le temps et la curiosité. Deux ou trois minutes suffisent pour surprendre un comportement, mais c'est la curiosité qui nous incite à nous poser la question: «Que fait cet oiseau et pourquoi le fait-il?» Si vous parvenez à consacrer du temps à cette activité et que la curiosité vous démange, vous êtes en passe de devenir un ornithologue chevronné.

Vous n'avez besoin, à strictement parler, d'aucun matériel en particulier, mais une paire de jumelles vous sera utile. Elle vous permettra d'observer les oiseaux sans les déranger. Vous pouvez également emporter avec vous un guide d'identification, mais rien ne vous empêche d'observer le comportement d'un oiseau sans en connaître le nom.

La chasse aux oiseaux exige une attention de tous les instants. L'observateur doit être à l'affût de tout indice trahissant la présence d'oiseaux; il doit écouter les sons qu'ils émettent et surveiller leurs mouvements.

Il n'est pas rare de voir les oiseaux émettre des sons, adopter des poses ou ébouriffer leurs plumes de manière inhabituelle. Cet étalage de sons et de postures est partie intégrante du langage des oiseaux et constitue l'un des aspects les plus importants et les plus passionnants de l'étude de leur comportement. Pour comprendre les oiseaux, il est essentiel d'apprendre à reconnaître leurs modes de communication. Lorsque nous observons des oiseaux communiquer entre eux, nous identifions d'abord l'espèce à laquelle ils appartiennent puis la nature et la durée des différentes parades et les interactions au sein du groupe. Nous notons également la date, l'heure et l'endroit où le comportement a été observé (à proximité d'un nid, à côté d'un partenaire, etc.), sans oublier de mentionner les cris émis par les oiseaux en cause et s'il s'agit d'oisillons, de jeunes ou d'adultes.

En sus des observations sur le comportement de l'oiseau, nous essayons d'obtenir le plus de renseignements possible sur son mode de vie: vit-il seul, en couple, se déplace-t-il par petites ou grandes volées? Est-il bruyant ou discret? Son répertoire d'attitudes ritualisées est-il vaste ou limité? Avec le temps, on constitue un véritable dossier sur le comportement de chaque oiseau.

Étant donné que le comportement en société de la plupart des oiseaux est cyclique, il faut faire preuve de patience durant les périodes d'inactivité. Il faut également tenir compte de l'influence de l'observateur sur l'attitude des oiseaux observés. En général, il est préférable de se tenir à distance, de manière à ne pas les gêner, à moins de vouloir étudier leurs réactions face à une intrusion. La plupart des manifestations de comportements en société se produisent de l'aurore jusqu'à onze heures et de quinze heures environ jusqu'au crépuscule. Au milieu de la journée, les oiseaux sont calmes et généralement difficiles à repérer.

Au cours de vos séances d'observation, vous ne manquerez pas de découvrir des nids. Ce sont évidemment des endroits particulièrement propices à l'observation. Compte tenu de leur importance capitale dans la reproduction de l'oiseau, vous devrez prendre soin de ne pas les endommager lorsqu'ils sont utilisés. Observez toujours les activités se déroulant autour du nid d'assez loin, afin de ne pas gêner les oiseaux. Si vous souhaitez vous approcher plus près afin de l'examiner, attendez que les oiseaux s'en soient éloignés et ne vous attardez pas. Enfin et surtout, gardez intacte la végétation qui l'entoure.

Si le nid se trouve au-dessus de votre tête, fixez un petit miroir de poche à un long manche, ce qui vous permettra de voir à l'intérieur. Ne vous approchez pas plus souvent qu'une fois par jour du nid et souvenez-vous que plus vos visites sont rares et espacées, plus l'oiseau a de chances de se reproduire normalement. Une dernière remarque: beaucoup d'espèces ne «réussissent» leur couvée qu'une fois sur deux. Par conséquent, si vous avez pris soin de ne rien déranger pendant vos visites, ne vous sentez pas coupable si les oiseaux ne parviennent pas à mener leur couvée à terme.

Ces remarques vous seront peut-être utiles. Certains d'entre vous seront satisfaits d'observer le comportement des oiseaux tout en lisant ce guide. D'autres préféreront prendre soigneusement note de leurs propres observations et étudier, en sus des espèces qui font l'objet de ce guide, d'autres espèces moins courantes.

Ce qu'il faut surtout retenir, c'est que l'observation des oiseaux est à la portée de tous. Les gens sont persuadés que toutes les manifestations courantes de la nature sont bien connues, mais dans le domaine du comportement des oiseaux, rien n'est plus faux. Dans la plupart des cas, les observations ont été insuffisantes pour distinguer le comportement d'un individu du comportement de l'espèce. C'est pourquoi vos propres observations sont si importantes. Ne les rejetez pas, souvenez-vous-en et notez-les. L'un des principaux objectifs de ce guide est d'encourager chacun à contribuer à l'étude du comportement des oiseaux communs. Si nous y accordions le temps et l'énergie que nous consacrons habituellement à la simple identification des espèces, nous apporterions une contribution valable à la découverte des moeurs des oiseaux.

RÉSUMÉ DES HABITUDES DE VIE

Les habitudes de vie englobent tous les soins de base nécessaires à la survie de l'oiseau et elles sont pratiquement les mêmes d'une espèce à l'autre. Par exemple, tous les oiseaux étudiés dans ce volume dorment, font leur toilette et se baignent à peu près de la même manière. C'est pourquoi nous n'avons pas inclu de rubrique individuelle à ce chapitre. Vous trouverez ici un résumé des principales habitudes de vie des oiseaux. Les informations qu'il contient s'appliquent à la plupart des espèces étudiées dans ce guide.

Alimentation

Chaque espèce a été conçue de manière à tirer parti d'un type de nourriture bien précis. Le bec, les pattes, les plumes et les yeux présentent des caractéristiques particulières, qui permettent la cueillette et l'absorption de nourriture. Il est amusant d'observer dans quelle mesure la forme du bec d'un oiseau est adaptée à ce qu'il mange. Les becs recourbés permettent de déchirer la viande, les becs coniques sont utiles pour décortiquer les graines, les becs minces facilitent la consommation d'insectes, les becs longs permettent de sonder la vase et ainsi de suite. Lorsque vous saurez associer la forme d'un bec à un type de nourriture, vous n'aurez qu'à regarder un oiseau pour deviner ce qu'il mange.

Sommeil

Beaucoup de gens se demandent où les oiseaux passent la nuit. En général, ils se tapissent dans les endroits les mieux protégés et les plus sûrs qu'ils peuvent trouver. La plupart des oiseaux terrestres se mettent à l'abri dans les arbres, les buissons ou les broussailles. D'autres préfèrent les herbes hautes ou les marécages. Quant à la sauvagine, elle se sent en sécurité sur les îlots au centre des lacs ou des étangs, loin des renards et autres prédateurs terrestres. Les oiseaux qui nichent dans des cavités, tels les pics et les sitelles, s'y réfugient pour la nuit, notamment en hiver. Pour s'endormir, les oiseaux hérissent leur plumage et enfoncent souvent la tête derrière leur épaule.

Toilette

La condition du plumage revêt une importance capitale pour la santé et la sécurité de l'oiseau. Bien que très légères, les plumes sont particulièrement résistantes. Elles tiennent l'oiseau au chaud et au sec. C'est en lissant leur plumage à l'aide de leur bec que les oiseaux font leur toilette. Ils recouvrent également leurs plumes d'une huile qu'ils prélèvent dans une glande sébacée située sur leur dos, à la base de la queue. Après l'avoir recueillie à l'aide de leur bec, ils l'étendent sur leurs plumes.

Baignade

Les oiseaux se baignent dans la poussière ou dans l'eau afin d'entretenir leur plumage. Les bains de poussière leur permettent de se débarrasser des parasites qui l'encombrent. Après une averse, vous verrez fréquemment les oiseaux faire trempette dans les flaques d'eau.

Formicage

Les oiseaux pressent des fourmis dans leur bec pour étaler ensuite sur leur plumes le jus qu'ils en retirent. Ils les déposent aussi parfois sur leur plumage pour les laisser s'y promener quelques instants. On ignore exactement quelles fonctions remplit cette activité, mais on pense que l'un des produits chimiques contenus dans l'organisme des fourmis, l'acide formique, détruit les mites logées dans les plumes. Par conséquent, cette habitude viserait l'entretien du plumage.

Bains de soleil

Les oiseaux hérissent leurs plumes, déploient leurs ailes et placent leur queue en éventail avant de s'installer confortablement dans un endroit chaud et ensoleillé. Les bains de soleil ne durent que quelques minutes et on ignore leur fonction exacte. On pense que les rayons solaires favorisent la production de vitamine D chez l'oiseau ou que la lumière solaire soulage les démangeaisons cutanées de l'oiseau pendant la période difficile de la mue.

L'étude du comportement autour des mangeoires

L'une des meilleures façons d'observer les oiseaux consiste à les attirer chez vous. En installant des mangeoires, vous aurez mille occasions de voir les oiseaux communiquer entre eux. Non seulement vous pourrez étudier leur comportement autour de celles-ci et en comprendre la signification, mais, en plus, vous aurez ainsi réussi à en «convaincre» quelques-uns de choisir votre jardin pour y nicher et s'y reproduire. C'est en regardant tout simplement par la fenêtre que nous avons surpris certaines des manifestations les plus fascinantes de leurs comportements.

L'INSTALLATION DES MANGEOIRES

L'expérience nous a appris qu'il valait mieux commencer par installer trois types de mangeoires:

1. Une mangeoire cylindrique suspendue, remplie de graines de tournesol, dont raffolent de nombreuses espèces. Les graines décortiquées, que vous trouverez dans les centres de jardinage, sont encore plus attrayantes. Ne placez pas de mélanges de graines dans ces mangeoires, sinon les oiseaux choisiront les graines de tournesol et éparpilleront les autres.
2. Dégagez au sol un espace sur lequel vous déposerez

du maïs fendu et un mélange de graines. Ce type de mangeoire ne coûte pratiquement rien et attire beaucoup d'espèces qui ont l'habitude de chercher leur nourriture à terre. Si des buissons entourent cet espace dégagé, les oiseaux l'apprécieront encore davantage.
3. Suspendez un petit filet rempli de lard. Vous attirerez surtout les pics et quelques espèces qui fréquentent la mangeoire remplie de graines de tournesol. Vous pouvez également percer des trous de deux centimètres et demi de diamètre dans une petite bûche, installer le lard dans les trous et suspendre la bûche à une branche.

Il existe d'autres moyens d'attirer les oiseaux dans votre jardin. Vous pouvez installer des bains d'oiseaux, des cabanes, des mangeoires remplies de graines de chardon ou de fruits, et planter quelques buissons à baies.

LE COMPORTEMENT DES OISEAUX AUTOUR DE VOS MANGEOIRES

Chaque fois que l'une des espèces étudiées dans ce guide a l'habitude de fréquenter les mangeoires, nous avons ajouté une rubrique intitulée «Comportement autour des mangeoires», que vous trouverez à la fin de la section «Description du comportement». Nous aimerions cependant ajouter ici quelques principes généraux qui vous permettront de comprendre le comportement de tous les oiseaux qui fréquenteront vos mangeoires.
En premier lieu, il est capital de se souvenir qu'une mangeoire ne ressemble en rien à ce que les oiseaux trouvent dans la nature. C'est une source de nourriture extrêmement concentrée et apparemment inépuisable, ce qui attire par conséquent un nombre inhabituel d'oiseaux au mètre carré. Ce phénomène ne peut qu'intensifier la rivalité et les affrontements entre les oiseaux. C'est pourquoi la

plupart des conduites que vous observerez à proximité de vos mangeoires seront teintées d'agressivité.

Peu d'animaux engagent directement le combat lorsqu'ils rivalisent pour de la nourriture. La plupart des espèces ont mis au point des comportements destinés à régler pacifiquement les conflits. Ceux-ci exigent moins d'énergie et comportent moins de dangers qu'une lutte ouverte. Par conséquent, on reconnaît quatre manifestations d'agressivité chez les oiseaux qui fréquentent les mangeoires. Apprenez à les identifier. Vous n'en comprendrez que mieux ce qui se passe dans votre jardin.

L'une des manifestations les plus courantes est le hérissement de la huppe. L'oiseau dresse les plumes qui recouvrent le sommet de son crâne. Curieusement, les oiseaux dotés d'une huppe bien fournie, tels les mésanges, les cardinaux et certains geais, ne sont pas les seuls à redresser la huppe. D'autres espèces, soit la majorité des oiseaux chanteurs (passereaux), prennent aussi cette attitude. Chez les oiseaux entièrement dépourvus de huppe, tels les chardonnerets, les moineaux et les pics, le hérissement de la huppe est beaucoup plus subtil, ne modifiant que le profil du crâne de l'oiseau qui l'exécute, le rendant légèrement plus pointu au sommet ou plus carré vers l'arrière. Vous pourrez aussi reconnaître cette parade chez ces oiseaux en observant les plumes de l'arrière de la tête: elles sont en général ébouriffées. Cette pose ne dure qu'une seconde ou deux et elle se produit immédiatement après que deux oiseaux ont atterri l'un à côté de l'autre.

Attitude normale   *Hérissement de la huppe*

Un autre mouvement subtil consiste à abaisser les ailes. Il est si courant que les guides d'identification illustrent certains oiseaux dans cette position. Normalement, les ailes de l'oiseau se replient juste au-dessus de la base de la queue. L'abaissement des ailes est caractérisé par une légère élévation de la queue tandis que les extrémités des ailes descendent beaucoup plus bas. L'angle qu'elles forment avec la queue dépend pour une large part de l'intensité de l'affrontement. Ce mouvement peut durer plusieurs secondes et c'est généralement l'oiseau le plus agressif qui l'exécute.

Attitude normale   *Abaissement des ailes*

Pour exécuter la troisième parade, l'oiseau prend l'attitude suivante: le corps à l'horizontale, le cou tendu vers l'avant, il pointe le bec en direction de son rival. On remarque parfois que le bec est entrouvert. Il ne garde cette posture que pendant une ou deux secondes. On a l'impression que l'oiseau va donner un coup de bec à l'adversaire et il faut probablement voir dans cette impulsion l'origine de ce mouvement.

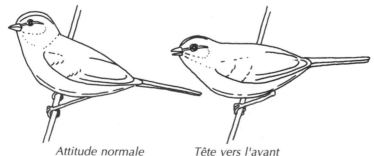

Attitude normale   *Tête vers l'avant*

Le quatrième comportement agressif consiste à subtiliser le perchoir d'un concurrent. C'est un geste très courant, légèrement différent des autres, car aucune modification de la posture n'est observable à cette occasion, mais il reflète l'ordre hiérarchique d'un oiseau par rapport à un autre. On le remarque très fréquemment autour des mangeoires.

Essayez de reconnaître ces manifestations lorsque deux oiseaux viennent se poser près de votre mangeoire ou lorsque vous entendez des sons brefs tels que «tchip» ou «tchec». Ne manquez pas d'étudier la position normale des plumes des oiseaux. Cela vous permettra de reconnaître plus facilement toute modification de la huppe, tout changement de position des ailes ou du reste du corps.

Comment utiliser ce guide

Les informations relatives à chaque oiseau étudié dans ce guide sont divisées en trois catégories: le «Calendrier du comportement», le «Guide de la communication» et la «Description du comportement».

La rubrique «Description du comportement» constitue le principal bloc d'informations. Vous y trouverez des détails sur les six principaux éléments du comportement d'un oiseau: le territoire, la cour, la nidification, l'éducation des oisillons, le plumage et les déplacements saisonniers. Des rubriques ont également été consacrées au comportement en société et au comportement autour des mangeoires lorsque ces aspects revêtent une importance particulière chez l'espèce en question.

Avant ces descriptions détaillées, vous trouverez deux courtes rubriques de références: le «Calendrier du comportement» et le «Guide de la communication». La première énumère les types de comportements susceptibles d'apparaître selon le moment de l'année et la seconde comprend des schémas et des descriptions destinés à faciliter l'identification sur le terrain des principaux cris et parades de chaque espèce. Ces deux guides vous renvoient à la partie descriptive pour plus de détails.

Ce livre est destiné à vous aider à interpréter ce que vous voyez sur le terrain. Imaginons par exemple que vous entendiez une tourterelle triste émettre continuellement la version courte de son roucoulement au début du printemps. Pour comprendre ce qui se passe, deux possibilités s'offrent à vous. Vous pouvez utiliser le «Guide de la communication» pour identifier le cri. Il apparaît dans la rubrique «Communication auditive» sous l'appellation «roucoulement court». Cette entrée renvoie, à son tour, à l'une des parties de la «Description du comportement» pour plus d'informations sur le sujet. Vous pouvez également consulter le «Calendrier du comportement» de la tourterelle triste afin de déterminer quel type de comportement cet oiseau adopte au début du printemps. Ensuite, reportez-vous à la section «Description du comportement» pour y trouver des détails sur ce que vous avez vu ou entendu.

Peut-être aimerez-vous mieux vous familiariser d'avance avec le comportement des espèces que vous vous attendez à rencontrer sur le terrain: lisez au moins l'introduction consacrée à chaque oiseau. Si vous disposez d'un peu plus de temps, lisez la description des comportements correspondant à la période de l'année qui vous intéresse et apprenez à identifier les diverses conduites que les oiseaux adoptent.

Il est impossible de connaître toutes les facettes du comportement d'un oiseau après une seule séance de lecture ou d'observation. Vous constaterez probablement que la meilleure solution consiste à alterner la lecture avec l'observation sur le terrain. Vous trouverez à la fin de l'ouvrage un glossaire des termes spécialisés.

Si vous ne connaissez pas déjà les oiseaux qui font l'objet d'une étude dans ces pages, les dessins qui se trouvent au début de chaque chapitre vous aideront à les identifier. Le meilleur ouvrage d'identification sur le terrain des diverses espèces est le *Guide des oiseaux d'Amérique du Nord*, de Chandler S. Robbins, Bertel Bruun et Herbert S. Zim.

Voici maintenant quelques détails sur chaque rubrique.

CALENDRIER DU COMPORTEMENT

Le calendrier vous présente les étapes générales du cycle de la vie d'un oiseau. Il est destiné à renseigner l'observateur sur la période où les types de comportements décrits sont les plus fréquents en Amérique du Nord. Bien entendu, il faut tenir compte d'importantes variations selon la latitude sous laquelle vous vivez. Le calendrier fourni ici est applicable aux latitudes moyennes du continent (environ quarante degrés, soit la latitude à laquelle se trouvent Philadelphie, Indianapolis, Denver et la région située légèrement au nord de San Francisco).

Les périodes de reproduction varient de dix à quinze jours chaque fois que la latitude change de cinq degrés. La carte ci-dessous devrait vous aider à adapter ce calendrier à votre région.

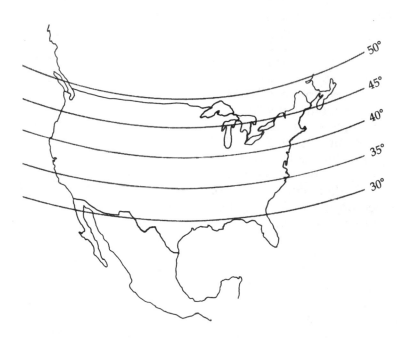

GUIDE DE LA COMMUNICATION

Ce guide est une liste des principales conduites ritualisées adoptées par chaque espèce en vue de communiquer. À l'aide de signaux visuels (attitudes) ou auditifs (cris, chants, etc.), les oiseaux communiquent entre eux et influencent même le comportement de leurs congénères.

Les manières de communiquer se divisent donc, chez les oiseaux, en deux catégories: auditive et visuelle. La description des mouvements et des postures est souvent accompagnée d'une illustration tandis que les cris sont représentés, chaque fois que cela a été possible, par des approximations phonétiques. Lorsqu'un cri accompagne habituellement une parade, nous l'avons mentionné. Par conséquent, l'absence de représentation phonétique d'un cri signifie généralement que le mouvement est exécuté en silence.

Les transcriptions phonétiques des cris sont représentées de manière séquentielle, comme suit:

— *tsitsitsitsi:* cri ininterrompu;
— *tsi tsi tsi:* brève pause entre les cris;
— *tsit, tsit:* pause de longueur moyenne;
— *tsit. tsit:* pause assez longue.

La description des cris n'est pas suffisamment détaillée pour permettre une identification précise de tous les cris de chaque oiseau. Mais, pour celui qui s'intéresse au comportement des oiseaux, cette distinction n'est pas essentielle. Il lui importe bien davantage de connaître l'éventail des cris d'une *même* espèce. Et c'est justement là que le «Guide de la communication» vous sera utile. Vous y trouverez un renvoi à l'une des rubriques descriptives (Voir *Le territoire, La cour, etc.*) dont la lecture vous permettra de mieux comprendre les mouvements, les postures et les cris d'une espèce. Quant aux attitudes observables toute l'année, elles font rarement l'objet d'un renvoi à une rubrique précise des descriptions.

Vous trouverez également une indication de la saison durant laquelle les mouvements et les cris mentionnés sont les plus courants: printemps (P), été (É), automne (A), hiver (H).

DESCRIPTION DU COMPORTEMENT

Le territoire

On définit le territoire comme «toute zone défendue». Il convient de se souvenir que le territoire varie en fonction des espèces. Chez certaines, il ne comprend que le nid et les quelques mètres carrés qui l'entourent. Chez d'autres espèces, il recouvre une zone beaucoup plus étendue dans laquelle les oiseaux s'accouplent et se nourrissent.

La cour

Dans notre guide, la cour se rapporte au jeu prénuptial aboutissant à la formation des couples, aux gestes qui entretiennent cette relation et à l'accouplement proprement dit. Il arrive souvent que, même après la création du couple, ses membres continuent à se livrer à des parades ou à se nourrir mutuellement lorsqu'ils se rencontrent. C'est ainsi qu'ils consolident leur relation de couple.

L'accouplement ne se résume pas à la seule copulation: elle englobe aussi les conduites observables avant et après celle-ci. Chez toutes les espèces courantes, la copulation se produit de la même manière. La femelle se penche vers l'avant tout en soulevant les plumes de sa queue, tandis que le mâle monte sur son dos et abaisse les plumes de la sienne pour que l'union s'accomplisse. Chez la plupart des espèces, la copulation ne dure que quelques secondes, mais peut être répétée à de nombreuses reprises. Les cris et les mouvements qui accompagnent la cour sont souvent les plus riches du répertoire de l'oiseau.

La nidification

Sous cette rubrique, vous trouverez un guide de localisation des nids des diverses espèces. Si vous n'avez encore jamais essayé de découvrir des nids d'oiseaux, cette tâche vous pa-

raîtra sans doute insurmontable, mais grâce à des indices livrés par le comportement des oiseaux, celle-ci sera plus facile que vous ne le croyez. Dans le cas de certaines espèces, il est indispensable de localiser le nid pour en
observer les comportements les plus fascinants.

L'éducation des oisillons

L'éducation des oisillons débute avec la ponte et se termine lorsque les petits sont autonomes. On divise cette période en trois étapes: la ponte et l'incubation, et les deux
phases de la croissance. La première commence dès
l'éclosion et se termine quand les oisillons quittent le nid.
La seconde phase se prolonge jusqu'au moment où les
jeunes oiseaux ne dépendent plus des parents pour se
nourrir.

Le plumage

Bien que le plumage ne soit pas un aspect du comportement en société, il est utile de savoir à quels moments se
produit la mue et de reconnaître les divers «déguisements»
que l'oiseau adopte tout au long de l'année. Vous trouverez également sous cette rubrique des indices sur son apparence qui, ajoutés à la description de son comportement,
vous permettront de distinguer le mâle de la femelle.

Les déplacements saisonniers

Sous cette rubrique sont décrits les déplacements importants des oiseaux selon le moment de l'année. Le déplace-
ment saisonnier le plus important est la migration, mais on
constate que même les oiseaux non migrateurs ont tendance à se déplacer légèrement d'un endroit à un autre au
fil des saisons. Nous avons cru bon de décrire les déplacements qui nous semblaient significatifs.

Ce n'est que pour un nombre réduit d'espèces citées ici que la migration est un phénomène bien déterminé (les oiseaux s'envolant vers le Sud à l'automne et revenant au Nord au printemps). Pour la majorité des autres espèces, les tendances migratoires varient à l'intérieur même de l'espèce (certains membres parcourent de vastes distances, tandis que d'autres vont beaucoup moins loin et quelques-uns demeurent au même endroit toute l'année). Il peut même arriver que certains oiseaux migrent une année et non la suivante. L'étude des migrations des espèces communes se heurte à d'énormes difficultés et, pour cette raison, elle en est encore à un stade embryonnaire.

Le comportement en société

Le comportement en société est habituellement observé en automne et en hiver. Il apparaît parmi des groupes d'oiseaux de une ou de plusieurs espèces qui coordonnent leurs agissements d'une manière ou d'une autre. Les vols possèdent fréquemment une structure sociale bien établie, par exemple, une hiérarchie, que l'on parvient à connaître en observant les interactions entre les individus.

Le comportement autour des mangeoires

Installer des mangeoires autour de votre maison vous permettra d'observer le comportement des oiseaux dans des conditions idéales. C'est pourquoi nous avons inclus une telle rubrique pour les oiseaux qui fréquentent régulièrement nos mangeoires. Vous y trouverez une description de leurs aliments favoris, de leurs comportements habituels autour de la mangeoire, des attitudes les plus courantes dans ces circonstances et d'autres types de comportements que vous aurez l'occasion d'observer chez vos petits visiteurs. La lecture de cette rubrique est sans doute la meilleure introduction à l'étude du comportement des oiseaux, notamment si vous décidez de commencer vos observations en automne ou en hiver, les deux saisons pendant lesquelles les oiseaux fréquentent le plus assidûment les mangeoires.

Pluvier kildir
Charadrius vociferus (Linné) / Killdeer

Le pluvier kildir qui, pendant sa phase de reproduction, passe de longs moments à lancer des «kildîîa», porte particulièrement bien son qualificatif latin: *vociferus*. Ses cris sont si plaintifs et si poignants que l'observateur qui les entend pour la première fois peut croire que l'oiseau qui les pousse est blessé. Les premiers moments de la saison de reproduction sont particulièrement bruyants, car lorsque deux mâles se querellent et se pourchassent au-dessus d'un territoire, les voisins, attirés par le vacarme, viennent souvent se joindre à la poursuite. Ces ébats peuvent se prolonger tout l'après-midi, et reprendre le lendemain.

Lorsqu'un couple occupe un territoire, l'observateur se trouve face à une tâche des plus ardues: la découverte du nid. Dû au fait que celui-ci se résume à une minuscule dépression dans la terre nue et que les oeufs sont mouchetés et se fondent bien dans le paysage, on peut passer juste à côté sans le voir. Heureusement, les oiseaux ne manquent pas de nous fournir quelques indices de l'emplacement de leur nid. Par exemple, si vous approchez d'un nid rempli d'oeufs, les parents s'efforceront de détourner votre attention en se livrant à plusieurs parades. En général, ils lancent des appels désespérés en traînant leurs ailes et leur queue au sol. Mais si vous vous éloignez quelque peu avant de vous mettre à l'affût, votre patience sera récompensée car, tôt ou tard, un des oiseaux retournera subrepticement au nid pour couver.

Les oisillons, petites boules de duvet, sont si mignons que vous ne regretterez pas d'avoir guetté le nid tous les jours jusqu'à l'éclosion des oeufs. Un jour ou deux avant qu'elle ne se produise, vous apercevrez des fentes sur la coquille des oeufs et, si vous vous approchez, vous pourrez même apercevoir les oisillons. Peu après l'éclosion, ils sont capables de se déplacer et de se nourrir. À ce moment-là, les parents les emmènent loin du nid, dans des zones dégagées où il y a de la nourriture pour toute la famille.

CALENDRIER DU COMPORTEMENT

	TERRITOIRE	COUR	NIDIFICATION	ÉDUCATION DES OISILLONS	PLUMAGE	DÉPLACEMENTS SAISONNIERS	COMPORTEMENT EN SOCIÉTÉ
JANVIER							
FÉVRIER						■	
MARS	■	■	■		■	■	
AVRIL	■	■	■	■	■		
MAI	■	■	■	■			
JUIN	■	■	■	■			
JUILLET	■		■	■	■		■
AOÛT				■	■	■	■
SEPTEMBRE						■	■
OCTOBRE						■	■
NOVEMBRE							
DÉCEMBRE							

GUIDE DE LA COMMUNICATION

Communication visuelle

1. Vols en cercle

Mâle ou femelle   P

L'oiseau vole en formant un cercle d'un diamètre maximal de un kilomètre (généralement inférieur), s'élevant parfois à perte de vue. Le battement des ailes, caractéristique, est plus lent et plus profond que d'habitude. Le vol peut durer de quelques minutes à plus d'une heure.

Cri: «Kildîîa».

Contexte: Cette parade est exécutée surtout par les mâles, peu après leur arrivée sur le territoire de reproduction. Entre les vols, ils s'attardent au sol pour émettre le cri «kildîîa». Ils se livrent parfois de nuit à cette parade. (Voir *Le territoire, La cour*.)

2. Course à l'horizontale

Mâle ou femelle   P, É

L'oiseau adopte une position horizontale qu'il conserve pendant qu'il court rapidement en direction d'un autre oiseau. Les plumes de son dos sont parfois légèrement hérissées, tandis que sa queue est déployée.

Cris: «Bégaiement» ou «kildîîa».

Contexte: Cette conduite, qui caractérise les rencontres hostiles, est adoptée par l'oiseau dominant. Le mâle exécute aussi parfois cette parade juste avant la copulation. (Voir *Le territoire, La cour*.)

3. Exhibition des colliers

Mâle ou femelle P, É

L'oiseau élève la tête en tendant le cou, exhibant ainsi de plus en plus ses colliers noirs. Le collier supérieur s'élargit alors considérablement.

Cri: Aucun.

Contexte: C'est une attitude subtile que les oiseaux dominants adoptent sur leur territoire de subsistance et à proximité des sources de nourriture. (Voir *Le territoire.*)

4. Trépignement

Mâle ou femelle P, É

Le cou est tendu, le corps est penché vers l'avant de manière que la poitrine se rapproche du sol. Souvent, l'oiseau gratte énergiquement le sol avec ses pattes en même temps, finissant par creuser une petite dépression. La queue est parfois élevée et déployée ou agitée d'avant en arrière. Il arrive que l'oiseau interrompe son trépignement pour faire voler de petits cailloux et autres débris autour de lui.

Cri: Aucun ou «kildîîa».

Contexte: Cette attitude caractérise les revendications territoriales des mâles au début de la saison, et les rencontres hostiles sur le territoire. On l'observe aussi juste avant la copulation et pendant la nidification. (Voir *Le territoire, La cour, La nidification.*)

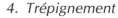

5. Basculement latéral

Mâle ou femelle   *P, É*

L'oiseau court sur une petite distance, s'arrête net puis bascule sur le côté. L'aile correspondante est abaissée, la queue est déployée pour exhiber le croupion orange vif. Il existe une version plus intense de ce mouvement qui est utilisée pour distraire l'attention d'éventuels prédateurs du nid. L'oiseau bat de une ou des deux ailes et, pendant sa course, laisse tomber ses ailes de manière à faire croire qu'elles sont fracturées.

Cris: «Bégaiement» ou «kildîîa».

Contexte: On remarque ce mouvement lorsque l'oiseau est pris en chasse par d'autres pluviers kildirs. Plus les poursuivants se rapprochent, plus le «basculement latéral» devient fréquent. Il arrive que le poursuivi devienne poursuivant à son tour. Le mouvement sert également à distraire l'attention des prédateurs qui se rapprochent du nid ou des oisillons. (Voir *Le territoire, L'éducation des oisillons.*)

6. Mouvement de piston

Mâle ou femelle   *P, É*

L'oiseau élève et abaisse rapidement la tête.

Cri: Aucun.

Contexte: Dans les situations modérément inquiétantes.

Communication auditive

Les cris des pluviers kildirs sont difficiles à interpréter en raison de leur diversité. On a constaté que, dans des circonstances identiques, les oiseaux pouvaient émettre plusieurs cris différents et de nombreuses variantes du même cri. Deux sont relativement faciles à distinguer. Il s'agit du «pop-pop» et du «bégaiement». Les autres ont été regroupés sous le cri générique «kildîîa».

1. Kildîîa

Mâle ou femelle   P, É, A

Type 1: Une seule note plaintive, répétée à plusieurs reprises: «diiîît» ou «dii» (descendant).

Type 2: Un cri de deux notes qui a donné son qualificatif à l'oiseau: «kildir».

Type 3: Formé de variantes du type 2: «kitidi» ou «k'k'k'dîî».

Contexte: Ces cris sont émis à de nombreuses occasions, par exemple durant les rencontres hostiles, en présence d'un danger, pendant la cour et la revendication territoriale. (Voir *Le territoire, La cour.*)

2. Bégaiement

Mâle ou femelle   P, É

t't't't't't' C'est une suite rapide de syllabes très brèves qui rappellent véritablement un bégaiement.

Contexte: Ce cri est caractéristique des rencontres hostiles, avertit de la pré-

sence d'un danger et préside à la cour.
(Voir *La cour.*)

3. Pop-pop
Mâle ou femelle   P, É
L'oiseau lance une sorte de caquète-
ment bref, répété à plusieurs reprises.
Ce cri est très facile à distinguer des cris
«kildîîa» et du «bégaiement».
Contexte: Lancé par les parents, géné-
ralement près du nid. Il sert parfois à
rassembler les jeunes oiseaux. (Voir
L'éducation des oisillons.)

DESCRIPTION DU COMPORTEMENT

Le territoire

Fonctions: Accouplement; nidification.
Dimensions: Pas plus de 4000 m².
Comportements habituels: «Kildîîa»; vols en cercle, poursuites.
Durée de sa défense: De l'arrivée des mâles à la fin de la période de re-
production.

Lorsque les mâles arrivent sur le territoire de reproduction, ils commencent généralement par se rassembler en
petits groupes, cherchant ensemble leur nourriture. La dé-
limitation des territoires ne commence pas immédiatement. Même après, les oiseaux continuent souvent de partager une aire de subsistance située à l'extérieur de celui-
ci. À proximité de ces «salles à manger» communautaires,
on observe seulement l'«exhibition des colliers» et la
«course à l'horizontale»; ces conduites servent à exprimer
la domination passagère d'un oiseau sur un endroit précis
de l'aire de subsistance.
Après le début de la revendication territoriale, les pluviers kildirs deviennent particulièrement expressifs. Les ter-

ritoires qu'ils choisissent se situent habituellement dans des zones dégagées où la végétation est rare, telles que les rives de lacs, les champs en culture, les grands espaces vides, les terrains de jeux et les toitures en terrasse recouvertes de gravier. Ces territoires sont aussi très largement dispersés, mais les pluviers, attirés par les conflits qui se déroulent chez leurs voisins, viennent souvent s'y joindre. Vous aurez peut-être la chance d'apercevoir des groupes de quatre ou cinq oiseaux dont les parades se prolongent parfois de longs moments.

Les mâles réintègrent habituellement le même territoire chaque année. Ils y arrivent avant les femelles et, à leur arrivée, ils peuvent se livrer à plusieurs parades. L'une d'entre elles consiste à s'installer dans un endroit bien en vue pour lancer leurs «kildîîa» (notamment les cris de type 1 et 2). Pendant ce temps, ils lèvent la tête vers le ciel, guettant peut-être l'apparition de congénères. Ils exécutent aussi parfois de petits «vols en cercle» au-dessus de leur territoire en lançant n'importe lequel de leurs cris «kildîîa». Ces deux parades servent peut-être à faire savoir leur arrivée aux femelles et aux autres mâles. La troisième est le «trépignement» auquel l'oiseau se livre un peu partout sur son territoire.

Lorsque d'autres pluviers arrivent, le «trépignement» s'intensifie. Les oiseaux se réunissent parfois pour exécuter des «vols en cercle» accompagnés d'incessants cris «kildîîa». Lorsque deux ou plusieurs oiseaux se rencontrent au sol, ils se donnent parfois la chasse, l'oiseau dominant se livrant à la «course à l'horizontale». Pendant les pauses, un ou plusieurs d'entre eux exécutent l'«exhibition des colliers». On a remarqué que l'oiseau pourchassé exécutait fréquemment le «basculement latéral». L'observateur verra parfois, longeant leur frontière commune, deux oiseaux se livrer parallèlement à la «course à l'horizontale». Ces «réjouissances» peuvent se prolonger pendant plus d'une heure.

La défense du territoire se poursuit jusqu'à la fin de la

seconde phase de croissance des oisillons. À partir de ce moment-là, plusieurs familles se réunissent dans des zones où abonde la nourriture.

La cour

Comportements habituels: «Trépignement; accouplement.
Durée: De la formation des couples à l'incubation.

Le mâle semble réagir de diverses manières à l'arrivée de la femelle sur le territoire. Dans certains cas, il la considère de la même manière qu'un intrus mâle, la pourchassant et se livrant à des «courses à l'horizontale» et à des «vols en cercle». Si la femelle persiste à rester, l'agressivité du mâle s'atténue jusqu'à ce qu'il accepte sa présence. Dans d'autres cas, les femelles semblent être immédiatement acceptées.

Après la formation du couple, les partenaires défendent leur territoire et passent la plus grande partie de la journée ensemble. Leurs deux principales activités, avant la ponte, consistent à «trépigner» et à s'accoupler.

Pour exécuter le «trépignement», les deux oiseaux s'approchent de l'endroit choisi et commencent à se pencher en avant tout en grattant le sol de leurs pattes. Il leur arrive aussi de faire voler des cailloux ou des brins d'herbe dans les airs. Ces séances peuvent se répéter à divers endroits sur le territoire. Ensuite, les oiseaux font leur toilette, se nourrissent ou se préparent à la copulation.

Le mâle s'approche alors de la femelle, en exécutant une «course à l'horizontale». Ensuite, les deux oiseaux se livrent au «trépignement» pendant quelques instants, puis le mâle saute sur le dos de la femelle, sans cesser ce mouvement. Brusquement, il penche sa queue vers le bas pour accomplir la copulation. Si elle n'est pas immédiatement répétée, les deux oiseaux s'envolent. À ces occasions, vous entendrez le «bégaiement» et les diverses versions du «kildîîa». On remarque que les oiseaux s'accouplent trois ou quatre fois par jour pendant la période qui précède immédiatement la ponte et continuent parfois de le faire pendant l'incubation.

La copulation et le «trépignement» n'ont lieu que sur le territoire.

La nidification

Emplacement du nid: Sur le sol, dans des zones dégagées où la végétation est rare.
Dimensions: Diamètre intérieur de 5 à 8 cm; profondeur de 2,5 à 4,5 cm.
Matériaux: La légère dépression dans le sol qui leur sert de nid est parfois tapissée de divers matériaux tels que des galets, des copeaux, de l'herbe et d'autres débris.

Les séances de «trépignement» qui ponctuent la cour laissent de petites dépressions dans le sol. C'est l'une d'entre elles que la femelle tapissera sommairement de petits galets et de débris de tout genre. Les pluviers modifient le moins possible l'environnement de leur nid: c'est la meilleure façon de le camoufler. En outre, les oeufs sont mouchetés, semblables aux pierres et à la terre qui les entoure. C'est pourquoi, même si vous avez trouvé le nid une première fois, vous risquez d'avoir de la difficulté à le repérer ultérieurement.

Comment découvrir le nid

Emplacement: Dans des zones dégagées, pauvres en végétation et au sol caillouteux. On trouve également des nids à des endroits inattendus tels que des toits en terrasse, entre les traverses de chemin de fer, dans les dépotoirs ou sur les terrains de jeux.

Saison: Peu après l'arrivée des oiseaux, jusqu'en plein été.

INDICES DE COMPORTEMENT

1. Deux ou plusieurs pluviers paradent sur le territoire.
2. Les oiseaux sont portés à cacher l'emplacement de leur nid. Lorsqu'ils sont dérangés, ils s'éloignent tranquillement et s'installent un peu plus loin sur le sol, comme s'ils incubaient.
3. Parfois, ils s'efforcent de détourner votre attention du nid en traînant leur aile au sol comme s'ils étaient blessés.

L'éducation des oisillons

Oeufs: De 3 à 5, habituellement 4; ils sont beiges, irrégulièrement mouchetés de noir et de brun.
Incubation: De 24 à 28 jours; les deux parents incubent.
Première phase de croissance: Quelques heures au maximum; parfois inexistante.
Seconde phase de croissance: Environ 5 semaines.
Couvées: Soit 1 ou 2.

Ponte et incubation

La femelle pond généralement un oeuf par jour. Elle partage l'incubation avec son compagnon, dès que le dernier oeuf a été déposé dans le nid. Pendant que l'un des parents couve les oeufs, l'autre reste à proximité, sauf quand il quitte le territoire pour aller se nourrir un peu plus loin. Les séances d'incubation durent de cinquante à quatre-vingt-dix minutes, pendant lesquelles l'oiseau retourne parfois les oeufs pour que la chaleur y soit également répartie, déplace les cailloux qui forment le rebord du nid et, pendant les journées très chaudes, se tient debout au-dessus des oeufs pour les protéger du soleil.

Vous pourrez observer plusieurs conduites ritualisées au moment de la «relève de la garde». Le nouveau venu appelle l'autre qui, à ce moment-là, bat des ailes en lançant certains cris «kildîîa» ou le «pop-pop». Puis l'arrivant marche en direction du nid. On a remarqué qu'il n'hésitait guère à bousculer son partenaire s'il ne lui cédait pas la place assez vite. Il se peut aussi que les deux oiseaux se rencontrent à côté du nid pour copuler. Parfois, la relève s'exécute sans parade spécifique.

Si vous êtes près du nid pendant cette période, vous assisterez certainement au «basculement latéral» que les oiseaux utilisent pour détourner l'attention de quiconque s'en approche dangereusement: l'un des deux s'éloigne immédiatement du nid et bat des ailes contre le sol, penché sur un côté, la queue déployée, tout en lançant des cris plaintifs. Tous ses efforts viseront à vous éloigner du nid. Lorsque vous serez enfin à une distance respectable, il y retournera avec précaution. Curieusement, les pluviers ne semblent pas craindre les voitures et si vous vous approchez d'eux au volant de votre auto, ou si vous vous y installez pour les observer, ils continueront à vaquer à leurs occupations comme si de rien n'était.

Près de deux jours avant l'éclosion, on peut commencer à entendre des «tchip» à l'intérieur des oeufs si on colle l'oreille à la coquille. Des fentes commencent à apparaître entre dix-huit et trente-six heures avant l'éclosion et celle-ci dure de quatre à seize heures. Les adultes emportent les morceaux de coquille hors du nid.

Dans les régions nordiques, il arrive que les pluviers kildirs pondent au début de la saison et se fassent surprendre par les dernières vagues de froid, voire les derniers blizzards. Ils sont alors contraints d'abandonner le nid et les oeufs, puis d'attendre la fonte des neiges pour recommencer à pondre dans une autre portion du territoire.

Première phase de croissance

Chez les pluviers kildirs, la première phase de croissance est pratiquement inexistante, car les petits sont très précoces, se déplaçant et se nourrissant par eux-mêmes peu après l'éclosion. On remarque que les parents les gardent parfois sous leurs ailes pendant les heures qui suivent l'éclosion, mais ils ne tardent pas à quitter définitivement le nid.

Seconde phase de croissance

Peu après l'éclosion des oeufs, les parents conduisent les oisillons dans des endroits protégés où abonde la nourriture. Comme ces lieux ne se trouvent pas forcément sur le territoire, les parents se doivent alors de défendre deux zones, la première devant être conservée au cas où ils élèveraient une nouvelle couvée. Le premier jour, les petits sont capables de se déplacer jusqu'à une quarantaine de mètres du nid et, pendant les journées suivantes, ils continuent leur progression. Les parents les abritent parfois sous leurs ailes pendant la journée et, bien entendu, toutes les nuits. Au bout de quelques jours, les oisillons ne reçoivent désormais ce traitement de faveur que pendant les matinées fraîches et les averses. Dès qu'ils se dispersent, les parents tâchent de les rassembler en lançant le «pop-pop», auquel les jeunes répondent par de légers «piip-piip». Par conséquent, tous les membres de la famille restent à portée de voix les uns des autres. Après une semaine ou deux, les parents préfèrent survoler le groupe pour prendre les prédateurs en chasse plutôt que de se livrer au «basculement latéral». Ils ne quittent d'ailleurs les oisillons que pour s'accoupler ou chasser les prédateurs. Si une deuxième couvée est en route, c'est alors la femelle qui se charge de l'incubation tandis que le mâle continue de surveiller la première nichée.

Le plumage

Comment différencier le mâle de la femelle
Il s'agit d'une tâche impossible, si on s'en tient au plumage.
Quant au comportement, il est plus ou moins identique.
Seule la copulation permet à l'observateur de distinguer
sans équivoque le mâle de la femelle.

Comment distinguer les jeunes des adultes
Les jeunes ressemblent aux adultes à la différence que les
plumes supérieures ont des lisérés plus clairs et que les colliers sont plus étroits. Ces derniers sont d'ailleurs souvent
gris ou bruns plutôt que noirs.

Mues
Les pluviers kildirs muent deux fois par an. De juillet à novembre, la mue est complète, tandis que de février à juin,
seules les plumes du corps changent.

Les déplacements saisonniers

À l'automne, les pluviers kildirs prennent la direction du
Sud. Ils se déplacent de jour par petits groupes, à une altitude telle que vous ne les remarqueriez même pas sans
leurs énergiques «kildîîa», que l'on peut entendre du sol. Ils
vont jusqu'en Amérique du Sud, parfois en compagnie
d'autres oiseaux de rivage tels que les chevaliers, les
tourne-pierres, les autres pluviers et les bécasseaux.
    La migration vers le Nord commence en mars. Les oi-
seaux arrivent généralement les uns après les autres sur leur
territoire de reproduction.

Le comportement en société

En juillet et août, des vols de pluviers kildirs se rassemblent sur les bancs de vase où abonde la nourriture. Il arrive parfois qu'ils manifestent de l'agressivité les uns envers les autres, utilisant à répétition la «course à l'horizontale» et le «bégaiement». Peut-être défendent-ils alors un territoire de subsistance temporaire avant de migrer vers le Sud.

Maubèche branlequeue
(aussi appelée «chevalier branlequeue»)
Actitis macularia (Linné) / Spotted Sandpiper

Nombreux sont ceux qui n'ont jamais entendu parler de la maubèche branlequeue ou qui ne l'ont jamais aperçue. Pourtant, cet oiseau commun se reproduit dans toute la moitié septentrionale de l'Amérique du Nord. Peut-être est-elle méconnue parce qu'elle vit le long des berges désertes des lacs et des cours d'eau. Seuls les pêcheurs la voient survoler l'eau de son battement d'ailes rigide, si caractéristique. C'est l'un des rares bécasseaux dont nous puissions observer la reproduction, car la plupart des autres passent l'été dans le Grand Nord et dans l'Arctique.

Chez la maubèche branlequeue, les rôles ordinairement dévolus à chaque sexe sont inversés. La femelle est la première à arriver sur le territoire qu'elle revendique et défend contre les autres femelles. Après l'arrivée du mâle, c'est également elle qui fait les avances et qui exécute la majorité des parades nuptiales. Après la ponte, elle laisse fréquemment le mâle incuber et s'occuper des oisillons.

En outre, les maubèches branlequeue sont fréquemment polyandres, la femelle ayant deux ou plusieurs partenaires masculins. Auquel cas, après avoir courtisé un mâle, elle pond puis part faire des avances à un autre mâle, laissant le premier incuber les oeufs et éduquer les oisillons. On a remarqué qu'une femelle pouvait avoir jusqu'à quatre ou cinq partenaires de sexe masculin en une seule saison.

Les cris de la maubèche branlequeue sont un autre élément intéressant de son comportement. Au lieu d'émettre plusieurs cris distincts, elle possède un répertoire constitué de variantes de deux versions de son chant dont l'une semble liée à un comportement agressif tandis que l'autre se rapporte à la cour. Les variantes possèdent certainement des significations bien précises.

CALENDRIER DU COMPORTEMENT

	TERRITOIRE	COUR	NIDIFICATION	ÉDUCATION DES OISILLONS	PLUMAGE	DÉPLACEMENTS SAISONNIERS	COMPORTEMENT EN SOCIÉTÉ
JANVIER							▓
FÉVRIER							▓
MARS					▓		
AVRIL	▓				▓	▓	
MAI	▓	▓	▓	▓		▓	
JUIN	▓	▓	▓	▓			
JUILLET	▓	▓	▓	▓			
AOÛT				▓	▓		
SEPTEMBRE					▓	▓	▓
OCTOBRE						▓	▓
NOVEMBRE							▓
DÉCEMBRE							▓

GUIDE DE LA COMMUNICATION

Communication visuelle

1. Parade triomphante

Femelle   *P, É*

L'oiseau tend le cou, ébouriffe les plumes de sa gorge, abaisse les ailes et déploie la queue. Il marche ensuite vers un endroit bien en vue, par exemple, un tronc d'arbre tombé à terre. Son allure est totalement figée.

Cri: Aucun.

Contexte: Ce comportement ritualisé associé à la cour est probablement exécuté par la femelle et destiné au mâle. Cette parade peut durer plusieurs heures. (Voir *La cour.*)

2. Frémissement d'ailes

Mâle ou femelle   *P, É*

L'oiseau étend partiellement les ailes pour en faire frémir les extrémités. Il peut aussi se recroqueviller à terre, comme s'il était en train d'incuber.

Cri: Aucun.

Contexte: Généralement, cette parade, liée à la cour, s'exécute à deux, probablement par un mâle et une femelle. (Voir *La cour.*)

3. Hérissement des plumes dorsales

Mâle ou femelle   *P, É*

L'oiseau hérisse ses plumes dorsales et court, le corps à l'horizontale ou légèrement penché vers l'avant. Sa queue est parfois déployée.

Cri: Aucun.

Contexte: Cette attitude, qui caractérise les rencontres hostiles, se déroule soit sur le territoire de reproduction, soit sur le territoire de subsistance après l'élevage de la nichée. (Voir *Le comportement en société.*)

4. Manoeuvre de diversion

Mâle ou femelle   É

L'oiseau court dans tous les sens. Parfois son plumage est si ébouriffé qu'il ressemble à une petite boule. Ses ailes frémissent et sa queue peut être déployée et traînée au sol.

Cri: «Cri aigu».

Contexte: L'un des parents souhaite éloigner un prédateur du nid ou des oisillons.

Communication auditive

Le chant de la maubèche branlequeue est une suite ininterrompue de variations. Au début, on entend une série de «ouiit» rapides et aigus tandis qu'à la fin le son est plus lent et précédé de deux ou trois notes d'introduction ressemblant à «tiidouît». Entre les deux extrêmes, toutes les modulations sont possibles. On pense qu'au moment où l'oiseau passe d'un extrême à l'autre, son chant change de signification. Les deux extrêmes sont décrits ci-après, mais attendez-vous à entendre de nombreuses variations entre les deux.

1. Chant agressif

Mâle ou femelle P, É

Il s'agit d'une série rapide de sifflements aigus et ascendants. Si la série est longue, elle traduit un danger imminent. Une série de deux, trois ou quatre sifflements caractérise surtout une rencontre hostile entre deux ou plusieurs oiseaux. *ouiitouiitouiit* ou *ouiit ouiit ouiit*

Contexte: On l'entend pendant les revendications territoriales et lorsque quelque chose gêne ou effraye les oiseaux. On pense qu'un «ouiit» unique permet au couple de rester en contact auditif. (Voir *Le territoire, Le comportement en société.*)

2. Chant de cour

Mâle ou femelle P, É

C'est un sifflement assez bref précédé de deux ou trois notes courtes. La phrase musicale est reprise plusieurs fois, avec des intervalles de une seconde ou plus. *tiidouit, tiidouit* ou *tiidouît tiidouît*

Contexte: Caractérise la cour et les autres activités du couple. On ne l'entend habituellement pas lors de rencontres hostiles.

3. Crrouî

Mâle ou femelle P, É

Ce cri, assez bas et prolongé, est généralement émis très doucement. Il ne ressemble pas du tout aux sifflements du chant

Contexte: Il est émis par les adultes à proximité des petits. On pense qu'il sert à rassembler la famille. (Voir *L'éduca-tion des oisillons.*)

4. Cri aigu

Mâle ou femelle É

C'est un cri plaintif et strident, souvent rapidement répété.

Contexte: Il accompagne la «manoeu-vre de diversion» destinée à détourner l'attention du prédateur qui s'approche des oisillons. (Voir *L'éducation des oi-sillons.*)

DESCRIPTION DU COMPORTEMENT

Le territoire

Fonctions: Accouplement; nidification.
Dimensions: Varie de moins de 4000 à 12 000 m² ou plus.
Comportements habituels: Poursuites; «chant agressif».
Durée: Du milieu du printemps au plein coeur de l'été.

Les femelles arrivent les premières sur le territoire de reproduction et ce sont elles qui défendent le territoire. Cette activité revêt la forme de poursuites entre femelles, souvent ponctuées par le «chant agressif». Les mâles arri-vent plus tard et, bien qu'ils fassent parfois mine de se don-ner la chasse, leurs activités consistent surtout à établir leur domination à l'intérieur du territoire d'une femelle. (Voir *La cour.*)

L'intensité des revendications territoriales dépend pour une large part de la densité des populations dans l'aire de reproduction. Sur les îles lacustres et maritimes, on peut compter jusqu'à plus d'une centaine de couples sur quel-ques milliers de mètres carrés. Dans d'autres régions, les oi-seaux sont plus dispersés et chaque couple peut jouir d'un territoire de plus de huit mille mètres carrés. En l'occurrence, les querelles territoriales se produisent surtout au début de la saison, puisque ensuite, les frontières étant fixées une fois pour toutes, elles ne font plus l'objet de rivalités. En revanche, dans les régions plus densément peuplées, les conflits territoriaux ne sont jamais vraiment résolus et se poursuivent tout au long de la saison de reproduction.

Les oiseaux ont tendance à revenir chaque année occuper le même territoire, voire nicher au même endroit. Les territoires renferment principalement le nid, les oiseaux se nourrissant au bord de l'eau, dans des espaces qu'ils partagent souvent avec des congénères.

La cour

Comportements habituels: «Parade triomphante», poursuites, «frémissement d'ailes».

En général, les femelles arrivent les premières pour revendiquer leur territoire. Les mâles les suivent quelques jours plus tard, retournant à leurs anciens nids. On a remarqué que les maubèches branlequeue étaient fréquemment polyandres, chaque femelle ayant plusieurs partenaires mâles. C'est pour cette raison qu'elles prennent généralement l'initiative de la revendication territoriale et de la cour.

Lorsqu'un mâle apparaît, un regain de rivalité se déclenche entre les femelles qui se livrent alors à des poursuites prolongées. Les mâles aussi doivent se livrer à une lutte territoriale: ils pourchassent d'autres mâles afin d'établir leur domination sur le territoire d'une femelle et de s'accoupler avec elle. C'est au moment où les poursuites s'atténuent que la cour entre mâles et femelles commence.

Sa manifestation la plus fréquente est la «parade triomphante»: la femelle tend le cou, hérisse les plumes de sa gorge et se pavane devant le mâle. Elle exécute souvent cette parade le long du rivage ou sur le tronc d'un arbre tombé au bord de l'eau. Les oiseaux peuvent aussi exécuter le «frémissement d'ailes» (voir le «Guide de la communication») et se pourchasser brièvement. On remarque également un type de vol assez particulier: l'oiseau bat très rapidement des ailes et vole de manière rigide, le corps à un angle de quarante-cinq degrés. Cette activité est accompagnée d'une version du chant. Si vous êtes capable d'imiter l'une des variantes du chant, vous parviendrez peut-être à inciter une femelle à exécuter la «parade triomphante» près de vous.

La formation des couples semble se faire rapidement chez les maubèches branlequeue. En effet, un couple est formé quelques minutes après le début des parades nuptiales. Ensuite, vous verrez le couple sautiller vers la zone de nidification, le mâle ouvrant la marche, la queue abaissée, tandis que la femelle le suit, la queue relevée. Ces activités se répètent parfois à plusieurs reprises et il est probable que le couple bâtira son nid dans l'un des endroits qu'il explore de cette manière.

Ensuite, les oiseaux ne se quittent plus guère. Ils se nourrissent ensemble tout en émettant de petits sifflements pour rester à portée de voix l'un de l'autre. Cette intimité se poursuit jusqu'à la fin de la ponte. Après que tous les oeufs sont déposés dans le nid, la femelle va parfois courtiser un autre mâle, tandis que le premier incube les oeufs et éduque les petits. La copulation se produit un jour ou deux après la formation des couples. Quant à la construction du nid et à la ponte, elles sont généralement terminées dans les cinq à six jours qui suivent.

La nidification

Emplacement du nid: Sur le sol, là où poussent des herbes hautes ou des broussailles; le nid même est protégé par la végétation rase.

Dimensions: Diamètre intérieur: 6 à 8 cm; profondeur: 2,5 cm.
Matériaux: Le nid n'est qu'une petite dépression pratiquée à même le
sol et tapissée d'herbe.

La construction du nid n'est pas un événement très marquant de la vie des maubèches branlequeue. Il se résume à une simple dépression dans le sol tapissée de brins d'herbe. Un ou deux jours suffisent à le bâtir et la ponte peut commencer avant la fin des travaux. On ne sait pas encore avec certitude qui, du mâle ou de la femelle, se charge de sa construction. Le nid est toujours abrité par la végétation rase et, bien qu'il soit généralement près de l'eau, on en a repéré certains qui en étaient éloignés de plus de quatre cents mètres.

Si les oiseaux sont dérangés pendant la construction du nid, ils abandonnent les lieux, auquel cas le nouveau nid sera généralement construit à l'autre extrémité du territoire.

Comment découvrir le nid
Emplacement: Dans les zones dégagées, le long des étangs, des lacs, des rivières, au bord de la mer ou sur les îles côtières.
Saison: Du milieu du printemps au plein coeur de l'été.

INDICES DE COMPORTEMENT

1. Guettez les oiseaux que vous dérangez. Ils reviendront probablement en survolant le coin, atterriront, puis parcourront les derniers dix mètres en marchant.
2. Soyez à l'écoute du «chant agressif» que votre présence déclenchera probablement si vous êtes à proximité du nid.
3. Ce n'est que pendant l'incubation que vous pourrez découvrir le nid, car les oisillons le quittent dès l'éclosion.

L'éducation des oisillons

Oeufs: Une moyenne de 4; ils sont fauves, mouchetés de brun.
Incubation: Environ 21 jours; c'est fréquemment le mâle qui s'en charge, mais parfois les deux parents se partagent la tâche.
Première phase de croissance: De 2 à 3 jours, parfois inexistante.
Seconde phase de croissance: Environ 3 semaines.
Couvée: Seulement 1.

Ponte et incubation

Quelques jours après la formation du couple, la femelle pond le premier oeuf, parfois même avant d'avoir fini de bâtir le nid. Elle pond généralement un oeuf par jour, mais ce rythme est parfois perturbé par les tempêtes ou les vagues de froid.

Après avoir déposé le dernier oeuf de la couvée, la plupart des femelles reprennent leurs activités sexuelles, courtisant d'autres mâles et rivalisant avec d'autres femelles pour se tailler un nouveau territoire. Parfois, la femelle s'unit à un autre mâle et abandonne la première couvée. Dans d'autres cas, ce regain d'activité sexuelle et de conflits territoriaux ne dure que quelques jours. Après quoi, la femelle retourne au nid pour participer à l'incubation et à l'éducation des oisillons.

Le degré de polyandrie des maubèches varie. Certaines femelles se contentent d'un seul mâle et, dans ces conditions, partagent avec lui l'éducation des oisillons. D'autres femelles pondent plusieurs couvées, ayant jusqu'à cinq partenaires différents au cours de la même saison. Dans ces circonstances, ce sont aux mâles seuls qu'incombe la tâche de couver les oeufs et d'élever les oisillons sauf, bien entendu, pour la dernière nichée.

Pendant la ponte, les oiseaux restent à proximité du nid, mais après le début de l'incubation, un seul reste au nid. Il peut d'ailleurs arriver que celle-ci débute avant que le dernier oeuf ait été pondu. Si vous vous approchez d'un nid pendant l'incubation, vous verrez certainement l'un des parents courir sur une petite distance avant de s'envoler. Lorsqu'il jugera le danger passé, il se posera à proximité du nid pour parcourir le reste de la distance en marchant sous la végétation. Certains oiseaux émettent une version très douce du «chant» à leur retour. Il arrive parfois que l'oiseau installé dans le nid se mette à chanter, vraisemblablement en réponse à un congénère qui crie au loin.

Lorsqu'un prédateur s'approche du nid, les maubèches branlequeue utilisent la «manoeuvre de diversion» pour détourner son attention. L'oiseau se recroqueville alors au sol, ses ailes partiellement déployées, sa queue en éventail traînant à terre. Ce mouvement est accompagné du «cri aigu». On remarque que la fréquence d'utilisation de cette ruse varie selon l'individu. Certains oiseaux l'exécutent très souvent, d'autres pratiquement jamais. Si vous vous approchez du nid, peut-être en serez-vous témoin.

Lorsqu'un prédateur détruit les oeufs, la femelle recommence à pondre environ cinq jours plus tard.

Première phase de croissance
Les jeunes maubèches sont capables de sortir du nid quelques heures après l'éclosion. Elles restent cependant à proximité ou à l'intérieur de celui-ci tant que les oeufs ne sont pas tous éclos, ce qui prend jusqu'à deux jours. Les coquilles brisées sont immédiatement emportées au loin par les parents.

Seconde phase de croissance

Pendant trois semaines environ, le père, accompagné ou non de la mère, surveille sa nichée. La famille s'éloigne progressivement du nid en direction de l'eau ou de zones plus dégagées. L'un des parents se perche parfois sur un arbre d'où il observe les alentours. Les jeunes sont prévenus du danger par le «chant agressif», qui les incite à se figer sur place. En revanche, s'ils entendent le cri «crrouî», ils se rapprochent des parents. Ceux-ci creusent parfois une petite dépression dans le sol qui servira d'abri nocturne à leur progéniture. La famille reste ensemble jusqu'à ce que les jeunes soient capables de voler.

Le plumage

Comment différencier le mâle de la femelle

L'apparence seule ne permet pas de distinguer le mâle de la femelle. Tout ce que l'on peut affirmer à ce sujet, c'est que la femelle est souvent plus grosse que le mâle et que son plumage est plus moucheté.

En matière de comportement, le mâle est souvent le seul à incuber les oeufs et à s'occuper des oisillons, mais ce n'est pas une règle absolue. La femelle fait généralement les premiers pas pendant la période de la cour et elle se charge de la défense du territoire.

Comment distinguer les jeunes des adultes

Du plein été au début de l'automne, les jeunes ont la poitrine plus claire que celle des adultes et dépourvue de taches. Après la mue du début de l'automne, il est impossible de distinguer les jeunes des adultes, car ni les uns ni les autres ne portent de taches sur la poitrine.

Mues

Les maubèches branlequeue subissent leur mue en plusieurs étapes. Vers le début de l'automne, les plumes du corps sont remplacées: la poitrine perd ses taches pour devenir blanche. Un peu plus tard, probablement juste avant la migration, les caudales et les alaires changent. Enfin, en mars et en avril, les plumes du corps changent de nouveau et les oiseaux acquièrent cette poitrine mouchetée qu'on reconnaît facilement pendant la saison des nids.

Les déplacements saisonniers

Les maubèches branlequeue se comportent discrètement pendant leur migration, ne se rassemblant que très rarement en grands vols. En outre, elles semblent voyager plutôt de nuit. À l'automne, elles migrent vers l'Amérique du Sud et les Antilles. Malgré cela, en hiver, on en aperçoit certaines dans le sud de la Californie et le long des côtes des États du Sud-Est.

C'est vers la fin d'avril et le début de mai qu'elles retournent en Amérique du Nord. Mâles et femelles arrivent par petits groupes sur le territoire de reproduction. Les femelles y font leur apparition habituellement quelques jours avant les mâles.

Le comportement en société

Vers la fin de l'été, des groupes se rassemblent parfois à proximité des sources de nourriture. Dans certains cas, on a l'impression que les oiseaux défendent de minuscules territoires de subsistance à l'aide du «chant agressif» et du «hérissement des plumes dorsales». Dans les zones exiguës, la communication est intense et vous pouvez l'observer presque toute la journée.

On a remarqué que, dans leurs quartiers d'hiver, les oiseaux se nourrissaient seuls ou en groupes pendant la journée, pour se réunir dans de vastes abris communautaires à la tombée de la nuit.

Tourterelle triste
Zenaida macroura (Linné) / Mourning Dove

Vous attirerez facilement les tourterelles tristes dans votre jardin en éparpillant du maïs fendu sur une petite surface dégagée. Vous les observerez ainsi dans des conditions idéales, car elles se nourrissent en groupe, ponctuant leurs repas de fascinantes conduites nuptiales ou agressives. Par exemple, vous pourrez voir deux oiseaux traverser rapidement, en tandem, le reste du groupe. C'est ce qu'on appelle la «charge». Vous assisterez aussi à la «révérence» accompagnée du «roucoulement long». Les oiseaux exécutent également parfois l'«élévation des ailes» en signe d'hostilité.

Les tourterelles tristes émettent surtout deux cris: le «roucoulement long» et le «roucoulement bref». On entend le premier du début du printemps à la fin de l'été. C'est son caractère nostalgique et sa modulation plaintive qui ont donné son nom à l'oiseau. Il est en général émis par les mâles «célibataires» dans le but d'attirer une femelle. Pendant cette phase de la cour, vous assisterez peut-être à l'extraordinaire «vol en glissade», entièrement différent du vol habituel des tourterelles. L'oiseau, à cette occasion, bat des ailes à plusieurs reprises, si puissamment que les plumes des extrémités de chaque aile se touchent, émettant un bruit d'applaudissement. Ensuite, il se laisse longuement glisser en abaissant légèrement les ailes. Il est alors facile à confondre avec un oiseau de proie. Sa silhouette rappelle celle d'une crécerelle américaine tandis que son vol ressemble à celui de l'épervier brun.

Le «roucoulement bref», quant à lui, est simplement composé des trois premières notes du «roucoulement long». Guettez ce cri car il est généralement émis par le mâle à proximité du nid ou d'un emplacement propice à la nidification. Si vous l'entendez, vous saurez que le couple s'apprête à bâtir son nid dans les environs. Par conséquent, vous aurez de bonnes chances de surprendre le mâle, tôt le matin, occupé à transporter des brindilles dans son bec.

CALENDRIER DU COMPORTEMENT

	TERRITOIRE	COUR	NIDIFICATION	ÉDUCATION DES OISILLONS	PLUMAGE	DÉPLACEMENTS SAISONNIERS	COMPORTEMENT EN SOCIÉTÉ
JANVIER							■
FÉVRIER							■
MARS	■	■					■
AVRIL	■	■	■				
MAI	■	■	■	■			
JUIN	■	■	■	■			
JUILLET		■	■	■			
AOÛT	■	■		■			
SEPTEMBRE					■		■
OCTOBRE					■		■
NOVEMBRE					■		■
DÉCEMBRE							■

GUIDE DE LA COMMUNICATION

Communication visuelle

1. Perchage

Mâle   P, É

L'oiseau, perché bien droit, ébouriffe les plumes de sa gorge en agitant verticalement sa queue.

Cri: «Roucoulement long».

Contexte: Exécutée à partir de perchoirs, cette parade est fréquemment utilisée par les mâles célibataires dans le but d'attirer des femelles. On l'observe parfois chez des mâles déjà accouplés. (Voir *La cour.*)

2. Charge

Mâle ou femelle   P, É, A, H

L'oiseau charge littéralement un autre oiseau, la queue et la tête à l'horizontale. Cette parade se termine parfois par un petit saut. Elle est souvent suivie par la «révérence».

Cri: Aucun.

Contexte: Chez le mâle, elle précède souvent le «perchage» pendant la cour. Les oiseaux de l'un ou de l'autre sexe sont susceptibles d'adopter ce comportement à l'occasion de rencontres hostiles. On le remarque fréquemment autour des mangeoires. (Voir *La cour.*)

3. Révérence

Mâle P, É

Le mâle exécute une révérence (qu'il lui arrive de répéter à plusieurs reprises) en abaissant la tête jusqu'au sol. Il lève ensuite la tête en lançant un roucoulement long et sonore.

Cri: «Roucoulement long».

Contexte: Cette conduite, adoptée par un mâle face à une femelle, est souvent observée pendant la cour. Il arrive cependant qu'un mâle agisse de même en présence d'un spécimen du même sexe que lui. Dans ce cas, elle est associée à la défense territoriale. (Voir *Le territoire, La cour.*)

4. Vol en glissade

Mâle P, É

L'oiseau quitte son perchoir et, en battant bruyamment des ailes (dont les extrémités claquent sous son corps), il s'élève dans les airs. Puis il redescend en une longue glissade, parfois agrémentée de spirales. Les ailes, alors légèrement plus basses que le corps, le font ressembler à un épervier brun.

Cri: Aucun.

Contexte: On observe généralement ce comportement chez les mâles «célibataires» à la recherche d'une partenaire, pendant la cour. Les oiseaux peuvent effectuer plus d'une douzaine de ces vols chaque heure et couvrir ainsi un vaste territoire. La fréquence des «vols en glissade» diminue après la formation des couples. (Voir *Le territoire, La cour.*)

5. Élévation des ailes

Mâle ou femelle   P, É, A, H

L'oiseau élève une aile ou les deux, frappant même parfois un autre oiseau avec une aile. Si le mouvement est rapide, on peut entendre un bref sifflement.

Cri: Aucun.

Contexte: Caractérise généralement les rencontres hostiles au sol, souvent autour des mangeoires. Cette parade s'adresse aussi à d'autres espèces d'oiseaux et à de petits mammifères tels les écureuils.

6. Becquetage

Mâle et femelle   P, É

La femelle place son bec à l'intérieur du bec du mâle et les deux oiseaux exécutent, dans cette position et en cadence, des mouvements verticaux de la tête.

Cri: Aucun.

Contexte: On l'observe chez un couple juste avant la copulation. (Voir *La cour.*)

Communication auditive

1. Roucoulement long

Mâle, rarement la femelle   P, É

Il est composé de cinq à sept notes. La deuxième est accentuée et plus aiguë que les autres.

Contexte: On l'entend tout au long de la saison de reproduction. Ce cri est surtout émis par les mâles «célibataires»

couououaaououa
couou cou cou

pour attirer une femelle. Il accompagne aussi la «révérence» pendant la cour ou la défense du territoire. (Voir *Le territoire, La cour.*)

2. Roucoulement bref

Mâle ou femelle P, É

cou+ouaacouou Il s'agit de trois notes dont la deuxième est accentuée et plus aiguë que les autres. Elles sont identiques aux trois premières notes du roucoulement long.

Contexte: Le mâle l'émet généralement lorsqu'il désire attirer la femelle à un endroit précis, à l'époque où ils recherchent un emplacement pour le nid ou pendant sa construction. La femelle lance parfois ce cri pour appeler le mâle lorsqu'elle se trouve au nid. On l'entend moins souvent après son achèvement. Il peut également être émis pendant la cour ou après les escarmouches territoriales. (Voir *La nidification.*)

Les tourterelles tristes émettent parfois une sorte de sifflement avec les ailes pendant le vol, mais elles peuvent également voler silencieusement. Ce sifflement représente peut-être une forme de communication.

DESCRIPTION DU COMPORTEMENT

Le territoire

Fonctions: Accouplement; nidification.
Dimensions: Il couvre entre 2 et 50 mètres autour du nid.
Comportements habituels: «Charge», «révérence», affrontements; «roucoulement long».
Durée de sa défense: Du début de la nidification à la première phase de croissance des oisillons.

Après la formation du couple, le mâle défend les alentours du nid. Cette zone peut avoir jusqu'à une centaine de mètres de diamètre pendant la nidification et la ponte, mais, un peu plus tard, elle ne couvre plus que quelques mètres autour du nid. Les mâles réagissent aux intrusions par la «révérence» accompagnée du «roucoulement», par l'«élévation des ailes» et la «charge». Il arrive parfois que plusieurs couples de tourterelles tristes bâtissent leur nid dans le même arbre, faisant preuve d'instinct grégaire.

Les mâles «célibataires» n'occupent pas de territoire précis. Ils évoluent à l'intérieur d'un large périmètre, se perchant dans des endroits bien en vue, d'où ils roucoulent pour attirer une femelle. Ils ne tentent guère de défendre la zone qui entoure le perchoir mais si un autre mâle se rapproche trop, ils le chassent, souvent à l'aide du «vol en glissade», parfois en le frappant.

Les oiseaux quittent leur territoire pour se nourrir en groupe. Lorsqu'ils se rassemblent autour d'une mangeoire, on assiste à de nombreuses manifestations d'agressivité. Reportez-vous à ce sujet à la rubrique «Le comportement autour des mangeoires».

La cour

Comportements habituels: «Perchage», «révérence», «charge», «vol en glissade», poursuites à trois, copulation; roucoulement.
Durée: De la formation des couples à la fin de la ponte.

Dès le début de la saison, on remarque la conduite ritualisée la plus connue et la plus facile à observer chez les tourterelles tristes: le «perchage» accompagné du roucoulement. Ce comportement, comme on l'a mentionné précédemment, est adopté par des mâles à la recherche d'une femelle. En outre, ceux-ci exécutent le «vol en glissade», quittant leur perchoir tout en battant bruyamment des ailes et en s'élevant jusqu'à une trentaine de mètres, parfois plus. Ensuite, ils redescendent en décrivant de longues spirales, les ailes légèrement abaissées, ressemblant alors beaucoup à une crécerelle américaine. Dès qu'un couple est formé, ces manifestations se font plus rares.

Il vous arrivera également d'assister, pendant cette période, à des poursuites à trois, réunissant généralement une femelle et deux mâles. Lorsqu'un couple passe à proximité d'un «célibataire», celui-ci lui donne la chasse.

Pendant la cour, vous verrez aussi des mâles s'approcher des femelles au sol. La «charge» est suivie de la «révérence» accompagnée du «roucoulement long». Parfois, le mâle se contente de se poser sur un perchoir à côté de la femelle avant de faire la «révérence» en roucoulant. Si celle-ci s'éloigne légèrement, il la suit en répétant ces comportements. Parfois elle s'envole, poursuivie par son soupirant, mais si elle reste sur place, on assiste généralement à la copulation.

Avant l'union sexuelle, la femelle fait parfois sa toilette, seule ou aidée par le mâle. Dans ce dernier cas, ses ailes frémissent tandis qu'elle se recroqueville au sol. Ensuite, les oiseaux exécutent le «becquetage». Le mâle saute alors sur le dos de sa partenaire pour accomplir la copulation, qui a lieu habituellement sur le territoire du mâle. Ensuite, les oiseaux font leur toilette soit chacun de son côté, soit mutuellement.

La nidification

Emplacement du nid: Dans une fourche verticale ou sur une branche horizontale, de 1 à 10 m au-dessus du sol ou, plus rarement, au sol.
Dimensions: Diamètre extérieur de 20 à 30 cm.
Matériaux: Brindilles, herbe, broussailles, aiguilles de pin.

C'est le mâle qui commence à chercher l'emplacement du nid. Il vole vers un endroit propice, souvent une branche horizontale, et lance le «roucoulement bref». Avant que la femelle réagisse en volant vers lui, plusieurs jours peuvent s'écouler. Ensuite, les deux oiseaux émettent le «roucoulement bref» en se livrant à la toilette mutuelle. Le mâle bat des ailes en permanence pendant qu'il lance le «roucoulement bref». Lorsque la femelle le rejoint, elle s'installe parfois à l'emplacement du futur nid avant d'imiter les gestes de son compagnon.

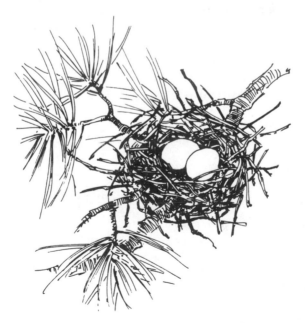

Le mâle apporte les matériaux à la femelle, à raison de un morceau à la fois. Il les ramasse sur le sol, à proximité, et l'on a constaté qu'il pouvait rejeter plusieurs brindilles avant d'en choisir une. Il peut adopter deux positions différentes pour remettre son offrande à la femelle. Soit qu'il se pose à ses côtés pour lui donner la brindille, soit qu'il se pose sur le dos de sa compagne avant de lui tendre sa récolte par-dessus l'épaule. Parfois, il lui donne un léger coup de bec sous le menton en émettant le «roucoulement bref», puis il change de place avec elle. Pendant qu'il se trouve au nid, il en profite parfois pour déplacer des matériaux qu'elle y a déjà installés. Les travaux, qui durent de un à six jours, occupent plusieurs heures chaque jour.

Le nid est une plate-forme dont la charpente, plutôt lâche, ne résiste pas toujours aux intempéries. Il arrive que les tourterelles restaurent leurs anciens nids ou ceux d'autres oiseaux en y ajoutant leur propre matériaux.

Comment découvrir le nid
Emplacement: Dans des arbres qui longent des zones dégagées.
Saison: De mars à septembre.

INDICES DE COMPORTEMENT
1. Soyez attentif au «roucoulement bref».
2. Guettez tout mâle qui se promène au sol en recueillant des brins d'herbe et suivez-le jusqu'au nid.

L'éducation des oisillons

Oeufs: Une moyenne de 2; blancs.
Incubation: De 14 à 15 jours; les parents partagent cette tâche.
Première phase de croissance: De 12 à 13 jours.
Seconde phase de croissance: Environ 1 semaine.
Couvées: Soit 1 ou 2.

Ponte et incubation
L'incubation commence dès la ponte du dernier oeuf ou juste avant. Les deux parents incubent en respectant un

horaire des plus extraordinaires: le mâle incube du matin au soir, sans quitter une seule fois le nid, tandis que la femelle incube du soir au matin en observant, elle aussi, une immobilité totale. La «relève de la garde» a lieu entre huit heures trente et dix heures trente et entre seize heures trente et dix-sept heures trente.

Lorsque quelque chose effraie l'oiseau en train de couver, il se contente parfois de se percher sur un arbre proche. Il peut aussi essayer de détourner l'attention d'un prédateur en faisant mine d'être blessé. Il se laisse alors choir au sol puis traîne la patte en faisant frémir ses ailes. On a remarqué ce comportement tant chez le mâle que chez la femelle, surtout vers la fin de la première phase de croissance, alors que les oeufs sont éclos et que les petits sont dans le nid.

Première phase de croissance

Les oisillons ne sont pas tous de la même taille, car l'éclosion s'étale souvent sur plusieurs jours. Les parents les nourrissent à l'aide du «lait de pigeon», un liquide blanchâtre très nutritif qu'ils régurgitent. Les petits placent simplement leur bec dans celui des parents pour récupérer la nourriture. Vers la fin de cette phase, une forte proportion des aliments régurgités est composée de graines et d'insectes. Les parents gardent les petits à l'abri sous leur ventre presque toute la journée, pendant une dizaine de jours. Les jeunes sont alors capables de voler et ils quitteront le nid à ce moment-là s'ils sont dérangés, mais autrement, ils y resteront volontiers deux ou trois jours de plus.

On constate, curieusement, que les tourterelles tristes n'enlèvent pas les poches fécales du nid. Les repas des petits sont très espacés, car les parents consacrent de longs moments à recueillir de la nourriture qu'ils placent provisoirement dans leur jabot, afin de pouvoir la régurgiter dès leur retour au nid.

Seconde phase de croissance

Les jeunes restent parfois jusqu'à six jours dans l'arbre où se trouve le nid. Pendant les deux ou trois nuits qui suivent leur première envolée, ils retournent parfois y dormir. Une semaine leur suffit pour acquérir leur autonomie: ils partent ensuite rejoindre des groupes composés de jeunes et d'adultes qui se nourrissent ensemble.

Le plumage

Comment différencier le mâle de la femelle

Les différences sont très subtiles. Le mâle a une poitrine à peine rosée et le sommet du crâne grisâtre, tandis que la tête et la poitrine de la femelle sont d'un brun plus terne. En termes de comportements, le mâle est seul à accompagner le «perchage» ou la «révérence» du «roucoulement long». Il est également le seul à exécuter le «vol en glissade» et c'est lui qui offre à la femelle les brindilles qui serviront à construire le nid.

Comment distinguer les jeunes des adultes

Les jeunes n'ont pas de tache noire derrière l'oeil comme les adultes. Leur queue est plus courte tandis que les plumes de leurs ailes et de leur poitrine présentent un liséré plus clair.

Mue

Les adultes muent entièrement une fois par an, de septembre à novembre.

Le comportement en société

Pendant l'hiver, la plupart des tourterelles tristes se nourrissent et dorment en groupes. Les vols sont généralement composés de vingt à cinquante spécimens, parfois plus. Ils se déplacent d'un territoire de subsistance à l'autre en fonction de la nourriture disponible. Dans les régions nordiques, ces vols comptent davantage de mâles. Il semble également que leur composition demeure relativement stable pendant tout l'hiver et présente une hiérarchie sociale bien définie.

Le comportement autour des mangeoires

Le comportement des tourterelles tristes autour des mangeoires constitue un spectacle merveilleux, car elles s'y livrent à presque toutes leurs parades nuptiales. Les démonstrations d'agressivité y sont également fort courantes. Reportez-vous à cet égard au «Guide de la communication» ainsi qu'aux rubriques consacrées à la cour, au territoire, aux déplacements saisonniers et au comportement en société.

Comportements habituels
Guettez la «charge» et la «révérence» accompagnée du «roucoulement long» lors des rencontres hostiles et en période de cour. Vous verrez aussi les oiseaux exécuter l'«élévation des ailes» face à d'autres tourterelles, à d'autres espèces d'oiseaux ou à des écureuils. Les mâles «célibataires» se perchent pour roucouler afin d'attirer une femelle et de tenter de s'accoupler.

Autres manifestations
Si vous entendez le «roucoulement bref», cherchez un nid. Vous assisterez sans doute aussi à l'accouplement, aux poursuites à trois et au «vol en glissade».

Martin-pêcheur d'Amérique
Meqacle alcyon (Linné) / Belted Kingfisher

Généralement, on entend les martins-pêcheurs avant de les voir, car leur cri, la «crécelle», si reconnaissable, porte assez loin. Il est fréquent, par exemple, d'entendre cet oiseau lancer ce cri en s'envolant vers l'amont du ruisseau ou de la rivière au bord de laquelle l'observateur se promène. Si cela vous arrive, vous le perdrez de vue un moment, puis, lorsque vous vous rapprocherez de lui, vous l'entendrez de nouveau crier et vous le verrez s'envoler un peu plus loin. L'oiseau poursuivra son manège jusqu'à ce qu'il soit parvenu à la limite de son territoire. Ensuite, il reviendra en arrière, si discrètement, que vous risquez fort de le manquer. Au printemps et en été, les couples de martins-pêcheurs défendent des territoires qui renferment non seulement leur nid mais encore leur réserve de pêche, bien que ces deux endroits ne soient pas toujours adjacents. Après la phase de la reproduction, le couple se sépare et chaque oiseau défend, tout l'automne et tout l'hiver, un territoire de subsistance beaucoup plus exigu.

Le nid des martins-pêcheurs est absolument remarquable. Il est creusé dans le sol et consiste en un long tunnel doté d'une vaste «chambre» à l'une de ses extrémités. Mais il n'est pas aussi difficile à repérer qu'on pourrait le croire. Ne commencez pas par rechercher le nid. Cherchez plutôt une berge, un bas-côté de route ou une vieille carrière de gravier dont les pentes abruptes sont dépourvues de végétation. À une cinquantaine de centimètres du sommet, essayez de repérer une ouverture de huit à dix centimètres de diamètre: il est fort probable qu'il s'agira de l'entrée du nid d'un couple de martins-pêcheurs. Examinez le rebord inférieur de l'ouverture. S'il est marqué de deux petits sillons, votre recherche aura porté fruit, car ces traces sont celles que laissent les pattes des oiseaux lorsqu'ils entrent et sortent du nid. Si vous ne voyez aucune toile d'araignée à l'entrée et que de la terre, fraîchement remuée, a été déversée en dessous, cela signifie que le nid est utilisé. (Voir *La nidification*.)

CALENDRIER DU COMPORTEMENT

	TERRITOIRE	COUR	NIDIFICATION	ÉDUCATION DES OISILLONS	PLUMAGE	DÉPLACEMENTS SAISONNIERS	COMPORTEMENT EN SOCIÉTÉ
JANVIER	▓						
FÉVRIER	▓						
MARS	▓	▓				▓	
AVRIL	▓	▓	▓	▓		▓	
MAI	▓	▓	▓	▓			
JUIN	▓	▓	▓	▓			
JUILLET	▓			▓			
AOÛT	▓			▓	▓	▓	
SEPTEMBRE	▓				▓	▓	
OCTOBRE	▓				▓	▓	
NOVEMBRE	▓						
DÉCEMBRE	▓						

GUIDE DE LA COMMUNICATION

Communication visuelle

1. Hérissement de la huppe
Mâle ou femelle   *P, É, A, H*
L'oiseau hérisse les plumes de sa huppe.
Cri: «Crécelle» ou aucun.
Contexte: Pendant les moments d'excitation ou en présence d'un danger.

2. Mouvements verticaux de la tête ou de la queue
Mâle ou femelle   *P, É, A, H*
La tête, la queue, ou les deux sont animés d'un mouvement de bas en haut.
Cri: Aucun ou «crécelle».
Contexte: Pendant les escarmouches avec d'autres martins-pêcheurs.

Communication auditive

1. Crécelle
Mâle ou femelle   *P, É, A, H*
Une série rapide de sons secs imitant le   kr'kr'kr'kr'kr'
bruit d'une crécelle. La phrase musicale peut être brève ou longue et continue.
Contexte: C'est sans doute le cri le plus connu du martin-pêcheur. Il est émis dans de nombreuses circonstances. Pendant les querelles territoriales ou en présence d'un danger, il est très sonore. En revanche, lorsqu'il préside à la communication entre partenaires, il

peut être beaucoup plus doux, comme il convient à un véritable dialogue. Il s'agit d'ailleurs du seul cri bien connu du martin-pêcheur car, bien que d'autres soient mentionnés dans des articles et des ouvrages pertinents, ils ne font pas l'objet d'une description suffisamment détaillée pour que nous puissions les répertorier ici. Il est possible que le bruit de crécelle soit en réalité un véritable système de communication, les phrases longues et sonores ayant un certain sens, et les séries brèves et douces en ayant un autre. Le chant de la maubèche branlequeue représente bien ce type de phénomène.

DESCRIPTION DU COMPORTEMENT

Le territoire

Les martins-pêcheurs défendent un territoire de reproduction au printemps et en été, puis un territoire de subsistance en automne et en hiver.

Territoire de reproduction
Fonctions: Accouplement; nidification; subsistance.
Dimensions: Le long des petits cours d'eau, sur une longueur moyenne de 800 à 1000 m.
Comportements habituels: «Crécelle»; poursuites, «mouvements verticaux de la tête ou de la queue».
Durée de sa défense: De l'arrivée des mâles sur le territoire jusqu'à la fin de la seconde phase de croissance des oisillons.

Lorsque les mâles arrivent sur le territoire de reproduction au début du printemps, ils commencent à défendre l'emplacement du nid. Dès son arrivée, la femelle semble d'abord attirée par le nid et ne tarde pas à s'«associer» avec le mâle «en place». Les deux oiseaux se chargent alors de défendre, et le nid, et une réserve de pêche. Les principales manifestations de défense sont la «crécelle» et les «mouvements verticaux de la tête ou de la queue». Parfois, mais c'est rare, ces parades se concluent par des attaques directes ou des poursuites farouches.

Les nids et les réserves de chasse sont les deux endroits les plus importants pour le martin-pêcheur, mais ils ne sont pas forcément adjacents. Il arrive que les ruisseaux et les lacs où abondent les poissons ne soient pas bordés par des berges appropriées à la nidification et, dans ces conditions, les oiseaux s'éloignent de un ou de deux kilomètres pour bâtir leur nid. Cette situation donne évidemment lieu à des conflits entre martins-pêcheurs sur les lacs où il est impossible de construire un nid ou dans des bois ou des clairières éloignées des cours d'eau.

Territoire de subsistance

Fonction: Subsistance.
Dimensions: Environ 500 m le long des petits cours d'eau.
Comportements habituels: «Crécelle»; poursuites, «mouvements verticaux de la tête ou de la queue».
Durée de sa défense: De la fin de la seconde phase de croissance des oisillons jusqu'au début de la saison de reproduction suivante.

L'un des meilleurs moyens d'apercevoir des martins-pêcheurs consiste à se promener en barque sur une rivière ou à pied le long de ses berges. Dès que vous pénétrerez sur le territoire de l'un d'eux, vous entendrez la «crécelle» et vous le verrez peut-être voler au-dessus de votre tête. Il répétera ce manège jusqu'à ce que vous ayez atteint les limites de son territoire et il reprendra alors le chemin du retour. Ainsi, vous pourrez vous faire une idée des dimensions de son territoire.

Quelques semaines après l'autonomie des oisillons, tous les martins-pêcheurs — jeunes et adultes, mâles et femelles — commencent à défendre chacun son territoire de subsistance dont la surface est généralement égale à la moitié de celle du territoire de reproduction. Le territoire de subsistance est moins stable que l'autre, car si le cours d'eau gèle ou déborde de ses rives, les oiseaux s'éloignent vers des lieux où la nourriture est plus facile d'accès. Il leur arrive cependant de revenir dans leurs anciens territoires si les conditions reviennent à la normale. Les martins-pêcheurs défendent ce territoire de la même manière qu'ils défendaient leur territoire de reproduction.

Il est fascinant de regarder un martin-pêcheur se nourrir. Confortablement installé sur un perchoir ou planant tranquillement au-dessus de l'eau, il plonge brusquement dans l'eau pour attraper un poisson qu'il a aperçu.

La cour

Comportement habituel: Deux oiseaux passent leur temps ensemble.
Durée: De l'arrivée de la femelle à la fin de la saison de reproduction.

Les mâles semblent arriver les premiers sur le territoire de reproduction et, souvent, ils ne s'éloignent guère du futur nid. Les femelles les suivent un peu plus tard. La formation des couples est particulièrement discrète, mais une fois réunis, les deux oiseaux ne se quittent que rarement et partagent les mêmes activités. On remarque à ce stade un comportement assez curieux: plusieurs oiseaux s'élèvent ensemble à une hauteur qui peut dépasser cent mètres avant de former des cercles et de se poursuivre en lançant la «crécelle», ainsi que d'autres cris. On ignore la fonction de cette parade.

Lorsque la période de reproduction est terminée, le couple se sépare et les oiseaux restent chacun sur leur territoire de subsistance jusqu'au printemps.

La nidification

Emplacement du nid: Dans le sol; l'entrée est horizontale, située à quelques dizaines de centimètres en dessous du rebord de la berge entaillée.
Dimensions: L'ouverture a un diamètre de 8 à 10 centimètres.
Matériaux: La terre est simplement creusée; les oiseaux n'y ajoutent rien.

Les nids des martins-pêcheurs sont creusés dans le sol; ce sont de longs tunnels qui mènent à une «pièce» circulaire dans laquelle les parents pondent leurs oeufs, les incubent et élèvent les oisillons.

Les martins-pêcheurs jettent leur dévolu sur des bordures abruptes et dénudées. Ils préfèrent creuser leur tunnel en hauteur, à quarante ou cinquante centimètres du rebord, dans le sable. On trouve ces tunnels le long des ruisseaux, des rivages, des bancs de sables marins ou dans les bas-côtés des routes ou les fronts de taille des carrières de gravier. Mais ce sont les sols sableux et argileux que préfèrent les oiseaux. Ils peuvent d'ailleurs très bien commencer à creuser un tunnel pour l'abandonner dès qu'ils ont découvert un endroit plus propice. Vous apercevrez peut-être des trous inachevés à proximité du tunnel définitif. Ces «sondages» auront permis à l'oiseau de déterminer si le sol était ou non favorable à l'emplacement d'un nid. Celui-ci est généralement dépourvu de végétation, mais vous apercevrez presque toujours une branche morte à quelques dizaines de mètres de là, sur laquelle les oiseaux se perchent pour observer l'entrée du nid. Quant au tunnel même, il n'a parfois que sept ou huit centimètres de diamètre à l'entrée et peut se rétrécir encore jusqu'à cinq centimètres. Sa longueur varie entre un et deux mètres, mais on en a découvert qui mesuraient de trois à cinq mètres. Il peut être droit ou incurvé si les oiseaux ont rencontré un obstacle tel qu'un rocher ou une racine. En général, il suit une pente ascendante jusqu'à la «petite pièce» aménagée au bout. Les nids des martins-pêcheurs sont reconnaissables grâce aux deux petits sillons tracés sur le rebord inférieur de l'ouverture. Il s'agit simplement de l'empreinte des pattes des oiseaux, dont la présence vous permettra de vous assurer que c'est bien le nid de martins-pêcheurs que vous avez repéré et non un petit terrier.

La cavité qui se trouve au bout du tunnel est en forme de sphère aplatie. Le sol est constitué de terre meuble. Son diamètre peut varier entre vingt et trente centimètres et sa hauteur entre quinze et vingt centimètres.

C'est principalement avec leur bec que les oiseaux creusent. Ils travaillent à tour de rôle et celui qui entre dans le tunnel repousse la terre meuble à l'extérieur avec ses pattes. La terre jaillit parfois avec tant de force que le jet de sable ressemble à celui d'une source. Les oiseaux sont capables de creuser plus d'une trentaine de centimètres de tunnel par jour et il ne leur faut, au maximum, qu'une semaine ou deux pour achever les travaux. Parfois, quelques jours suffisent. Entre les séances d'excavation, le couple se repose sur le perchoir situé à proximité. On peut d'ailleurs reconnaître ce perchoir grâce à la terre qui le macule, terre qui provient des pattes des oiseaux. Quant à l'extrémité de leur bec, elle finit parfois par s'user.

Les nids ne se trouvent pas forcément à proximité de

l'eau. Reportez-vous à ce sujet à la rubrique consacrée au territoire de reproduction.

L'éducation des oisillons

Oeufs: De 5 à 7, généralement 6; blancs.
Incubation: De 22 à 26 jours.
Première phase de croissance: De 18 à 28 jours.
Seconde phase de croissance: De 1 à 2 semaines.
Couvée: Seulement 1.

Ponte et incubation

Le mâle et la femelle présentent tous deux des replis incubateurs bien développés, ce qui prouve qu'ils incubent tous les deux. Parfois, la femelle se charge de couver les oeufs pendant la nuit, tandis que le mâle dort à proximité. Lorsqu'ils approchent du nid, les parents se posent d'abord sur un perchoir en lançant le cri de «crécelle». Ensuite, ils entrent directement dans le tunnel, parfois si rapidement qu'il est impossible de noter s'il s'agit du mâle ou de la femelle. On les entend également émettre ce cri lorsqu'ils quittent le nid.

Première phase de croissance

Pendant les premiers jours, la femelle garde parfois les petits sous son ventre alors que le mâle est chargé de nourrir la famille. Les parents commencent à pêcher dès quatre heures du matin et peuvent poursuivre leurs activités jusqu'à vingt-trois heures. C'est vers le milieu de l'après-midi que les oiseaux mangent le moins, particulièrement s'il fait très chaud. On remarque que les repas peuvent avoir lieu à des intervalles de vingt minutes et que les oiseaux peuvent sortir puis rentrer dans le nid en une minute, parfois moins. On a souvent constaté que le mâle semblait apporter aux petits deux fois plus de nourriture que la femelle.

Chez les oisillons, la croissance des plumes suit une évolution très curieuse. Ils naissent entièrement dénudés mais, une semaine plus tard, toutes les plumes sont apparues, emmaillotées dans leur gaine. Celle-ci reste en place pendant deux semaines, parfois moins. À ce stade, les oisillons ressemblent à des porcs-épics. Mais le dix-septième ou le dix-huitième jour, toutes les plumes jaillissent de leur gaine et, en vingt-quatre heures, le plumage revêt son apparence normale.

Les oisillons n'excrètent pas de poches fécales, mais un liquide qu'ils propulsent contre les parois de leur «chambre». Après avoir déféqué, ils donnent des coups de bec dans la terre qui forme des parois de leur abri et l'on pense que cette activité a pour but d'enterrer les excréments séchés. Il est évident que la petite pièce devient de plus en plus basse, au fur et à mesure que le sol se recouvre de la terre enlevée des parois.

Pendant la première moitié de cette première phase, le bec des oisillons est recouvert, à son extrémité, d'un matériau très dur, de forme arrondie, qui a sans doute pour objet de le protéger puiqu'il est encore mou. Dès que les gaines des plumes éclatent, cette extrémité dure disparaît et la totalité du bec se renforce.

Les petits peuvent voler dès leur première sortie.

Seconde phase de croissance

Pendant les premiers jours de la seconde phase de croissance, les jeunes se perchent dans des endroits protégés, à proximité de leurs parents. La famille se trouve toujours réunie dans un rayon maximal d'une centaine de mètres. Les parents émettent fréquemment leur cri pendant qu'ils pêchent pour nourrir les jeunes oiseaux. Certains observateurs pensent que les parents apprennent aux jeunes à pêcher. D'autres croient que les jeunes oiseaux l'apprennent par eux-mêmes. Quoi qu'il en soit, la progéniture est capable de capturer du poisson une semaine ou deux après avoir quitté le nid.

Les martins-pêcheurs utilisent constamment les mêmes perchoirs, ce qui vous permettra d'apercevoir, sur le sol, les taches blanches formées par leurs excréments et de petites boules d'arêtes de poisson qu'ils rejettent par la bouche.

Le plumage

Comment différencier le mâle de la femelle
Les adultes se distinguent facilement, car la femelle a une bande rousse en travers de la poitrine tandis que celle du mâle est uniformément blanche.

Comment distinguer les jeunes des adultes
La distinction est bien difficile à faire, car ils se ressemblent, à la différence que les jeunes ont une bande brunâtre et non bleuâtre sur la poitrine.

Mue
Les adultes muent entièrement une fois par an, entre août et octobre.

Les déplacements saisonniers

De nombreux martins-pêcheurs restent dans le nord des États-Unis et dans le sud du Canada pendant l'hiver, notamment le long des côtes Est et Ouest. Ils se tiennent près des eaux libres afin de pêcher. Au moment du gel, ils se déplacent jusqu'à ce qu'ils trouvent un cours d'eau ou un lac non gelé.

D'autres migrent vers le Sud, parfois jusqu'en Amérique centrale, voire jusqu'aux régions septentrionales de l'Amérique du Sud. Cette migration a lieu de septembre à novembre. Dès qu'ils sont installés pour l'hiver, les oiseaux commencent à défendre un petit territoire de subsistance. (Voir *Le territoire*.)

Les migrants reprennent la route du Nord en mars et en avril.

Pic mineur
Picoides pubescens (Linné) / Downy Woodpecker

Le pic mineur est un oiseau très attachant, qui ne manquera pas de visiter assidûment votre mangeoire si vous pensez à y fixer un filet rempli de petits morceaux de lard. Non seulement on peut facilement distinguer la femelle du mâle, ce dernier arborant une huppe rouge derrière la tête, mais encore on parvient à différencier un individu d'un autre, car les rayures blanches et noires qu'ils portent sur la tête varient parfois énormément. Si vous prenez le temps de faire rapidement un croquis de vos visiteurs habituels, vous saurez combien de mâles et de femelles fréquentent les abords de votre maison.

Souvent, les mâles et les femelles mènent une existence totalement solitaire à l'automne et au début de l'hiver. Il arrive qu'un couple continue à occuper le même territoire pendant cette période, mais les oiseaux ne partagent aucune activité, se nourrissant même chacun de leur côté. S'ils se rapprochent trop l'un de l'autre, le mâle se montrera agressif envers la femelle. Puis, vers la fin de l'hiver, vous saurez que leur comportement est sur le point de changer lorsque vous les entendrez tambouriner sur certains arbres creux éparpillés sur leur territoire. Mâles et femelles ont chacun leurs postes d'appel. Le tambourinement remplit la double fonction de signaler aux autres pics l'existence de leur territoire et de maintenir le couple en contact auditif.

Pendant les deux ou trois mois suivants, le couple synchronise de plus en plus ses activités. Cette phase culmine par le choix d'un arbre dans lequel les oiseaux creuseront leur nid. S'ils ne parviennent pas à se mettre d'accord sur un emplacement, ils ne se reproduiront peut-être pas. En revanche, s'ils trouvent un arbre qui leur convient à tous deux, le nid deviendra le centre de leurs activités jusqu'à ce que les oisillons puissent voler.

CALENDRIER DU COMPORTEMENT

	TERRITOIRE	COUR	NIDIFICATION	ÉDUCATION DES OISILLONS	PLUMAGE	DÉPLACEMENTS SAISONNIERS	COMPORTEMENT EN SOCIÉTÉ
JANVIER	■						
FÉVRIER	■	■					
MARS	■	■				■	
AVRIL	■	■	■	■		■	
MAI	■	■	■	■			
JUIN	■		■	■			
JUILLET	■			■			
AOÛT	■				■		
SEPTEMBRE	■				■	■	
OCTOBRE	■						
NOVEMBRE	■						
DÉCEMBRE	■						

GUIDE DE LA COMMUNICATION

Communication visuelle

1. Mouvements latéraux du bec

Mâle ou femelle   *H, P*

L'oiseau exécute des mouvements latéraux avec le bec. Les ailes sont généralement soulevées et la queue, déployée, se déplace de droite à gauche. Il arrive parfois que l'oiseau élève les ailes tout en ouvrant le bec.

Cri: «Couic-couic».

Contexte: Ces mouvements caractérisent une rencontre entre deux oiseaux de même sexe, posés sur la même branche. Ils sont parfois interrompus par quelques minutes de «pose figée». (Voir *Le territoire, La cour.*)

2. Hérissement de la huppe

Mâle ou femelle   *P, É, A, H*

Les plumes du sommet et de l'arrière du crâne sont hérissées. Ce mouvement met la huppe rouge des mâles en évidence.

Cri: Aucun.

Contexte: Caractérise les moments d'excitation et accompagne parfois d'autres manifestations.

3. Pose figée

Mâle ou femelle   *H, P, É*

Après avoir communiqué d'une manière ou d'une autre, les oiseaux se figent brusquement. Cette immobilité absolue peut durer de une à vingt minutes.

Cri: Aucun.

Contexte: Caractérise les querelles territoriales et les rencontres nuptiales. (Voir *Le territoire*.)

4. Ailes en V

Mâle ou femelle   *H, P, É*

L'oiseau élève ses ailes très haut de manière à former un V avec le corps. La queue est déployée. Cette attitude peut être fugitive ou durer quelques secondes. On a remarqué que l'oiseau pouvait aussi se balancer sur une branche avant d'adopter cette posture, la tête en bas.

Cri: Aucun.

Contexte: L'oiseau adopte cette attitude lors de conflits et dans les situations extrêmement menaçantes. Elle précède souvent l'attaque directe. (Voir *Le territoire, La nidification*.)

5. Vol en battant des ailes

Mâle ou femelle   *H, P*

L'oiseau vole lentement à l'aide de petits battements rapides. Ce vol est différent du vol habituel, beaucoup plus puissant.

Cri: «Couic-couic».

Contexte: Cette parade se produit pendant la cour, souvent à côté du nid et parfois juste avant la copulation. On la remarque pendant la construction du nid et la ponte et, ultérieurement, juste avant la fin de la première phase de croissance des oisillons. (Voir *La cour*.)

Communication auditive

1. Tiic

Mâle ou femelle   *P, É, A, H*

C'est une note unique et très sonore, parfois répétée à intervalles irréguliers.

Contexte: Sert généralement à maintenir deux partenaires en contact auditif.

tiic. tiic. tiic, tiic

2. Hennissement précipité

Mâle ou femelle   *P, É, A*

Il s'agit d'une série de notes rapides et saccadées, durant de une à deux secondes, très aiguës au début et un peu plus graves à la fin. Ce cri pourrait facilement être confondu avec le hennissement d'un cheval miniature.

Contexte: Ce cri permet aux partenaires de rester en contact. C'est également un cri agressif que l'oiseau émet pendant les querelles territoriales et la cour. Les jeunes oiseaux aussi l'émettent. (Voir *Le territoire, La cour, L'éducation des oisillons.*)

3. Couic-couic

Mâle ou femelle   *H, P*

Ce cri compte de trois à cinq notes brèves. Il est relativement sonore et trahit chez l'oiseau un certain degré d'énervement.

Contexte: Accompagne les «mouvements latéraux du bec», le «vol en battant des ailes» et les autres manifestations caractéristiques de la cour. (Voir *La cour.*)

couicouicouicouicouic

4. Tambourinement

Mâle ou femelle   *H, P*

L'oiseau donne des coups de bec sonores et rapides, à une ou deux secondes d'intervalle. Le tambourinement peut se répéter souvent et régulièrement. On entend parfois un autre pic mineur répondre au premier.

Contexte: Les oiseaux tambourinent sur des postes d'appel bien précis, situés sur leur territoire. Ce bruit remplit plusieurs fonctions: Les oiseaux s'en servent pour annoncer une revendication territoriale, pour attirer d'éventuels partenaires ou pour convoquer leur compagnon ou leur compagne. (Voir *Le territoire, La cour, La nidification.*)

5. Cris des juvéniles

Mâle ou femelle   *P, É*

Pendant les derniers jours qu'ils passent dans le nid, les jeunes oiseaux lancent constamment des cris aigus. Dès qu'ils sont sortis, ils émettent une version du «hennissement précipité», plus ténue et plus aiguë que celle des adultes. Ils lancent aussi un cri qui rappelle, en plus doux, le «tiic».

Contexte: Lorsque les parents sont à proximité et que les jeunes mendient leur nourriture. (Voir *L'éducation des oisillons.*)

DESCRIPTION DU COMPORTEMENT

Le territoire

Fonctions: Nidification; accouplement.
Dimensions: Environ 1000 m².
Comportements habituels: «Tambourinement»; poursuites et de nombreuses autres manifestations.
Durée de sa défense: De la fin de l'hiver jusqu'à la fin de la saison de reproduction.

Le premier signe de défense territoriale chez les pics mineurs est le «tambourinement»: l'oiseau donne de rapides coups de bec sur une surface qui résonne. Le «tambourinement» commence vers la fin de l'hiver pour se poursuivre tout au long du printemps. Les deux partenaires tambourinent, chacun à leurs postes d'appel favoris. On a constaté que les pics mineurs, après avoir tambouriné à de nombreuses reprises sur la même surface, se déplaçaient pour reprendre cette bruyante activité un peu plus loin. On entend fréquemment d'autres pics mineurs leur répondre. Ces duos ou, parfois, ces trios peuvent se prolonger.

C'est grâce au «tambourinement» que les couples fixent peu à peu les limites de leur aire dont la superficie varie de vingt mille à cent quarante mille mètres carrés. On constate parfois que certaines aires se chevauchent, ce qui prouve que la défense territoriale est plutôt relâchée. Mais lorsque des conflits éclatent sur l'aire, c'est généralement au voisinage des postes d'appel ou des emplacements possibles pour le nid. En général, ces conflits ne mettent en scène que deux oiseaux du même sexe qui se poursuivent et adoptent diverses attitudes. On remarque notamment les «mouvements latéraux du bec», la «pose figée», les «ailes en V» et le cri «couic-couic». Pendant la poursuite, les deux oiseaux contournent aisément les arbres; l'occupant plonge littéralement sur l'intrus, ce dernier ne manquant pas d'exécuter une feinte à la dernière seconde.

Les poursuites sont d'une durée très variable; elles peuvent dépasser une heure. L'aire contient généralement les cavités où les deux partenaires dorment en hiver ainsi que les endroits où ils se nourrissent et se font la cour.

C'est au printemps que la notion de territoire apparaît chez les pics mineurs. Ils revendiquent alors leur fief contre tous leurs congénères. En général, leur territoire se trouve à l'intérieur de l'aire occupée pendant l'hiver; vous savez que la revendication a commencé lorsque le couple se met à fréquenter régulièrement le même endroit. C'est là qu'il installera le nid qui deviendra le centre de toutes ses activités. Les partenaires défendent énergiquement les abords de l'arbre avant de commencer à y creuser leur cavité. Le territoire est exigu, ne mesurant habituellement que quinze à trente mètres de diamètre. Dès que la ponte a commencé, la défense du nid devient prioritaire et les oiseaux passent de moins en moins de temps à patrouiller l'aire.

Les aires et les territoires sont généralement occupés, année après année, par les mêmes oiseaux. Vers la fin de l'hiver, les résidents commencent progressivement à patrouiller et à défendre leur aire, puis un territoire à l'intérieur de celle-ci. Ce phénomène peut s'étaler sur plusieurs mois. Lorsque les migrants arrivent, ils disposent de moins de temps pour revendiquer un domaine. Par conséquent, leur comportement territorial est beaucoup plus accentué.

Les querelles pendant l'hiver ont pour enjeux les meilleurs abris et les endroits où abonde la nourriture. Certains oiseaux préfèrent s'éloigner légèrement de leur aire pour trouver de la nourriture. D'autres migrent, mais la majorité des pics mineurs résident toute l'année dans la même région.

La cour

Comportements habituels: «Tambourinement», «hennissement précipité»; poursuites.
Durée: De la fin de l'hiver à la fin du printemps.

Pendant la plus grande partie de l'année, du plein été au plein hiver, le mâle et la femelle mènent des existences plutôt solitaires. Si la nourriture est abondante, les couples restent sur leur territoire. Dans le cas contraire, l'un ou l'autre, parfois les deux, se déplacent. À cette époque de l'année, lorsqu'il y a rivalité entre le mâle et la femelle, c'est le mâle qui domine. Il plonge vers la femelle pour la forcer à quitter son perchoir.

Vers la fin de l'hiver, vous saurez que la cour est sur le point de commencer en entendant le «hennissement précipité» ou le «tambourinement». Les deux partenaires semblent ainsi se répondre et rester en contact. Après plusieurs jours à communiquer «de loin», les deux oiseaux se rapprochent l'un de l'autre, toujours grâce à ces deux cris. Peu à peu, ils commencent à vaquer ensemble à leurs occupations.

Chez les pics mineurs, un événement important a lieu pendant la cour, soit le choix de l'arbre dans lequel sera creusé le nid. Pendant les premières journées de la vie de couple, le mâle et la femelle se promènent et explorent divers arbres dans le but de choisir celui qui leur convient. Lorsque les futurs parents ont jeté leur dévolu sur l'un d'entre eux, ils entreprennent d'y creuser le nid, ce qui renforce considérablement leurs liens. En revanche, s'ils ne parviennent pas à s'entendre ou s'ils ne trouvent pas d'arbre propice à la nidification, ils ne tarderont sans doute pas à se séparer. Cependant, lorsque l'emplacement du nid a été choisi, il devient le centre des activités du couple. Vous pourrez notamment assister au «vol en battant des ailes», à la suite duquel l'oiseau vient se poser sur l'arbre où se trouve le nid.

La cour se caractérise par deux autres éléments importants: les rencontres à trois et la copulation. Dans le premier cas, un oiseau solitaire s'efforce d'attirer le (ou la) partenaire d'un autre oiseau, lequel réagit en l'attaquant. Les «mouvements latéraux du bec» et l'attaque directe sont les manifestations les plus agressives, au cours desquelles l'intrus se contente surtout de se défendre. Quant à l'«objet» des querelles, il reste à proximité en lançant des «couic-couic» de plus en plus intenses. Ces disputes peuvent durer plus d'une heure et se produire plusieurs jours de suite.

Les pics mineurs commencent à s'accoupler en mai, généralement à une quinzaine de mètres du nid. La femelle adopte une position que l'on n'associe généralement pas aux pics: elle se perche en travers d'une branche, la tête vers le haut et la queue tendue vers l'arrière. Le mâle vole vers sa compagne, parfois en exécutant le «vol en battant des ailes», et plane brièvement avant de se poser sur son dos. Tandis qu'il se déplace vers la gauche, il penche la queue vers le bas pour que s'accomplisse l'union sexuelle. Les deux oiseaux gardent la même position pendant plusieurs secondes avant que le mâle ne reprenne son vol.

La nidification

Emplacement du nid: Le nid est creusé dans le tronc d'un arbre, souvent près de l'extrémité d'une branche brisée, entre 1,50 m et 12 m de hauteur.
Dimensions: L'entrée a un diamètre d'environ 3 cm; à l'intérieur de l'arbre, la cavité mesure entre 20 et 25 cm.
Matériaux: Quelques copeaux de bois tapissent le fond de la cavité.

Pendant la cour, les deux oiseaux examinent les arbres susceptibles d'accueillir le nid. La cavité est généralement creusée dans du bois mort, souvent dans une branche brisée. Les oiseaux commencent parfois par creuser chacun de leur côté, mais pour que le couple puisse se reproduire, il est indispensable que les deux partenaires s'entendent sur le choix d'un arbre et travaillent de concert à la construction du nid. C'est la qualité de la branche, les rapports de force au sein du couple et les antécédents de nidification des deux oiseaux dans la région qui semblent compter dans le choix de l'emplacement. Par conséquent, si vous voyez des pics mineurs occupés à creuser des trous dans des arbres, ne vous imaginez pas que vous avez découvert à coup sûr l'emplacement de leur futur nid.

Le creusage peut se poursuivre pendant une ou deux semaines. C'est le mâle qui accomplit la plus grosse part du travail. Si vous apercevez des copeaux frais sous une cavité, il est probable que les travaux de construction du nid sont en cours. Vous reconnaîtrez facilement les coups de bec sonores et irréguliers que donnent les oiseaux contre le tronc lorsqu'ils creusent. Lorsque le trou est assez profond, l'oiseau commence à creuser de l'intérieur: le bruit seul trahit alors sa présence. De temps en temps, il projette de petits débris à l'extérieur de la cavité. C'est habituellement le matin que les pics mineurs s'adonnent à cette activité.

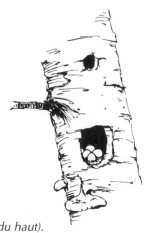

Entrée du nid (cavité du haut).
En bas, la partie sciée permet
d'apercevoir les oeufs.

Pendant cette période, vous entendrez le «tambourinement» et le «hennissement précipité» à proximité du nid et vous verrez les oiseaux s'approcher ou s'éloigner de l'arbre en exécutant le «vol en battant des ailes». Un peu plus tard, vous pourrez surprendre l'accouplement, qui a généralement lieu sur un perchoir tout proche.

Comment découvrir le nid
Emplacement: Dans les forêts où les arbres sont assez âgés pour que de grosses branches soient mortes.
Saison: Au printemps.

INDICES DE COMPORTEMENT
1. Essayez de surprendre le dialogue entre les deux membres du couple, car il se produit généralement aux abords du nid.
2. Tendez l'oreille. Le bruit sonore et continu que font les oiseaux en creusant est différent du «tambourinement» et des coups de bec qu'ils donnent dans l'écorce pour en extraire les insectes.

L'éducation des oisillons

Oeufs: De 4 à 5; blancs.
Incubation: Environ 12 jours.
Première phase de croissance: De 20 à 22 jours.
Seconde phase de croissance: Jusqu'à 3 semaines.
Couvées: Soit 1 ou 2 (dans les régions méridionales).

Ponte et incubation
Pendant la ponte, le couple surveille étroitement le nid. La ponte prend de quatre à six jours et les oiseaux attendent généralement qu'elle soit terminée pour commencer à incuber. Pendant la ponte, ils passent près de quarante pour cent de leur temps à proximité du nid ou à l'intérieur de celui-ci. Cependant, lorsqu'ils se tiennent au nid sans incuber, ils préfèrent se percher à l'entrée pour surveiller les environs.

Après le début de l'incubation, ils se relaient au nid, selon un horaire précis, en respectant un cérémonial qui ne change jamais. L'arrivant se pose silencieusement à côté du nid avant de donner (parfois) de légers coups de bec contre les parois externes de la cavité. En l'entendant, l'oiseau installé sur les oeufs passe d'abord prudemment la tête par l'ouverture puis s'envole. Le nouveau venu entre et s'installe. Habituellement, les oiseaux arrivent au nid et s'en éloignent en utilisant le «vol en battant des ailes». On remarque à l'occasion que l'oiseau incubateur sort pour une brève pause-toilette avant de réintégrer la cavité. Quelquefois, il s'en va avant que l'autre ne soit revenu, auquel cas ce dernier vient prendre la relève dans la minute qui suit. Chaque oiseau passe entre trente et soixante minutes dans le nid avant d'être relayé. Pendant la nuit, c'est le mâle qui incube.

La copulation se produit fréquemment pendant la ponte et se poursuit encore durant quelques jours pendant l'incubation.

Première phase de croissance

Dès que les oeufs sont éclos, le comportement des adultes se transforme de façon remarquable. Ils passent moins de temps au nid et commencent à apporter de la nourriture aux petits. En outre, ils emportent les poches fécales au loin. (Dans certains cas, ils les mangent.) Les oeufs prennent un ou deux jours à éclore, et, dès le deuxième jour, les parents viennent fréquemment porter de la nourriture aux oisillons, parfois toutes les cinq ou dix minutes. Les jeunes sont nourris directement, un à la fois. Pendant les deux premières semaines, ils restent à l'abri sous le ventre de leurs parents, mais ensuite, ils passent presque toute la journée à s'ébattre dans le nid. Les parents se partagent la protection des oisillons pendant la journée, mais c'est le mâle qui les garde sous son ventre pendant la nuit.

Le comportement du parent nourricier peut vous aider à deviner l'âge des oisillons. Pendant les neuf premiers jours, il entre complètement dans le nid pour leur donner à manger. Du dixième au douzième jour, il se contente de se percher sur le rebord de la cavité et de se pencher vers l'intérieur. Ensuite, il se pose à l'entrée du nid.

Jusqu'au jour où les oisillons parviennent à sortir leur tête par l'ouverture, leurs cris sont extrêmement ténus. Ensuite, on peut les entendre à cinquante ou cent mètres du nid. Dès qu'ils quittent le nid, ce petit cri se transforme en «hennissement précipité».

Seconde phase de croissance

Pendant le dernier jour de la première phase de croissance, les parents ne nourrissent pratiquement plus les oisillons, qui passent leur temps à se pencher de plus en plus à l'extérieur du nid. Dès qu'ils en sortent, ils sont capables de voler. À la fin de la phase précédente et pendant cette période, les parents recommencent à tambouriner et à lancer le «hennissement précipité». On croit qu'il s'agit d'une résurgence du comportement sexuel, mais quoi qu'il en soit, ces manifestations s'atténuent dès que les petits sont sortis du nid.

Pendant la première semaine au moins, toute la famille se tient aux abords du nid. Tant que les jeunes sont encore dépendants, ils lancent continuellement des cris qui permettent aux parents de les repérer. Il s'agit de «tchic» sonores et souvent répétés, ainsi que de la version juvénile du «hennissement précipité». Lorsqu'ils reçoivent leur nourriture, ils élèvent parfois leurs ailes en les faisant frémir. Ils ont également coutume d'exécuter les «mouvements latéraux du bec». Ils suivent leurs parents un peu partout et semblent même faire preuve d'agressivité lorsqu'ils ont faim. Parfois, les parents se montrent agressifs à leur tour, exécutant le «hérissement de la huppe» ou les «ailes en V». Il est possible que ces manifestations d'hostilité incitent peu à peu les jeunes à s'éloigner.

Le plumage

Comment différencier le mâle de la femelle
On distingue à n'importe quelle saison le mâle de la femelle grâce à la touffe de plumes rouges que le mâle porte derrière le crâne. En outre, chaque oiseau présente un motif différent derrière la tête, ce qui vous permettra de reconnaître les différents individus du même sexe.

Comment distinguer les jeunes des adultes
Dans l'ensemble, les jeunes se distinguent par les belles plumes blanches, toutes neuves, qu'ils portent sur la poitrine. À ce stade, les adultes, qui sont entrés et sortis du nid des centaines de fois, ont les plumes pectorales maculées et usées. En outre, chez les jeunes mâles, les plumes rouges se situent au sommet du crâne et non en arrière.

Mue
Les oiseaux muent complètement une fois par an de la mi-août à la mi-septembre.

Les déplacements saisonniers

Les pics mineurs peuvent migrer une année et rester sur place l'année suivante. On ignore ce qui motive leur décision, mais il est possible que l'abondance (ou la rareté) de la nourriture en soit un facteur déterminant. On a en effet remarqué que dans les régions où la nourriture foisonnait, les oiseaux restaient toute l'année. Il est donc possible que n'ayant pas suffisamment à manger, ils décident de se déplacer, voire de migrer. Les femelles sont plus portées à migrer que les mâles. Quoi qu'il en soit, les oiseaux qui ont passé l'hiver dans le Sud reviennent en mars et en avril.

Le comportement autour des mangeoires

Si vous placez de petits morceaux de lard à proximité de vos mangeoires, vous y attirerez régulièrement des pics mineurs. Plusieurs couples s'y présenteront peut-être car les aires hivernales des oiseaux se chevauchent. Vers la fin de l'hiver, vous remarquerez que la relation entre le mâle et la femelle semble plus étroite. Cela indique que la cour a commencé. Si vous persistez tout l'été à leur offrir du lard, les parents amèneront peut-être leur progéniture à votre mangeoire.

En général, les mâles ont préséance sur les femelles auprès des mangeoires et ont même tendance à les supplanter. Lisez la partie consacrée au plumage afin d'apprendre à reconnaître les oiseaux les uns des autres. (Voir *La cour, Le territoire.*)

Comportements habituels
Rapports de force caractéristiques autour des mangeoires, «hérissement de la huppe»; cri «tiic», «hennissement précipité», cri «couic-couic».

Autres manifestations
Si les arbres qui entourent votre maison possèdent des branches mortes qui résonnent bien, il est possible qu'un pic mineur en choisisse une comme poste d'appel (espérez alors qu'il ne jette pas son dévolu sur votre gouttière), mais la plupart des autres manifestations visuelles se dérouleront loin de la mangeoire, du moins pendant la revendication territoriale et la cour.

Moucherolle phébi

Sayornis phoebe (Latham) / Eastern Pheobe

Le moucerolle phébi compte parmi les premiers arrivants au printemps, bien avant la fonte des neiges et l'arrivée du temps chaud. Le mâle fait son apparition le premier et il commence sans tarder à chanter et à lancer son «tchip» tout en patrouillant son territoire. Cette période, durant laquelle le moucherolle est le plus bruyant, est la plus propice pour voir les mâles revendiquer leur territoire, car, à ce temps de l'année, peu d'oiseaux chantent et ils sont facilement repérables dans les arbres encore dégarnis.

Dès que la femelle arrive et que le couple est formé, les oiseaux deviennent plus difficiles à repérer, le mâle cessant de chanter pendant la journée. Les oiseaux se déplacent alors discrètement, se contentant d'émettre le «tchip» pour rester en contact auditif.

Le moucerolle phébi est un oiseau très apprécié des observateurs, du fait de son habitude de bâtir son nid de boue sur les façades des bâtiments et sur les avant-toits des maisons. Lorsqu'un couple a découvert un endroit approprié, il y revient chaque année, bâtissant même parfois un nouveau nid par-dessus l'ancien. Les nids installés sous les porches sont à la fois commodes, car ils vous permettent d'observer les oiseaux de près, et quelque peu gênants en raison des excréments qui jonchent le sol en dessous. Lorsqu'ils vivent plus éloignés des humains, les moucerolles ont une prédilection pour les ponts et les caniveaux.

Ils ont souvent une seconde couvée au début de l'été. Vous le saurez en entendant de nouveau le mâle chanter et en voyant la femelle «restaurer» le nid de la première couvée.

CALENDRIER DU COMPORTEMENT

	TERRITOIRE	COUR	NIDIFICATION	ÉDUCATION DES OISILLONS	PLUMAGE	DÉPLACEMENTS SAISONNIERS	COMPORTEMENT EN SOCIÉTÉ
JANVIER							
FÉVRIER							
MARS	■	■				■	
AVRIL	■	■	■	■			
MAI	■	■	■	■			
JUIN	■	■		■			
JUILLET				■			
AOÛT					■		
SEPTEMBRE					■	■	
OCTOBRE						■	
NOVEMBRE							
DÉCEMBRE							

GUIDE DE LA COMMUNICATION

Communication visuelle

1. Hérissement de la couronne

Mâle ou femelle   P, É, A, H

L'oiseau hérisse les plumes de sa couronne, de manière plus ou moins rigide selon les circonstances.

Cri: «Tchip».

Contexte: Lorsqu'un danger menace le nid ou encore pendant les moments d'agressivité.

2. Frémissement d'ailes

Mâle ou femelle   P, É

L'oiseau élève les ailes très haut au-dessus du dos à l'aide de petits battements très rapides. Il peut se livrer à ce mouvement tant en plein vol que du haut d'un perchoir.

Cri: Aucun ou pépiement lorsqu'il s'agit du mâle; la femelle se livre à ce mouvement en silence.

Contexte: Avant la copulation, ce mouvement est exécuté silencieusement par le mâle ou la femelle; le mâle s'y livre également lorsqu'il veut montrer à la femelle un endroit propice à l'emplacement d'un nid.

3. Vol de parade

Mâle   P

L'oiseau s'élève au-dessus d'une zone dégagée en battant rapidement des ailes et en suivant une trajectoire de lignes brisées. Il peut ainsi s'élever très haut dans les airs.

Cri: N'importe lequel.
Contexte: On observe ce vol au début du printemps et l'on suppose qu'il se rapporte à la revendication territoriale. (Voir *Le territoire*.)

Communication auditive

1. Chant

Mâle ou femelle   P, É, A

fibii. fibii   Il s'agit généralement d'un son double constitué d'une note aiguë et ascendante, suivie d'une note plus éraillée.

Contexte: Ce sont tout d'abord les mâles qui commencent à chanter lorsqu'ils arrivent sur le territoire de reproduction et ils continuent jusqu'au moment de la construction du nid. Les mâles «célibataires» chantent à n'importe quelle heure du jour tandis que les autres préfèrent donner un concert matinal, juste avant l'aube. (Voir *Le territoire*, *La cour*.)

2. Tchin

Mâle ou femelle   P, É, A, H

Il s'agit d'un cri bref, modérément sec.

Contexte: Les parents lancent ce cri lorsqu'un danger quelconque menace le nid. Il est souvent accompagné du «hérissement de la couronne». En outre, le mâle peut émettre ce cri pendant qu'il patrouille, pendant le rendez-vous matinal ou en se posant après un vol court. Dans ces deux derniers cas, certains observateurs estiment qu'il s'agit d'une parade spécifique, mais elle est en général bien difficile à distinguer des autres. (Voir *Le territoire.*)

3. Tikit

Mâle ou femelle *P, É*

Ce cri, bref et sec, ressemble au «tchip», à la différence qu'il comporte deux syllabes rapides au lieu d'une seule.

tikiit tikiit

Contexte: Caractérise les affrontements entre partenaires. La femelle l'émet parfois lorsqu'elle n'apprécie guère la proximité du mâle ou refuse de répondre à ses tentatives d'accouplement. On entend également ce cri pendant les poursuites entre partenaires.

4. Pépiement

Mâle *P*

C'est une série de notes sèches et brèves. C'est le seul cri de ce type qu'émettent les moucherolles phébi.

tchitchitchitchi

Contexte: Le pépiement accompagne habituellement le «frémissement d'ailes», surtout en présence de la femelle et toujours lorsque le mâle s'efforce de montrer à sa compagne un endroit propice à la construction d'un nid. (Voir *La nidification.*)

DESCRIPTION DU COMPORTEMENT

Le territoire

Fonctions: Accouplement; nidification; subsistance.
Dimensions: Plusieurs milliers de mètres carrés.
Comportements habituels: «Chant»; poursuites, patrouilles.
Durée de sa défense: De l'arrivée des mâles jusqu'à la fin de la période de reproduction.

Vers la fin de l'hiver ou au début du printemps, les mâles réintègrent les régions dans lesquelles ils se sont reproduits l'année précédente. Dès leur arrivée, ils commencent à patrouiller la périphérie de leur territoire. Ils en profitent pour chercher leur nourriture, soit en silence, soit en lançant le «tchip» chaque fois qu'ils se posent. Parfois, ils cessent de fouiller les buissons pour chanter. Vous pourrez assister à ces manifestations tout au long du jour. À ce stade, les moucherolles sont particulièrement bruyants et vous devriez en profiter pour repérer leur territoire de manière à pouvoir suivre, par la suite, le cycle de reproduction dans son intégralité.

Les territoires sont généralement très dispersés, ce qui limite les communications entre voisins. La plupart des rencontres se produisent au début de la saison, à l'arrivée des oiseaux. Lorsqu'un intrus fait irruption sur un territoire, l'occupant se contente de le chasser, un petit récital suivant parfois l'expulsion de l'indésirable. Dans certains cas, vous pourrez observer le «vol de parade» au-dessus du territoire ou simplement au-dessus de l'intrus. L'oiseau s'élève en suivant une trajectoire de lignes brisées au-dessus d'une zone dégagée, tout en lançant un pot-pourri de cris et de chants. C'est au début du printemps que vous pourrez voir cette conduite. On a remarqué que certains oiseaux l'adoptaient plus souvent que d'autres. Lorsque deux territoires ont une frontière commune, ce qui est rare, les deux mâles se lancent parfois dans des duels vocaux, chacun répondant au chant de l'autre. Un peu plus tard, après l'apparition de la femelle, le couple défend ensemble son territoire contre les intrus.

Les territoires sont donc revendiqués prestement, avec un minimum de conflits. Ensuite, les oiseaux patrouillent et chantent rarement pendant la journée. Cependant, dès que la seconde couvée est en route, ils recommencent à chanter le jour, ce qui trahit une brève résurgence de l'instinct territorial.

La cour

Comportements habituels: «Chant»; «rendez-vous du matin».
Durée: De l'arrivée de la femelle au commencement de l'incubation.

Les femelles arrivent au plus tard deux semaines après les mâles. Nul cérémonial particulier ne semble présider à la formation des couples. Après la réunion des deux oiseaux, le mâle ne patrouille presque plus son territoire et cesse pratiquement de chanter pendant la journée. Il reste auprès de la femelle mais, s'il s'en approche trop, il est «récompensé» par un «tchip» agressif et une brève poursuite.

C'est seulement pendant ce que l'on appelle le «rendez-vous du matin» que le couple semble entrer plus étroitement en contact. Peu avant l'aube, le mâle commence à chanter, au rythme d'une trentaine de phrases musicales à la minute. Il se tient généralement perché près d'un emplacement propice à la nidification. Quelques minutes plus tard, la femelle, qui dort loin du mâle, s'approche pour se poser à quelques mètres de lui. Celui-ci se tait et, pendant les instants qui suivent, il exécute de courts vols en direction de sa compagne. Lorsqu'il arrive à proximité, il l'évite de justesse, puis lance un «tchip» en se posant. Enfin, il s'en rapproche en exécutant le «frémissement d'ailes» et tente, montant sur son dos, de procéder à la copulation. Malheureusement pour lui, la femelle n'est pas toujours réceptive à ses avances et elle peut se montrer agressive à son égard. Parfois, les vols en direction de la femelle n'aboutissent pas à des tentatives de copulation. Peu à peu, le mâle cesse de s'agiter et les deux oiseaux commencent à explorer les environs à la recherche de nourriture.

Les «rendez-vous du matin» peuvent se poursuivre pendant plus de trois semaines, même après que le nid a été bâti et que la ponte a commencé. Mais, dès les premiers jours d'incubation, la femelle cesse de répondre aux appels du mâle qui ne tarde pas à redevenir silencieux. Toutefois, si le mâle perd sa compagne, il recommencera probablement à chanter pendant le jour.

La nidification

Emplacement du nid: Sous les ponts, les porches, les vieilles remises, les falaises ou dans l'enchevêtrement de racines d'arbres arrachés; sur des supports verticaux ou horizontaux.
Dimensions: Diamètre intérieur de 6,5 cm environ; profondeur de 4,5 cm environ.
Matériaux: Boue, mousse, brins d'herbe fins, parfois quelques plumes.

Plusieurs jours avant le début des travaux, le mâle s'approche des emplacements possibles pour le nid en battant des ailes et en pépiant. Le mâle exécute cette parade devant la femelle et l'on croit qu'il s'efforce de lui démontrer ainsi que son territoire foisonne d'emplacements propices à la nidification.

C'est la femelle qui se charge de bâtir le nid et le mâle, bien qu'il accompagne parfois cette dernière pendant sa cueillette de matériaux, se rapproche rarement à plus de trois mètres du nid pendant la journée. La femelle abat le plus gros du travail tôt le matin, recueillant de la boue, des brins d'herbe et de la mousse à proximité du nid. Chaque allée et venue ne dure pas plus que une ou deux minutes. Il lui faut entre trois et treize jours pour achever son travail, dépendant de la température, car les moucherolles phébi ont coutume d'arriver sur leur territoire de reproduction très tôt dans la saison, parfois avant la dernière tempête de neige. Lorsque le nid est presque terminé, l'un ou l'autre des partenaires — généralement la femelle — commence à y passer la nuit.

Il est possible que la femelle restaure un ancien nid de moucherolles phébi ou d'hirondelles des granges. Souvent, elle utilise le même nid pour y pondre sa seconde couvée mais uniquement après y avoir ajouté de nouveaux matériaux.

Comment découvrir le nid
Emplacement: Dans les vieux bâtiments, les remises ou sous les ponts.
Saison: Du début au milieu du printemps.

INDICES DE COMPORTEMENT
1. Repérez les mâles dès leur arrivée, cernez les limites de leur territoire et surveillez les emplacements propices à la nidification.
2. Tentez de surprendre l'arrivée de la femelle sur le territoire du mâle et surveillez-la: elle pourrait vous conduire tout droit au nid.

L'éducation des oisillons

Oeufs: Une moyenne de 5 pour la première couvée, et de 4 pour la seconde; tous sont blancs.
Incubation: Environ 16 jours; seule la femelle incube.
Première phase de croissance: Une moyenne de 18 jours.
Seconde phase de croissance: De 2 à 3 semaines.

Ponte et incubation
Près de trois semaines peuvent s'écouler entre l'achèvement du nid et la ponte du premier oeuf. La femelle pond

un oeuf par jour, généralement le matin, puis commence à couver au moment de déposer son dernier oeuf ou juste avant. Elle est seule à assurer l'incubation et, par conséquent, ne quitte que très brièvement le nid. Pendant son absence, le mâle vient se percher, plus ou moins longtemps, à proximité.

Surveillez les allées et venues des vachers car ils parasitent environ le quart des nids de moucherolles phébi. (Voir le chapitre consacré aux vachers.)

Première phase de croissance
Les oisillons sortent généralement de leur coquille à une journée d'intervalle les uns des autres. Le mâle et la femelle se partagent la tâche de les nourrir. On remarque que la femelle s'approche du nid beaucoup plus précautionneusement que le mâle. Elle se perche tout d'abord à proximité puis, si tout va bien, elle vole en direction du nid. En revanche, le mâle s'y rend directement. Pendant les premiers jours, les petits sont nourris par régurgitation, mais ils ne tardent pas à manger des aliments plus consistants, particulièrement des insectes. Les parents fouillent le sol et les buissons pour recueillir leur nourriture au lieu d'attraper les insectes au vol, comme ils le font d'habitude. Cet indice peut donc vous renseigner sur l'âge de la nichée. Au bout de six jours, le nid devient trop exigu pour les oisillons, qui prennent l'habitude de se percher sur le rebord en battant des ailes.

Seconde phase de croissance
Les jeunes restent autour des parents pendant les trois semaines qui suivent leur départ du nid. Ils lancent alors un cri aigu, expiré, qui ressemble à «triiii». Au début, les parents les nourrissent mais, peu après, ils acquièrent une certaine autonomie et commencent à chercher eux-mêmes leur nourriture. La séparation, très progressive, dure jusqu'à la troisième semaine. À ce moment-là, si les jeunes oiseaux ne font pas montre d'indépendance, les parents commencent à leur manifester de l'agressivité. Il est possible, vers cette époque, que la famille s'éloigne à cinq cents mètres environ du nid. Même si les parents ont une deuxième couvée, les petits ne quittent pas la région et c'est seulement à la fin de l'été qu'ils osent s'aventurer plus loin.

La femelle commence parfois à restaurer son nid pour y pondre la seconde couvée trois jours après que les premiers oisillons l'ont quitté. Dès le lendemain ou le surlendemain, elle recommence à pondre. Dans ces circonstances, c'est le mâle qui se charge des soins à apporter à la première couvée, jusqu'à ce qu'elle soit autonome. C'est généralement au début de juin qu'on voit arriver les secondes couvées.

Le plumage

Comment différencier le mâle de la femelle
Il est impossible de distinguer le mâle de la femelle en se fondant sur leur apparence extérieure. Heureusement, leur comportement nous fournit de précieux indices à cet égard: seule la femelle construit le nid et incube. C'est surtout le mâle qui chante, mais la femelle en est capable et vous pourrez occasionnellement l'entendre.

Comment distinguer les jeunes des adultes
Le dos et les ailes des jeunes sont verdâtres et non brun grisâtre comme le plumage des adultes. Leur poitrine est parfois d'un jaune plus vif.

Mue
Les moucherolles phébi muent complètement une fois par an en août et en septembre, juste avant la migration.

Les déplacements saisonniers

Les moucherolles phébi sont l'une des dernières espèces à migrer vers le Sud à l'automne. On les aperçoit souvent dans nos régions jusqu'à la fin d'octobre. Ils passent l'hiver dans les États américains du Sud-Est et au Mexique. Ce sont des oiseaux solitaires et généralement silencieux bien que certains observateurs aient entendu le chant et le cri «tchip» pendant cette période.

Pioui de l'Est

Contopus virens (Linné) / Eastern Wood Pewee

Le chant plaintif du pioui de l'Est qui résonne à travers les bois vers la fin du printemps traduit l'imminence de l'été. Cet oiseau arrive seulement à la fin de la migration, contrairement à son cousin, le moucherolle phébi, qui ne craint pas d'apparaître dans nos régions alors que la neige recouvre encore le sol. Le pioui mâle se plaît à flâner sur des perchoirs bien en vue, sous le couvert de la forêt, ne cessant de chanter que pour capturer des insectes au vol. Il a pour habitude, après son «repas», de s'élever jusqu'au sommet d'un arbre pour y chanter sans interruption, d'une voix sonore, peut-être dans le but d'éloigner les autres mâles ou, au contraire, d'attirer les femelles.

Vous devrez être debout très tôt si vous souhaitez entendre le «chant de l'aube». Il s'agit d'une version ininterrompue du «chant», dépourvue de pauses entre les phrases musicales. Pendant la saison de reproduction, le mâle chante ainsi près d'une demi-heure, presque chaque matin. Bien qu'on ignore la fonction exacte de ces concerts, on pense qu'ils se rattachent à la cour et ont pour objet d'attirer l'attention d'une femelle. Le «chant de l'aube» existe également chez d'autres membres de la famille des moucherolles.

Les piouis se fondent dans le paysage, mais vous pourrez toujours essayer de délimiter leur territoire en vous guidant à l'aide du «chant» des mâles. Leur fief est si exigu que dès que vous aurez repéré le couple une fois, vous n'aurez plus de difficulté à le retrouver.

Le nid est bien dissimulé, minuscule, bâti à la fourche d'une branche horizontale et recouvert de lichens. Pour le trouver, vous devrez d'abord repérer le couple de piouis, distinguer le mâle à l'aide du «chant», puis suivre les activités de l'autre pioui, en l'occurrence la femelle, qui ne tardera pas à vous conduire au nid.

CALENDRIER DU COMPORTEMENT

	TERRITOIRE	COUR	NIDIFICATION	ÉDUCATION DES OISILLONS	PLUMAGE	DÉPLACEMENTS SAISONNIERS	COMPORTEMENT EN SOCIÉTÉ
JANVIER							
FÉVRIER							
MARS							
AVRIL						■	
MAI	■	■	■	■		■	
JUIN	■	■	■	■			
JUILLET	■	■	■	■			
AOÛT	■			■	■		
SEPTEMBRE					■	■	
OCTOBRE					■	■	
NOVEMBRE							
DÉCEMBRE							

GUIDE DE LA COMMUNICATION

Communication visuelle

Chez les piouis de l'Est, la communication visuelle n'a fait l'objet d'aucune description claire. Les recherches ne mentionnent que très vaguement un type de vol lent, retenu, accompagné du «gazouillis». Cette parade semble principalement se produire au début de la saison.

Communication auditive

1. Chant

Mâle   *P, É*

Le «chant» est composé de notes ai-   *piiouîîî pii-our*
guës, indistinctes, réunies en de courtes phrases musicales séparées par de longues pauses. Deux phrases différentes ont été identifiées: l'une est constituée de trois notes dont la première est aiguë, la deuxième plus basse et la troisième aiguë; l'autre phrase, elle, commence sur une note aiguë pour se terminer sur une note plus basse. Vers la fin de l'été, vous pourrez entendre une version plus simple du «chant», semblable à un sifflement indistinct sur une gamme ascendante, du genre: «ouîî».
Contexte: On entend le «chant» à partir de l'arrivée des oiseaux jusqu'à leur migration automnale, à n'importe quel moment de la journée et, souvent, tout au long du jour.

2. Chant de l'aube

Mâle   *P, É*

Il ressemble au chant ordinaire à la différence que la pause qui sépare habituellement les phrases musicales ne dure qu'une seconde au maximum. En outre, l'oiseau ajoute une troisième phrase beaucoup plus distincte que les deux premières. Le «chant de l'aube» se prolonge parfois au-delà d'une demi-heure.

Contexte: L'oiseau chante régulièrement à l'aube pendant la saison de reproduction. On a remarqué que ce chant pouvait être précédé et/ou suivi du chant ordinaire.

3. Tchip

Mâle ou femelle   *P, É, A*

Il s'agit tout simplement d'un «tchip» bref et doux.

Contexte: Ce cri est émis à plusieurs occasions. On pense qu'il sert à donner l'alarme, ou, pour les partenaires, à rester en contact auditif.

4. Gazouillis

Mâle ou femelle   *P, É*

Le «gazouillis» est une série de notes courtes émises à un rythme rapide. Il rappelle le «chant bref» du chardonneret jaune.

Contexte: On l'entend surtout pendant les premières semaines de la saison de reproduction. Il accompagnerait, croit-on, certaines interactions entre mâles et femelles et serait par conséquent lié à la cour.

DESCRIPTION DU COMPORTEMENT

Le territoire

Fonctions: Accouplement; nidification; subsistance.
Dimensions: Entre 8000 et 24 000 m² environ.
Comportement habituel: «Chant».
Durée de sa défense: De l'arrivée du mâle à la fin de la saison de reproduction.

Dès que les mâles apparaissent sur leur territoire de reproduction, ils commencent à limiter leurs activités à quelques milliers de mètres carrés. Ils chantent toute la journée du haut de perchoirs bien en vue sous le couvert de la forêt, n'interrompant leur concert que pour se nourrir. Toutes les dix ou quinze minutes, ils changent de perchoir. On remarque que l'oiseau cesse parfois de manger pour s'élever jusqu'à la cime d'un arbre plus grand que les autres, d'où il surplombe la forêt. Une fois bien installé, il chante pendant quelques minutes.

Les piouis nichent rarement assez près les uns des autres pour que des escarmouches territoriales éclatent entre les mâles. Cependant lorsque tel est le cas, l'occupant et l'intrus planent un moment face à face avant de s'agripper mutuellement et de se laisser tomber dans une chute vertigineuse.

Si un mâle ne parvient pas à attirer une femelle sur son territoire, il ne tardera sans doute pas à se déplacer.

La cour

Comportements habituels: Poursuites; «chant de l'aube».
Durée: Inconnue.

Chez les piouis, le cérémonial de formation des couples semble réduit au strict minimum, si l'on en croit les observateurs. Les femelles, qui arrivent après les mâles, sont parfois prises en chasse par l'occupant dès leur arrivée sur un territoire. On peut alors observer de courtes poursuites très rapides entre les arbres. Ce type de comportement est très fréquent chez les espèces dont les spécimens des deux sexes ont une apparence totalement identique. Il est possible que le mâle prenne tout d'abord la femelle pour un autre mâle et, par conséquent, pour un intrus.

Certains observateurs ont entendu le «gazouillis» avant, pendant et après ces poursuites. On ignore sa fonction. Il est possible que le «chant de l'aube» soit aussi un moyen de communication entre les deux partenaires, car chez les autres moucherolles, le phébi par exemple, le mâle utilise ce chant pour «convoquer» la femelle tous les matins. Pourquoi cela ne s'appliquerait-il pas aussi au pioui?

La nidification

Emplacement du nid: Sur une branche horizontale, loin du tronc, entre 6 et 18 m du sol.
Dimensions: Diamètre intérieur de 4,5 cm; profondeur de 3,5 cm environ.
Matériaux: Fines tiges et fibres végétales liées avec des fils de soie sécrétés par les insectes ou les araignées; le nid est tapissé des matériaux végétaux les plus fins et camouflé à l'aide de lichens.

Le nid du pioui de l'Est est l'un des plus beaux, mais c'est aussi l'un des mieux camouflés. On pense que c'est la femelle qui se charge de sa construction, choisissant une fourche horizontale, sur une branche souvent déjà couverte de lichens. Elle accomplit d'innombrables allées et venues pendant la journée et vous pourrez la voir se frotter fréquemment le bec contre la branche qui accueillera le nid. Peut-être transfère-t-elle ainsi sur le bois les fils soyeux qu'elle a recueillis. Il lui faut entre cinq et six jours pour achever son oeuvre et, au cours des dernières journées, elle se contente d'entourer le nid de lichens. Pendant cette période, le mâle continue de chanter sur le territoire, s'approchant parfois du nid pendant quelques instants.

Comment découvrir le nid
Emplacement: Dans les arbres mûrs, à feuilles caduques.
Saison: De la fin du printemps au début de l'été.

INDICES DE COMPORTEMENT
1. Soyez attentif au chant du mâle, il vous aidera à repérer la femelle.
2. Surveillez les allées et venues de la femelle, ainsi que les parades qu'elle exécute.

L'éducation des oisillons

Oeufs: De 2 à 4; blancs avec des taches brunes irrégulières, surtout concentrées à l'extrémité la plus large.
Incubation: De 12 à 13 jours; seule la femelle incube.
Première phase de croissance: De 15 à 18 jours.
Seconde phase de croissance: De 1 à 3 semaines, parfois plus.
Couvée: 1.

Ponte et incubation
Un jour ou deux peuvent s'écouler entre l'achèvement du nid et la ponte du premier oeuf. La femelle pond ensuite un oeuf par jour, puis commence à incuber. Elle continue de se montrer fort active pendant cette phase, ses séances d'incubation ne durant habituellement que dix à seize minutes. Elle s'envole fréquemment vers un perchoir tout proche d'où elle capture quelques insectes. Ensuite, elle

retourne couver ses oeufs. On a remarqué que plus il faisait chaud, moins elle passait de temps dans le nid. Quant au mâle, il est rare qu'on l'aperçoive à proximité pendant cette période. Il préfère se nourrir et chanter à d'autres endroits du territoire, bien que certains observateurs l'aient vu se rapprocher du nid pour nourrir la femelle.

Première phase de croissance

Pendant les premiers jours de leur vie, les oisillons restent sous le ventre de leur mère, mais, dès le cinquième ou le sixième jour, la femelle passe très peu de temps au nid. Les parents les nourrissent, effectuant d'innombrables allées et venues pendant la journée. Leurs visites sont brèves, car ils se contentent de se poser sur le rebord du nid, de placer la nourriture dans le bec de leur progéniture et de recueillir les poches fécales. Celles-ci sont mangées les premiers jours; ensuite, les parents préfèrent les emporter au loin. Les oisillons se tiennent généralement cois dans leur nid qui ne tarde d'ailleurs pas à être trop exigu pour la nichée. Lorsque les oisillons se penchent à l'extérieur, donnant l'impression qu'ils vont basculer, vous pouvez apercevoir leur bec jaune dont l'intérieur est rouge vif.

Seconde phase de croissance

Les jeunes oiseaux commencent, peu après, à suivre leurs parents, lançant fréquemment un cri grave et éraillé. Le mâle recommence à donner des concerts et, à ce stade, son chant est constitué d'une seule série de notes indistinctes, lancées sur une gamme ascendante.

Malheureusement, on ignore tout du comportement des oiseaux depuis la fin de la seconde phase de croissance des oisillons jusqu'au moment de la migration.

Le plumage

Comment différencier le mâle de la femelle
Le plumage du mâle et de la femelle est identique et seul leur comportement respectif permet de les distinguer. On pense que le mâle est seul à chanter, tandis que la femelle se chargerait de la presque totalité des travaux de construction du nid et serait seule à incuber.

Comment distinguer les jeunes des adultes
Les jeunes ressemblent beaucoup aux adultes, à la différence que leurs barres alaires sont plus claires et mieux définies que celles de ces derniers.

Mues
Les adultes muent complètement à partir de la fin de l'été. On pense que cette mue se poursuit après la migration. En outre, il est possible qu'une mue partielle se produise au printemps, mais on n'en a pas encore la certitude.

Les déplacements saisonniers

La migration automnale vers le Sud commence dès la fin d'août, car les oiseaux semblent prendre leur temps pour voyager. Beaucoup d'entre eux se trouvent encore dans le sud des États-Unis en novembre. Ils hivernent dans les régions septentrionales de l'Amérique du Sud ou en Amérique centrale. Leur migration printanière vers le Nord est extrêmement discrète et ils sont parmi les derniers à arriver sur leur territoire de reproduction. La saison des nids commence habituellement en mai.

Hirondelle des granges
Hirundo rustica (Linné) / Barn Swallow

Si vous apercevez des hirondelles des granges qui tour-
noient dans les airs ou se tiennent perchées sur des fils téléphoniques, efforcez-vous de repérer le plus proche bâtiment ouvert à tous vents, qu'il s'agisse d'une remise ou
d'une grange, pourvu qu'il ait encore une toiture. Vous
aurez alors de bonnes chances d'y trouver des nids. Ces hirondelles semblent avoir adopté les constructions humaines pour y bâtir leur nid, à l'exclusion de tout autre site
naturel. Pourtant, il est évident qu'elles se reproduisaient
bien avant que les humains aient commencé à construire
des maisons. On pense qu'elles utilisaient alors les parois
des cavernes ou des falaises et que la rareté des emplacements propices les a peut-être incitées à nicher en colonies. C'est pourquoi il suffit de repérer un couple pour avoir
la certitude qu'il y en a d'autres dans les environs.

Le nid est bâti sur une surface horizontale ou verticale.
Il se compose principalement de boue dans laquelle les oiseaux ont tissé une trame composée de brins d'herbe afin
de construire une structure plus solide. Pendant cette période, il est fort divertissant de voir les hirondelles plonger
vers les berges des ruisseaux qui traversent les prairies pour
y recueillir un peu de boue. Vous les verrez également
transporter dans leur bec des plumes avec lesquelles elles
tapisseront l'intérieur du nid.

Les oiseaux communiquent surtout par des sons. Le
«chant» du mâle consiste en une sorte de gazouillis musi-
cal interrompu par une espèce de cri éraillé qui ne dure
que une ou deux secondes. Dès leur arrivée sur le territoire
de reproduction, les mâles se mettent à chanter allègre-
ment, non seulement lorsqu'ils sont perchés mais aussi en
plein vol. On remarque qu'ils continuent parfois à chanter
tout en poursuivant la femelle pendant la cour. Si, à cette

époque, vous apercevez deux oiseaux côte à côte, il est probable qu'il s'agit d'un couple. Ensuite, les deux oiseaux ne tarderont guère à bâtir un nid dans lequel la femelle commencera aussitôt à pondre. Les parents se partagent l'incubation et la garde des oisillons. Vous remarquerez beaucoup d'activité aux abords du nid, car les adultes se relayent fréquemment pendant l'incubation et, après l'éclosion des oeufs, ils effectuent des allées et venues pour nourrir les oisillons toutes les cinq ou dix minutes.

CALENDRIER DU COMPORTEMENT

	TERRITOIRE	COUR	NIDIFICATION	ÉDUCATION DES OISILLONS	PLUMAGE	DÉPLACEMENTS SAISONNIERS	COMPORTEMENT EN SOCIÉTÉ
JANVIER							
FÉVRIER							
MARS							
AVRIL		▓				▓	
MAI	▓	▓		▓			
JUIN	▓	▓	▓	▓			
JUILLET	▓		▓	▓			
AOÛT				▓		▓	
SEPTEMBRE						▓	
OCTOBRE						▓	
NOVEMBRE							
DÉCEMBRE							

GUIDE DE LA COMMUNICATION

Communication visuelle

Il est rare que les hirondelles des granges communiquent à l'aide de parades visuelles. Certains observateurs mentionnent des séances de «toilette mutuelle» et de «becquetage». Ces deux manifestations étant importantes chez les hirondelles bicolores, il est possible qu'elles existent sous une forme atténuée chez les hirondelles des granges.

Communication auditive

1. Chant

Mâle ou femelle   *P, É*

Il s'agit d'un gazouillis continu, interrompu toutes les cinq secondes environ par quelques notes rauques.

Contexte: Les mâles chantent pendant toute la saison de reproduction, principalement pendant la cour et entre chaque couvée. La plupart donnent leurs concerts du haut de perchoirs, mais on les entend aussi chanter en plein vol, pendant les poursuites. On sait que la femelle peut émettre des fragments du chant, avant et après le «geignement». Les jeunes hirondelles commencent parfois à chanter dans le mois qui suit leur départ du nid, généralement lorsqu'elles se tiennent en compagnie d'autres jeunes. (Voir *La cour*.)

2. Tchit-tchit

Mâle ou femelle   *P, É*

tchitchit tchitchitchit C'est un cri bref et sec, souvent répété à une cadence très rapide à deux ou trois reprises.

Contexte: Les oiseaux lancent presque continuellement ce cri tandis qu'ils se nourrissent en groupe. On l'entend également lorsque les parents s'approchent du nid. Une version plus sonore traduit la présence d'un danger à proximité du nid. Par conséquent, vous pourrez l'entendre à votre approche.

3. Sifflement

Mâle ou femelle   *P, É*

Le «sifflement» est bref et très clair. Il peut être sonore ou très doux. On l'entend parfois à deux ou trois reprises.

Contexte: Les membres du couple communiquent de cette manière pendant le vol ou lorsqu'ils sont perchés. Il arrive que des oiseaux solitaires lancent le «sifflement». On l'entend également lorsque les oiseaux se tiennent à proximité du nid ou lorsque le mâle poursuit la femelle (probablement pour lui faire la cour). Les groupes d'oiseaux qui volent très haut sont également portés à émettre le «sifflement» et l'on pense qu'il s'agit d'une manifestation liée à la cour. (Voir *La cour.*)

4. Bégaiement

Mâle ou femelle   *P, É, A*

Il s'agit d'une série rapide de sons secs, émis sur le même ton pendant près d'une seconde, parfois plus longtemps. Ce cri est souvent répété à plusieurs reprises.

Contexte: Les mâles lancent quelquefois ce cri juste avant la copulation.

5. Geignement

Femelle P

C'est un cri prolongé, sec et monotone, qui peut durer une seconde ou plus; il est fréquemment répété plusieurs fois.

Contexte: Les femelles lancent parfois ce cri juste avant la copulation.

DESCRIPTION DU COMPORTEMENT

Le territoire

Fonction: Nidification.
Dimensions: N'englobe que les abords immédiats du nid.
Comportements habituels: «Chant»; poursuites.
Durée de sa défense: Saison de reproduction.

C'est seulement après la formation des couples que les hirondelles des granges revendiquent un territoire. Celui-ci semble s'étendre en droite ligne du nid jusqu'au perchoir confortable le plus rapproché. Les couples qui nichent dans la même grange paraissent respecter, dans une certaine mesure, les limites territoriales de leurs voisins, mais les nouveaux venus sont immédiatement pris en chasse s'ils franchissent sans le savoir les frontières établies. Les escarmouches territoriales se caractérisent, en sus des poursuites, par des combats, et sont accompagnées du «chant».

Les oiseaux nichent fréquemment en colonies qui comptent près de quarante couples, parfois plus. Les nids sont donc très proches les uns des autres, ce qui limite les territoires à leurs abords immédiats.

La cour

Comportements habituels: «Chant»; poursuites, vols en groupe, copulation.
Durée: Les quelques semaines qui précèdent la ponte.

Le mâle et la femelle arrivent ensemble sur le territoire de reproduction. Au début, ils se perchent séparément, mais au fur et à mesure que la cour progresse, les partenaires prennent l'habitude d'utiliser le même perchoir. Si vous apercevez deux oiseaux posés côte à côte, vous pouvez être raisonnablement certain qu'il s'agit d'un couple. À l'occasion, un troisième oiseau tente de se poser entre les deux autres, mais il est aussitôt chassé.

Les premières manifestations de la cour semblent se produire sur les clôtures et les fils téléphoniques, relativement loin du futur nid. Les mâles donnent de vigoureux concerts, soit en plein vol, soit sur leurs perchoirs. De temps à autre, ils pourchassent les femelles, accompagnant leur chasse du «chant» et/ou du «sifflement». Pendant ce temps, la femelle émet le «bégaiement».

Si les couples sont nombreux, vous les verrez soudain s'élever dans les airs, redescendre pour se nourrir ensemble pendant dix à quinze minutes puis retourner tranquillement chacun à proximité de son nid. C'est surtout le cri «tchit-tchit» que l'on entend pendant ces vols. À d'autres moments, vous verrez des groupes importants d'hirondelles voler en cercle en lançant le «sifflement» et le «chant». On a remarqué que ces vols pouvaient s'élever jusqu'à une soixantaine de mètres et inclure des hirondelles des régions voisines. Toutefois, on ignore encore la fonction exacte de ce comportement qui se produit principalement au début de la saison et entre chaque couvée. Certains observateurs estiment que cette parade compte tout simplement parmi les manifestations de la cour.

Un peu plus tard, c'est surtout à proximité du nid que les oiseaux se font la cour. Vous pourrez observer la copulation et, si vous avez beaucoup de chance, le «becquetage» et la «toilette mutuelle». Ces manifestations, dont nous avons parlé plus haut, ne sont pas aussi courantes chez les hirondelles des granges que chez les hirondelles bicolores. Cependant, juste avant la copulation, vous entendrez peut-être la femelle émettre le «geignement» et lancer quelques fragments du «chant». En réponse à cette invitation, le mâle s'approche de la femelle par derrière, saute sur son dos et accomplit la copulation. Mais si la femelle n'est pas prête, elle émettra le «bégaiement» lorsque le mâle se placera derrière elle, incitant ce dernier à repartir.

La nidification

Emplacement du nid: Sur les supports verticaux ou horizontaux, généralement à l'abri de la pluie, dans les bâtiments agricoles, sous les tabliers des ponts ou les cavités rocheuses.
Dimensions: Diamètre intérieur de 7,5 cm; profondeur de 2,5 cm à 5 cm.
Matériaux: Boue, brins d'herbe, poils de crinières; tapissé de plumes à l'intérieur.

Quelques jours après avoir pris l'habitude de se percher ensemble, les partenaires entament les travaux de construction du nid. Tous deux y participent activement. L'utilisation d'une surface horizontale leur épargne l'ajout de «poutrelles de soutien», mais s'ils ont jeté leur dévolu sur une surface verticale, elle doit être suffisamment rugueuse pour permettre à la «charpente» de boue d'adhérer. Des chercheurs ont découvert que d'anciens nids de guêpes à base de boue servaient fréquemment de point de départ aux nids d'hirondelles sur les surfaces verticales.

Pour que les hirondelles puissent construire leur nid, un banc de boue de la bonne consistance doit se trouver dans les environs. Les oiseaux sont parfois forcés de parcourir près de huit cents mètres pour trouver ce matériau essentiel. Vous découvrirez l'emplacement du nid en surveillant le vol des hirondelles des granges; en effet, arrivées à proximité de l'endroit stratégique, elles volent au ras du sol, contrairement à leur habitude. Ensuite, elles se posent, restent à terre pendant une minute ou deux puis s'envolent en direction du nid. Une quinzaine de minutes plus tard, vous les verrez repartir en quête d'une autre «bouchée» de boue. À l'endroit où elles la recueillent, vous apercevrez une myriade de trous minuscules formés par leur bec qu'elles plongent dans le sol pour prélever une quantité appréciable de boue. Après avoir mis quelques mottes en place, les oiseaux partent à la recherche d'autres matériaux, tels que des brins d'herbe et des petites racines. Le nid est habituellement tapissé de plumes duveteuses et l'on a remarqué que les hirondelles continuaient de le rembourrer bien après la fin de la ponte.

Les hirondelles des granges restaurent fréquemment d'anciens nids en posant un nouveau revêtement de boue sur le rebord et à l'intérieur de celui-ci, ainsi qu'un nouveau tapis de plumes. On a remarqué que certains couples réutilisaient plusieurs années de suite le même nid, qui finissait par s'élever jusqu'à une hauteur de trente centimètres!

Lorsque les hirondelles s'installent sous des ponts de béton ou de bois, elles font souvent «nid commun» avec les moucherolles phébi. Chaque espèce utilise le nid de l'autre comme plate-forme de départ.

Comment découvrir le nid

Emplacement: Dans les granges, les vieilles remises, sous les ponts ou les quais.

Saison: En avril et en mai, peu après l'arrivée des oiseaux.

INDICES DE COMPORTEMENT

1. Tâchez de repérer les oiseaux qui entrent et sortent d'un bâtiment à longueur de jour.
2. Suivez les oiseaux qui transportent des matériaux dans leur bec.
3. Explorez les environs de l'endroit où les oiseaux se perchent.

L'éducation des oisillons

Oeufs: Une moyenne de 5; blancs, mouchetés de brun.
Incubation: Environ 15 jours; seule la femelle incube.
Première phase de croissance: De 18 à 20 jours en moyenne.
Seconde phase de croissance: Environ 4 semaines.
Couvées: Soit 1 ou 2.

Ponte et incubation

La ponte commence entre un et trois jours après la fin des travaux. La femelle pond un oeuf par jour, mais elle commence parfois à incuber avant la ponte du dernier oeuf. C'est pourquoi l'éclosion s'étale sur plusieurs jours. Bien que le mâle remplace fréquemment la femelle au nid pendant cette période, l'absence chez lui d'un repli incubateur prouve qu'il ne couve pas véritablement. Souvent, il se contente de se tenir debout au-dessus des oeufs pour les protéger. Cependant, les oiseaux se relayent tous les quarts d'heure, ponctuant la relève du «sifflement» ou du cri «tchit-tchit». Certains observateurs ont remarqué une différence de comportement chez le mâle et la femelle quant à la garde du nid. Apparemment, le mâle se tient immobile, se contentant de surveiller les oiseaux du voisinage. La femelle, elle, retourne les oeufs avec son bec afin qu'ils reçoivent la même quantité de chaleur de tous les côtés chaque fois qu'elle revient au nid, aussi brève qu'ait été son absence. Une fois installée sur les oeufs, elle fait fréquemment sa toilette et n'hésite pas à changer de position.

Pendant l'incubation, c'est elle qui reste dans le nid la nuit tandis que le mâle se perche à proximité ou va dormir un peu plus loin.

Première phase de croissance
L'éclosion des oeufs s'étale sur près de trois jours et l'on remarque que les parents se partagent la tâche d'apporter de la nourriture à leur progéniture. Les oisillons peuvent être nourris toutes les minutes ou encore tous les quarts d'heure, de l'aube jusqu'à la tombée de la nuit. Ils mangent principalement des insectes vivants que leur apportent, un à un, les parents.

Au début, les adultes gardent fréquemment les petits sous leur ventre, mais à partir du quatrième jour, ils les laissent de plus en plus souvent seuls. C'est vers cette époque que les oisillons commencent à étirer le cou, à scruter les alentours et à émettre leurs premiers «pip-pip» balbutiants, audibles d'en bas. Les parents commencent par manger les poches fécales puis, au bout de quelques jours, jugent préférable de les emporter. Vers le douzième jour, les petits sont capables de grimper sur le rebord du nid pour déféquer en dehors, leurs fientes s'ajoutant à celles des parents. C'est pourquoi, si un nid d'hirondelles des granges se trouve sur la façade de votre maison ou d'un bâtiment dont la propreté vous tient à coeur, il serait judicieux de placer un récipient sous le nid, notamment à la fin de la première phase de croissance.

Seconde phase de croissance
Le départ du nid se fait en un jour ou deux. Ensuite, les jeunes restent dans les environs, retournant parfois au nid pour y dormir. On remarque qu'ils ne tardent guère à le délaisser totalement, bien que la famille reste encore unie pendant plusieurs semaines. Si les parents sont sur le point d'avoir une autre couvée, ils cessent, au bout de deux se-

maines, de nourrir les jeunes oiseaux qui continuent par ailleurs à rôder dans le voisinage encore quelque temps.

Il est fréquent que les premières couvées se rassemblent en vols, se nourrissant et se perchant ensemble. Un mois après leur départ du nid, les jeunes sont capables d'émettre une version du «chant» ponctuée de notes éraillées, semblables à celles qui parsèment le «chant» des adultes.

Le comportement sur les perchoirs communautaires

Les hirondelles se perchent souvent côte à côte sur les fils téléphoniques, notamment à la fin de la saison de reproduction. On pense que les oiseaux extériorisent leurs rapports de force en communiquant depuis ces perchoirs. Par exemple, lorsqu'un oiseau veut se percher trop près d'un autre, trois choses peuvent se produire. Premièrement, l'arrivant peut inciter l'autre soit à s'envoler, soit à battre en retraite. Deuxièmement, l'oiseau perché peut inciter l'arrivant à s'arrêter ou à reculer. Enfin, il est possible que les deux oiseaux se posent l'un près de l'autre et, après quelques parades, se tiennent immobiles.

Dans les deux premiers cas, l'un des oiseaux semble dominer l'autre alors que dans le dernier, on croit qu'il s'agit d'un «match nul». Les oiseaux dominants ont pour habitude de pointer leur bec ouvert en direction du voisin tandis que les oiseaux soumis sont plutôt portés à détourner la tête. On remarque que certains oiseaux choisissent d'en défier d'autres en se glissant subrepticement dans leur direction le long du câble.

Quant aux jeunes, ils peuvent se rapprocher impunément des adultes. Il leur arrive même de mendier de la nourriture auprès d'adultes autres que leurs parents, voire de leur donner des coups de bec sur les ailes et sur la queue sans être châtiés. Sur ces perchoirs, des périodes extrêmement bruyantes, caractérisées par le «chant» et le cri «tchit-tchit», alternent avec des moments de tranquillité pendant lesquels tous les oiseaux font vigoureusement leur toilette.

Le plumage

Comment différencier le mâle de la femelle
Il est bien difficile de distinguer le mâle de la femelle en se fondant uniquement sur leur apparence. Cependant, on sait que les rectrices sont plus longues chez le mâle. Du point de vue du comportement, c'est en général le mâle qui chante. La femelle, pendant la seule période de la cour, émet parfois une version du «chant» du mâle.

Comment distinguer les jeunes des adultes
Les rectrices extérieures sont plus courtes et plus arrondies chez les jeunes que chez les adultes et elles ne dépassent que de deux centimètres environ les rectrices centrales.

Mue
Les hirondelles des granges muent complètement une fois par an vers la fin de l'automne et le début de l'hiver, après avoir migré vers le Sud.

Les déplacements saisonniers

Dans la partie septentrionale de leur aire de répartition, les oiseaux se rassemblent peu après la première couvée et commencent à migrer à partir du début d'août et pendant les trois semaines qui suivent. Dans l'Est, ils semblent se réunir le long de la côte pour se nourrir et nicher ensemble. On les aperçoit souvent rassemblés sur les plages, s'envolant parfois quelques instants pour se nourrir. Les hirondelles des granges semblent fréquemment tirer parti de puissants vents qui soufflent en direction du sud pour amorcer leur migration. Bien qu'il leur arrive de voyager à haute altitude, elles préfèrent se tenir aussi bas qu'à quelques mètres du sol. Elles préfèrent voyager de jour, mais elles volent parfois la nuit.

Lorsque vient le moment de repartir vers le Nord, elles accompagnent souvent d'autres espèces d'hirondelles. Les oiseaux atteignent la côte méridionale des États-Unis en avril et peuvent poursuivre leur migration jusqu'à la fin de mai. Les oiseaux qui se dirigent vers l'Est semblent survoler les Antilles vers la Floride tandis que ceux qui préfèrent se rendre dans l'Ouest survolent l'Amérique centrale et le Mexique.

Mésange bicolore
Parus bicolor (Linné) / Tufted Titmouse

Vers la fin de l'hiver et à l'aube du printemps, le charmant petit cri de la mésange bicolore («piiteu-piiteu») s'intensifie, ne manquant pas d'attirer l'attention. Si vous essayez de l'imiter, vous serez récompensé en voyant l'oiseau chanteur apparaître, persuadé qu'un rival a osé franchir les limites de son territoire. L'intensification du chant signifie que la saison de reproduction est ouverte et que les vols familiaux dont les membres ont passé l'hiver ensemble sont sur le point de se fractionner. Les oiseaux encore «célibataires» commencent à chercher l'«âme soeur». Les mâles rivaux se rassemblent aux frontières territoriales pour se livrer à des duels vocaux. Ces rencontres deviennent de plus en plus hostiles, les oiseaux exécutant le «frémissement d'ailes» et lançant le cri «sîî-sîî».

Après la formation du couple, les partenaires ne se séparent guère. Ils restent à portée de voix l'un de l'autre grâce à leur doux «tsiip». Le mâle nourrit fréquemment sa compagne qui sollicite son repas à l'aide des cris «tsiu» et «sîî-sîî», accompagnés du «frémissement d'ailes». Le transfert de nourriture se poursuit pendant la nidification et l'incubation et ne laisse pas d'émerveiller les observateurs des mésanges bicolores.

Le nid est bâti dans une cavité déjà existante dans un tronc d'arbre. La femelle abat le plus gros du travail en recueillant de grandes quantités de mousse ou d'écorce. Pendant la première phase de croissance des oisillons, les parents signalent leur approche en lançant une version atténuée du «chant». Un peu plus tard, si vous tentez d'imiter ce chant à proximité du nid, les oisillons vous répondront avec enthousiasme.

CALENDRIER DU COMPORTEMENT

	TERRITOIRE	COUR	NIDIFICATION	ÉDUCATION DES OISILLONS	PLUMAGE	DÉPLACEMENTS SAISONNIERS	COMPORTEMENT EN SOCIÉTÉ
JANVIER							■
FÉVRIER							■
MARS	■	■					
AVRIL	■	■	■	■			
MAI	■	■	■	■			
JUIN	■			■			
JUILLET							■
AOÛT					■		■
SEPTEMBRE							■
OCTOBRE							■
NOVEMBRE							■
DÉCEMBRE							■

GUIDE DE LA COMMUNICATION

Communication visuelle

1. Cou tendu vers l'avant

Mâle ou femelle   P, É, A, H

L'oiseau adopte une position horizontale avant de plonger en direction d'un
de ses congénères. Parfois, il ouvre le
bec en déployant légèrement les ailes.
Cri: Aucun.
Contexte: Lors des affrontements. (Ce
comportement se manifeste quelquefois à proximité des mangeoires.)

2. Frémissement d'ailes

Mâle ou femelle   P, É, A

L'oiseau déploie les ailes, selon un
angle variable, avant de les faire frémir.
Il se tient parfois recroquevillé sur lui-
même en exécutant ce mouvement.
Cri: «Sîî-sîî».
Contexte: Les mâles se comportent
ainsi lorsqu'ils affrontent d'autres mâles;
ce mouvement est exécuté simultané-
ment par les deux partenaires, juste
avant l'accouplement; chez les jeunes,
il ponctue l'arrivée des repas; on l'observe aussi chez les adultes qui apportent la nourriture au nid. (Voir *Le territoire, La cour, L'éducation des oisillons.*)

3. Érection de la huppe

Mâle ou femelle   *P, É, A, H*

L'oiseau redresse les plumes de sa huppe.

Contexte: Il exécute ce mouvement lorsque quelque chose le trouble ou l'alarme.

Communication auditive

1. Chant

Mâle ou femelle   *P, É, A, H*

piiya piiya ou *piiteu piiteu* ou *pitou pitou*

C'est une phrase musicale sifflée, très claire, contenant deux notes, traînantes ou non. Elle est répétée à deux ou plusieurs reprises.

Contexte: On l'entend à n'importe quel moment de l'année, mais surtout pendant la saison de reproduction. Ce sont principalement les mâles qui chantent, entre autres lorsqu'ils revendiquent leur territoire ou cherchent à attirer une compagne. Lorsque les parents approchent du nid chargés de nourriture, ils émettent une version plus douce du «chant». (Voir: *Le territoire, La cour, L'éducation des oisillons.*)

2. Tsiu

Mâle ou femelle   *P, É, A, H*

tsiiu tsiiu

Il s'agit d'un cri bref, de deux notes. La première est aiguë et un peu chevrotante tandis que la seconde est plus grave et plus sèche. Il en existe plusieurs variations.

Contexte: Caractérise principalement

les affrontements entre rivaux ou rivales. La femelle lance parfois ce cri pendant le transfert de nourriture. Les jeunes oisillons en émettent une variante lorsqu'ils reçoivent leur repas.

3. Djé

Mâle ou femelle   *P, É, A, H*

On entend une seule note très sèche, hostile, répétée à plusieurs reprises.
Contexte: Pendant les affrontements ou lorsque l'oiseau se sent en danger.

djédjédjé ou *djidjidji*

4. Sîî-sîî

Mâle ou femelle   *P, É*

C'est un cri sifflé extrêmement aigu, rapidement répété à plusieurs reprises, sans interruption.
Contexte: Les mâles lancent ce cri lors des conflits territoriaux; on l'entend aussi chez les spécimens des deux sexes, juste avant ou pendant la copulation. La femelle l'émet à l'occasion du transfert de nourriture. (Voir *Le territoire, La cour.*)

sîîsîîsîîsîîsîî

5. Tsiip

Mâle ou femelle   *P, É, A, H*

Il s'agit d'une seule note, assez brève et très douce.
Contexte: Les deux partenaires utilisent ce cri pour rester en contact pendant leurs déplacements. (Voir *La cour.*)

Remarque: Les mésanges bicolores ont un répertoire extraordinairement varié de cris sifflés ou éraillés. Nous avons dressé ici la liste des plus courants.

DESCRIPTION DU COMPORTEMENT

Le territoire

Fonctions: Accouplement; nidification; subsistance.
Dimensions: Entre 8 000 et 20 000 m².
Comportements habituels: «Chant», «sîî-sîî»; poursuites, «frémissement d'ailes».
Durée de sa défense: De la fin de l'hiver à l'issue de la saison de reproduction.

Les familles se rassemblent souvent en vols dont la composition est très lâche pendant tout l'hiver pour vagabonder sur un territoire de soixante mille à quatre-vingt mille mètres carrés. Vers la fin de l'hiver et au début du printemps, ces vols se fractionnent peu à peu jusqu'à ce qu'il ne reste plus que des couples et des oiseaux solitaires. Ce processus s'accompagne souvent d'une recrudescence de poursuites et d'affrontements. Les mâles, célibataires ou non, commencent à chanter toute la journée du haut de perchoirs bien en vue situés sur leurs territoires respectifs. Pendant son concert, un mâle attire souvent son voisin qui s'installe alors sur leur frontière commune. L'autre se rapproche et les deux oiseaux peuvent se livrer à un duel vocal. S'ils sont très proches l'un de l'autre, le chant est parfois remplacé par le cri «djé». Lorsque les oiseaux ne se séparent pas immédiatement, le conflit peut s'intensifier, l'un des adversaires (ou les deux) commençant à lancer le cri «sîî-sîî», à exécuter le «frémissement d'ailes» ou à décrire des cercles étroits au-dessus de son rival. Il arrive même que les pattes des deux oiseaux s'enchevêtrent, les faisant choir au sol. L'intensité des conflits s'accroît au fur et à mesure qu'approche le moment de la nidification.

La cour

Comportements habituels: Transfert de nourriture, poursuites, copulation.
Durée: Des derniers jours de l'hiver à la fin de l'incubation.

Chez les mésanges bicolores, la cour présente quelques manifestations étranges. Pour commencer, les couples se constituent à n'importe quel moment dans l'année. Deuxièmement, la formation des couples n'est ponctuée d'aucune parade particulière si l'on excepte quelques poursuites. En revanche, après leur union, les deux oiseaux adoptent de nombreuses attitudes ritualisées pour communiquer. Les mâles semblent dominer les femelles tout au long de l'année et les observateurs ont remarqué qu'ils plongent souvent dans leur direction pour les prendre en chasse. Ces poursuites jouent peut-être un rôle important dans la formation des couples, au début de la saison. Après la réunion des partenaires, ils ne se séparent que très rarement, restant en contact grâce au cri «tsiip».

Le transfert de nourriture est un événement capital dans la vie des mésanges bicolores, en hiver et au printemps. Votre attention sera tout d'abord mobilisée par le cri «tsiu» ou «sîî-sîî», émis par la femelle, qui exécute le «frémissement d'ailes». Ensuite, elle suit le mâle de près, ou se tient à une certaine distance tout en continuant à lancer ses cris. Pendant ce temps, le mâle récolte sa nourriture avec un empressement inhabituel, aiguillonné peut-être par la nécessité de nourrir sa partenaire en plus de lui-même. Lorsqu'il a enfin terminé, il mange lui-même son repas sans tarder ou place le fruit de son labeur dans le bec de sa compagne.

Il est facile d'assister à la copulation des mésanges bicolores, car le mâle et la femelle lancent tous deux, à ce moment-là, le cri «sîî-sîî». Ils peuvent même continuer à crier pendant l'accouplement. La femelle exécute le «frémissement d'ailes», parfois imitée par son compagnon.

La nidification

Emplacement du nid: Entre 90 cm et 35 m au-dessus du sol, dans des cavités creusées dans les arbres; dans des nichoirs.
Dimensions: L'orifice doit avoir au moins 3,5 cm de diamètre.
Matériaux: Feuilles, mousse, coton, laine, lamelles d'écorce, cheveux et poils (parfois arrachés aux animaux ou aux humains).

Le couple commence par explorer toutes les cavités disponibles et c'est la femelle qui bâtit le nid dans celle de leur choix. Elle effectue de nombreuses allées et venues au nid, le bec plein de matériaux. En général, elle commence par recueillir des feuilles, de la mousse et de l'écorce. Ensuite, elle ajoute les fibres plus fines, telles que les poils. Il lui faut entre six et onze jours pour achever sa construction, mais elle continue parfois de l'améliorer pendant l'incubation et ce, jusqu'à deux jours avant l'éclosion des oeufs. Le mâle reste à proximité, nourrissant fréquemment sa compagne. On remarque que la copulation se produit aussi pendant la nidification.

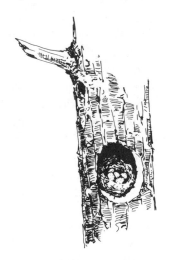

Nid (cavité supérieure)
En bas, la partie sciée permet de voir les oeufs.

Comment découvrir le nid
Emplacement: Dans les régions boisées ou marécageuses.
Saison: De mars à la fin de mai.

INDICES DE COMPORTEMENT
1. Guettez le cri «sîî-sîî» qui accompagne le transfert de nourriture et la copulation, ces deux événements se produisant à proximité du nid.
2. Guettez les mésanges qui vont et viennent en transportant des matériaux dans leur bec ou qui les recueillent au sol, car elles ne s'éloignent guère du nid pour les trouver.
3. Tendez l'oreille pour entendre les oisillons crier dans le nid.

L'éducation des oisillons

Oeufs: De 4 à 8 (5 ou 6 en moyenne); blancs mouchetés de brun.
Incubation: De 13 à 14 jours; seule la femelle incube.
Première phase de croissance: De 17 à 18 jours.
Seconde phase de croissance: Au moins 4 semaines.
Couvées: Soit 1 ou 2.

Ponte et incubation

La femelle pond un oeuf par jour. Pendant cette période, elle prend soin de recouvrir les oeufs de fibres avant de quitter le nid. En outre, elle continue d'apporter de nouveaux matériaux dans la cavité. L'incubation commence dès la ponte du dernier oeuf et chaque séance dure entre trente et quarante minutes. Quant aux «escapades» de la femelle en dehors du nid, elles ne dépassent guère dix a vingt minutes.

Pendant l'incubation, elle continue d'être nourrie par le mâle qui, au début, s'approche en chantant. La femelle sort alors du nid pour «prendre livraison» de la nourriture. Ensuite, elle retourne au nid ou accompagne le mâle si elle a encore faim. Quelques jours plus tard, le mâle, toujours en chantant, s'enhardit et se rend jusqu'à l'entrée du nid pour y déposer son offrande. Les deux oiseaux exécutent parfois le «frémissement d'ailes» pendant le transfert de nourriture; celui-ci peut être, en outre, ponctué du cri «sîî-sîî» ou «tsiu».

Première phase de croissance

Les oisillons éclosent en l'espace de un jour ou deux. La femelle emporte les coquilles au loin et garde sa progéniture sous son ventre pendant les premiers jours. C'est également elle qui passe la nuit avec eux tout au long de cette phase. Les parents se partagent la tâche de nourrir leurs petits et s'approchent généralement du nid en émettant une version atténuée du «chant». Au fur et à mesure qu'ils grandissent, les oisillons se mettent à crier, imitant leurs parents tant bien que mal dès qu'ils les entendent chanter. C'est pourquoi vous n'aurez qu'à imiter le «chant» pour entendre les jeunes y répondre. Au bout de seize à dix-huit jours, ils commencent à sortir du nid.

Certains observateurs ont noté que les oiseaux de la première couvée apportaient parfois de la nourriture aux oisillons de la deuxième.

Seconde phase de croissance

Les jeunes, dès leur première envolée, suivent les parents en lançant de sonores «tsiu». Il s'agit d'un moment particulièrement bruyant dans la vie de ces oiseaux, les jeunes faisant résonner la forêt de leurs cris. Ils continuent d'être alimentés par les parents jusqu'à quatre semaines après leur départ du nid.

La famille reste unie pendant tout l'hiver. On pense que les jeunes quittent les parents vers la fin de l'hiver et au début du printemps, au moment où resurgissent les revendications territoriales et les activités nuptiales.

Le plumage

Comment différencier le mâle de la femelle

Le mâle et la femelle ont un plumage identique. Par conséquent, vous devrez vous fier à leurs comportements pour les distinguer: c'est surtout le mâle qui lance le «chant», sonore et clair au printemps, bien que la femelle soit elle aussi capable de l'exécuter. Pendant le transfert de nourriture, c'est le mâle qui offre de la nourriture à sa compagne. Enfin, la femelle est seule à construire le nid et à incuber les oeufs.

Comment distinguer les jeunes des adultes
Les jeunes ont le front gris trandis que les adultes présentent une tache noire au-dessus des yeux. En outre, les plumes habituellement jaunâtres du ventre sont beaucoup plus claires chez les jeunes oiseaux.

Mue
Les mésanges bicolores muent complètement une fois par an, en août.

Les déplacements saisonniers

Les mésanges bicolores ne migrent pas. Elles préfèrent se regrouper en petits vols et demeurer tout l'hiver sur une aire de soixante à quatre-vingt mille mètres carrés. Vers la fin de l'hiver, ces vols se fractionnent. Certaines mésanges passent toute l'année dans la même région, d'autres se déplacent. Certains jeunes viennent se reproduire là où ils sont nés tandis que d'autres préfèrent s'éloigner.

Le comportement en société

Les mésanges bicolores se rassemblent en petits vols chaque hiver. On pense que ces groupes sont composés principalement de familles: les parents accompagnés des jeunes nés au cours de la saison précédente. Leurs liens semblent fort étroits pendant tout l'hiver. Occasionnellement, ces petits vols se joignent aux mésanges à tête noire, aux pics mineurs et aux sitelles. Les oiseaux restent en contact grâce au doux «tsiip». Vous pourrez entendre le «chant» à n'importe quel moment de l'année, mais il s'intensifie vers la fin de l'hiver, lorsque les vols se dispersent et que ressurgit le comportement territorial.

Le comportement autour des mangeoires

Les mésanges bicolores passent tout l'hiver en famille, fréquentant bruyamment les mangeoires. Vous serez peut-être témoin de certains comportements, notamment vers la fin de l'hiver, lorsque les vols se divisent et que la cour commence. Les mâles chantent de plus en plus, au point que lorsque le printemps bat enfin son plein, ils ne s'arrêtent plus. (Voir *Le territoire, La cour.*)

Comportements habituels
«Chant», «cou tendu vers l'avant», «érection de la huppe» et la plupart des cris de leur répertoire. Les mâles dominent les femelles à proximité des mangeoires.

Autres manifestations
Si vous entendez le cri «sîî-sîî» autour de la mangeoire, essayez de repérer les oiseaux qui le lancent. Vous assisterez peut-être au transfert de nourriture et à la copulation. Ce cri, accompagné du «frémissement d'ailes», sert aussi aux mâles à manifester leur hostilité envers d'autres mâles. Les mésanges bicolores entraîneront certainement leur progéniture à votre mangeoire, ce qui vos permettra de voir les petits mendier bruyamment leur nourriture auprès de leurs parents.

Sittelle à poitrine blanche
Sitta carolinensis (Latham) / White-Breasted Nuthatch

Les sittelles sont surtout célèbres pour leur manie de dissimuler de la nourriture dans les crevasses des arbres et leur curieuse habitude de se déplacer la tête en bas le long des troncs et des branches, en un mouvement saccadé qui les fait ressembler à de minuscules jouets mécaniques.

Vous serez enchanté de vos observations, car le couple de sittelles passe la plus grande partie de l'année ensemble et la cour débute sérieusement vers la fin de l'hiver, bien avant que les autres oiseaux ne commencent à établir leurs territoires. Au cours d'une froide matinée de janvier, alors que le jour se lève à peine, vous pourrez voir et entendre le mâle entamer les prémices de sa cour. S'il décide de donner un spectacle intégral, il commencera par se percher au sommet d'un arbre en lançant son chant sonore «ouein-ouein-ouein», ponctuant chaque note d'une révérence. La femelle ne tarde habituellement pas à le rejoindre et tous deux s'en vont passer la journée ensemble, restant en contact grâce au doux cri «hip-ip».

Un peu plus tard, apparaît une autre manifestation importante de la cour: le transfert de nourriture. Le mâle recueille un «mets» qu'il avait peut-être entreposé dans une cachette, avant d'aller l'offrir à sa compagne. La femelle, debout sur son perchoir, le regarde. Il se pose puis se lance dans une course en ligne droite, bien différente de la course en zigzags dont il est coutumier. Parvenu à la hauteur de sa compagne, il place son offrande dans le bec ouvert qu'elle lui tend. Vous n'aurez qu'à observer les oiseaux pour assister à cette amusante conduite ritualisée à laquelle les sittelles à poitrine blanche se livrent jusqu'en avril.

Les oiseaux nichent dans des cavités, souvent à l'endroit où un noeud pourri s'est détaché du tronc. Les écureuils et les autres oiseaux, qui aiment nicher dans les orifices, rivalisent avec les sittelles pour s'approprier des emplacements de choix. En outre, chaque oiseau possède une cavité dans laquelle il dort pendant les nuits d'hiver. Par conséquent, pour trouver l'abri hivernal d'une sittelle, il vous suffira de la suivre au crépuscule. Elle vous conduira à sa cavité dès la tombée de la nuit.

CALENDRIER DU COMPORTEMENT

	TERRITOIRE	COUR	NIDIFICATION	ÉDUCATION DES OISILLONS	PLUMAGE	DÉPLACEMENTS SAISONNIERS	COMPORTEMENT EN SOCIÉTÉ
JANVIER	▓						
FÉVRIER	▓	▓					
MARS	▓	▓					
AVRIL	▓		▓	▓			
MAI	▓			▓			
JUIN	▓			▓			
JUILLET	▓			▓	▓		
AOÛT	▓						
SEPTEMBRE	▓						
OCTOBRE	▓						
NOVEMBRE	▓						
DÉCEMBRE	▓						

GUIDE DE LA COMMUNICATION

Communication visuelle

1. Chant et révérence

Mâle   *H, P*

Pendant qu'il chante du haut d'un perchoir bien en vue, le mâle tend le cou, abaisse la tête et le corps chaque fois qu'il répète une note. Entre les phrases musicales, on peut le voir se balancer d'avant en arrière.

Cri: «Chant».

Contexte: Cette attitude caractérise la cour et on l'observe habituellement en présence de la femelle ou lorsque le mâle souhaite la voir s'approcher de lui. (Voir *La cour*.)

2. Déploiement de la queue et hérissement des plumes dorsales

Mâle ou femelle   *P, É, A, H*

L'oiseau élève la queue et abaisse les ailes. Les caudales sont déployées tandis que les plumes dorsales sont parfois hérissées. La tête pointe vers le bas.

Cri: Aucun.

Contexte: Caractérise les conflits avec d'autres oiseaux. On remarque que chaque mouvement (hérissement des plumes dorsales, déploiement de la queue, etc.) peut être exécuté seul. Toutefois, des études plus poussées s'imposent avant qu'on puisse tirer des conclusions définitives à cet égard. (Voir *Le territoire*.)

3. Déploiement des ailes

Mâle ou femelle　　　　　　　　*P, É, A, H*

L'oiseau place son corps et son bec à la verticale en déployant entièrement ses ailes et sa queue. Ensuite, il se balance d'un côté et de l'autre. Ce mouvement est parfois très bref (une ou deux secondes), parfois plus long.

Cri: Aucun.

Contexte: On le remarque à proximité du nid ou d'une mangeoire, lorsque l'oiseau rivalise avec d'autres oiseaux ou des mammifères.

Communication auditive

1. Chant

Mâle　　　　　　　　　　　　*P, É, A, H*

oueinoueinouein.
oueinouein

Il s'agit d'une série rapide de huit à onze notes qui dure deux ou trois secondes. Au printemps, le chant est régulièrement répété pendant des heures.

Contexte: Le mâle chante du haut de perchoirs en vue, souvent situés à la cime des arbres. Lorsque la femelle se trouve à proximité, il accompagne chaque note d'une révérence. Il chante aussi lorsqu'il cherche sa nourriture. On croit qu'en l'occurrence, le chant permet aux partenaires de rester en contact.

2. Han-han

Mâle ou femelle   *P, É, A, H*

Il s'agit d'un cri sonore et nasillard, com- *han, han* ou *ankank*
posé d'une note, de deux notes ou   *ou ha ha ha ha*
d'une longue phrase musicale très ra-
pide.
Contexte: Composé d'une seule note,
ce cri permet (principalement) aux oiseaux de rester en contact lors de leurs
déplacements; lorsqu'il est constitué de
deux notes, il traduit l'appréhension ou
l'excitation; en série rapide, il ponctue
généralement les conflits avec d'autres
couples de sittelles. (Voir *La cour, Le
territoire.*)

3. Hip-ip

Mâle ou femelle   *P, É, A, H*

Vous entendrez une note douce,   *hip.ip*
ténue, répétée à un rythme irrégulier.
Si deux oiseaux sont à proximité l'un de
l'autre, ils émettront peut-être ce cri en
duo.
Contexte: Les deux membres du
couple s'en servent pour demeurer à
«portée de voix» l'un de l'autre lorsqu'ils se déplacent pour manger. Il arrive que leurs registres respectifs soient
légèrement différents.

4. Fiiou

Mâle ou femelle   *H, P*

Ce sifflement nasillard commence par
une note très aiguë pour redescendre
ensuite. Il ne ressemble à aucun cri des
sittelles.
Contexte: On l'entend pendant des

moments d'excitation intense. Le mâle lance parfois ce cri avant de voler à la poursuite de la femelle, pendant la cour. (Voir *La cour.*)

5. Cri des juvéniles

Mâle ou femelle É

Il s'agit simplement de petits cris brefs et chevrotants, souvent répétés à plusieurs reprises.

Contexte: Les jeunes crient pendant la seconde phase de croissance, notamment lorsqu'ils réclament de la nourriture à leurs parents, accompagnant parfois ce cri d'un frémissement des ailes.

DESCRIPTION DU COMPORTEMENT

Le territoire

Fonctions: Nidification; accouplement; subsistance.
Dimensions: De 100 000 à 170 000 m².
Comportements habituels: «Han-han»; «déploiement de la queue et hérissement des plumes dorsales», poursuites, «déploiement des ailes».
Durée: Toute l'année.

Les sittelles à poitrine blanche demeurent dans la même région toute l'année et, pendant la saison de reproduction, revendiquent une parcelle de terrain à titre de territoire. Les conflits avec les autres oiseaux qui vivent sur ce territoire se produisent surtout en hiver et au printemps. Ces escarmouches s'accompagnent principalement du «han-han» que vous n'aurez aucune difficulté à entendre. Si vous vous rapprochez de l'endroit où résonnent les cris, vous apercevrez certainement deux couples de sittelles (pour savoir comment distinguer le mâle de la femelle, lisez la rubrique consacrée au plumage). Tandis que les oiseaux se nourrissent tranquillement, l'un d'eux en attaque un autre (généralement du même sexe) sans raison apparente. Vous pourrez aussi entendre le doux cri «hip-ip» que deux partenaires utilisent pour rester en contact auditif. En général, les conflits se résolvent d'eux-mêmes après que chaque couple a regagné son territoire, mais si la situation se dégrade, vous serez sans doute témoin d'un autre comportement: le «déploiement de la queue et hérissement des plumes dorsales». En outre, il arrive qu'un oiseau exécute un vol en boucle au-dessus de son adversaire en émettant une sorte de bourdonnement à l'aide de ses ailes.

Il est possible que le chant printanier des mâles soit une autre manifestation du comportement territorial. On a remarqué que les mâles se livraient parfois à des duels chantés, dans le but, peut-être, de faire connaître les frontières de leur territoire.

Les sittelles, vivant dans la même région toute l'année, sont plus habituées à la présence de leurs voisins que les autres espèces d'oiseaux. Les risques de conflits territoriaux sont donc mineurs. Il est même fréquent, compte tenu de la vaste superficie de chaque territoire, qu'un des couples s'aventure brièvement sur le domaine voisin, en quête de nourriture. On a même remarqué que certains territoires se chevauchaient et que deux couples avaient parfois coutume de se nourrir au même endroit.

Si vous placez une mangeoire dans une zone limitrophe, vous y verrez peut-être plusieurs couples. En revanche, lorsqu'elle est installée au coeur d'un territoire, les résidents n'hésiteront guère à en expulser les intrus.

La cour

Comportements habituels: Transfert de nourriture, poursuites; «chant».
Durée: De janvier à la fin d'avril.

Comme vous le savez maintenant, les couples de sittelles passent toute l'année dans la même région. Le degré d'intimité du couple varie en fonction de la saison. En automne, les oiseaux se montrent plutôt solitaires alors que, dès le printemps, ils deviennent inséparables. C'est en janvier et en février que leurs liens se renforcent et vous saurez à quel stade leur relation est parvenue en voyant le mâle et la femelle se tenir à moins de quinze mètres l'un de l'autre, lançant continuellement le cri «hip-ip». On suppose que celui-ci leur permet de rester en contact étroit tandis que le cri «han-han» leur permet de communiquer à des distances plus grandes.

C'est également vers cette époque que le mâle commence à chanter dès l'orée du jour, perché à la cime des arbres. Son chant est fréquemment accompagné de la «révérence». Au bout de quelques instants, la femelle apparaît et les deux oiseaux partent se nourrir ensemble, n'utilisant alors que le «hip-ip» ou le «han-han» pour rester en contact auditif. Il arrive aussi que le mâle continue de chanter tandis que la femelle se tient immobile à ses côtés. Certaines personnes ont entendu un mâle chanter pendant que, à une certaine distance de la femelle, il était occupé à se nourrir. Certains observateurs pensent que, dans ces circonstances, le «chant» aussi permet aux partenaires de rester en contact.

Le transfert de nourriture est l'un des événements les plus importants de la cour chez les sittelles. Dès la fin de l'hiver et tout au long de la saison de reproduction, vous pourrez voir le mâle offrir de la nourriture à la femelle. Vous saurez que le transfert va avoir lieu lorsque le mâle vous donnera l'impression de chercher plus fébrilement de la nourriture. On a même remarqué qu'il se rendait parfois directement à l'endroit où il avait dissimulé un morceau «de choix». En général, la femelle reçoit l'offrande sans cérémonie. Quant au comportement du mâle, il n'est pas toujours identique. Parfois, il court en droite ligne le long d'une branche vers la femelle, renonçant pour l'occasion à ses zigzags habituels. On a remarqué que la nourriture qu'il tenait dans son bec n'était pas toujours acceptée d'emblée par la femelle. Lorsqu'elle refuse, le mâle reprend son offrande qu'il s'empresse de cacher dans une fissure. Parfois, il la déchiquette pour en redonner une partie à la femelle. À mesure que la période de nidification approche, les transferts de nourriture deviennent plus fréquents. Mais, après l'éclosion des oeufs, ils disparaissent rapidement.

Occasionnellement, un troisième oiseau vient se «mêler des affaires» du couple; il arrive qu'une femelle en pourchasse une autre en présence de son partenaire ou que deux mâles plongent l'un vers l'autre. Il s'agit en général d'oiseaux solitaires qui convoitent l'un des partenaires. Ces conflits provoquent parfois une intensification des manifestations nuptiales («hip-ip», «chant» ou transfert de nourriture) dans le couple.

Les sittelles peuvent aussi lancer un cri plutôt curieux, le «fiiou», qui accompagne, chez les oiseaux des deux sexes, ce que l'on pourrait comparer à l'excitation sexuelle. Au début de l'hiver, le mâle crie tandis que, très énervé, il poursuit sa compagne. Vous entendrez également la femelle lancer ce cri avant et après la copulation.

La nidification

Emplacement du nid: Entre 1,50 m et 15 m au-dessus du sol, dans une cavité naturelle, un vieux nid de pic ou un nichoir.
Dimensions: Ouverture d'un diamètre minimal de 3 à 4 cm; les oiseaux semblent souvent préférer des orifices deux à trois fois plus larges.
Matériaux: Écorce, herbe, petites racines, fourrure.

Les sittelles à poitrine blanche font généralement leur nid dans les cavités laissées par la chute des noeuds pourris dans les troncs d'arbres. Le couple reste en contact étroit pendant sa construction, chaque membre lançant fréquemment le cri «hip-ip», le mâle offrant occasionnellement de la nourriture à sa partenaire. Les oiseaux volent énergiquement à proximité du nid, sans s'en éloigner. C'est la femelle qui semble se charger du plus gros des travaux et vous pourrez vous en approcher d'assez près pour la voir recueillir des matériaux au sol ou dans les arbres. Elle exécute de fréquentes allées et venues, à n'importe quelle heure du jour, mais surtout le matin et en fin d'après-midi.

Vous verrez aussi les oiseaux frotter leur bec contre l'écorce de l'arbre, à côté de la cavité. Cette activité peut durer plus de dix minutes et se produire plusieurs jours de suite. On a remarqué que les oiseaux, après avoir écrasé des insectes dans leur bec, frottaient celui-ci contre l'écorce. À d'autres moments, vous pourrez les voir enfoncer de petits morceaux de fourrure dans les crevasses entourant la cavité. Certains chercheurs ont suggéré que ces activités avaient pour objet de laisser une odeur susceptible d'éloigner les écureuils et autres prédateurs du nid. Ce comportement apparaît surtout avant et après les séances de construction du nid, mais on l'a observé, notamment en fin d'après-midi, pendant l'incubation et durant la première phase de croissance des oisillons.

Les écureuils et certaines espèces d'oiseaux telles que les mésanges bicolores, les étourneaux et les moineaux domestiques convoitent les cavités choisies par les sittelles. Il arrive que ces dernières en soient chassées, mais jamais sans avoir livré un long combat. Pendant les conflits entre espèces différentes, on remarque notamment le «déploiement de la queue et hérissement des plumes dorsales». Lorsqu'elle exécute ce mouvement, la sittelle se balance solennellement d'avant en arrière. Parfois, elle donne l'impression de tituber. On a même remarqué qu'elle pouvait momentanément se suspendre la tête en bas en dessous d'une branche dans cette pose.

Pendant toute l'année, chaque partenaire du couple dort dans une cavité distincte du nid. Chaque matin, il emporte les excréments qui s'y sont accumulés pendant la nuit. La femelle s'approprie parfois la cavité d'un mâle vers la fin de l'hiver ou au début du printemps et c'est cet abri qui deviendra le nid. En hiver, il est possible de suivre les oiseaux jusqu'à leur abri, tout simplement en surveillant leurs mouvements dès le crépuscule.

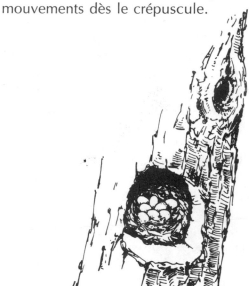

Nid (cavité supérieure)
La partie sciée permet de
voir les oeufs.

Comment découvrir le nid
Emplacement: Dans des bois composés de feuillus qui comptent des arbres assez mûrs pour que des noeuds s'en soient détachés.

Saison: Au début du printemps.

INDICES DE COMPORTEMENT
1. Le transfert de nourriture, surtout au printemps, a souvent lieu à proximité de la cavité qui abrite le nid.
2. Tâchez de surprendre la femelle en train de recueillir des matériaux et suivez-la.

L'éducation des oisillons

Oeufs: De 5 à 10; blancs avec de petites taches marron clair, surtout concentrées à l'extrémité la plus large.
Incubation: Environ 12 jours; seule la femelle incube.
Première phase de croissance: Environ 14 jours.
Seconde phase de croissance: Environ 2 semaines.

Ponte et incubation

La femelle pond un oeuf par jour et commence à incuber dès la ponte du dernier. Ensuite, elle passe de longs moments au nid, mais si vous vous placez à l'affût, vous finirez certainement par voir le mâle s'en approcher en lançant le double cri «han-han» avant d'entrer dans la cavité pour offrir de la nourriture à sa compagne. Pendant toute cette période, il la nourrit activement. Cependant, elle quitte parfois le nid pour aller manger en sa compagnie, auquel cas, vous entendrez les deux oiseaux lancer le doux cri «hip-ip» pour rester à portée de voix l'un de l'autre.

Les sittelles ont également coutume d'entreposer leur nourriture. Les deux oiseaux dissimulent le produit de leur cueillette dans des fentes situées à proximité de la cavité. Ils s'en servent ensuite pour se nourrir (le mâle peut l'offrir à la femelle) ou pour nourrir leur nichée. Vous pourrez aussi voir d'autres sittelles s'approcher du nid du couple pour dérober la nourriture dissimulée tout proche.

Première phase de croissance

Pendant les jours qui suivent l'éclosion des oeufs, les oisillons demeurent habituellement à l'abri sous le corps de leur mère tandis que le mâle apporte de la nourriture à toute la famille. Le femelle quitte parfois le nid pour aller chercher son repas et celui des petits. Les parents retirent toujours les poches fécales du nid.

Au bout d'une semaine, vous commencerez à entendre les petits pépier. Leurs cris répétés sont très aigus et quelque peu chevrotants. Au début, vous devrez vous approcher à environ cinq mètres pour les entendre. Ensuite, ils seront audibles d'un peu plus loin. C'est surtout lorsque les parents arrivent que les oisillons s'égosillent. Si vous êtes trop près du nid, les adultes lanceront peut-être un rapide «han-han» pour vous inciter à vous éloigner. En général, il est recommandé d'observer les sittelles à une distance de six à neuf mètres.

Seconde phase de croissance

Les petits sont nourris par les parents pendant environ deux semaines après leur départ du nid, mais la famille demeure regroupée beaucoup plus longtemps, parfois jusqu'en automne, époque à laquelle les petits, selon toute vraisemblance, se dispersent.

Le plumage

Comment différencier le mâle de la femelle

Avec un peu d'entraînement, vous les distinguerez l'un de l'autre en regardant attentivement la tache noire qu'ils portent au sommet du crâne. Chez le mâle, celle-ci est d'un noir de jais tandis que chez la femelle, elle est plus claire et agrémentée de reflets argentés. Vous pourrez également vous fier à leur comportement pour les reconnaître, car c'est la femelle qui construit le nid et incube les oeufs. Le mâle chante et apporte de la nourriture à sa compagne.

Comment distinguer les jeunes des adultes
Les jeunes sittelles ressemblent énormément aux adultes. Cependant, leurs plumes sont de couleurs plus vives, notamment celles, blanches, de la poitrine qui, contrairement à celles des adultes, n'ont pas été usées par de constants va-et-vient au nid. Chez les jeunes, vous pourrez aussi distinguer les mâles des femelles grâce à la tache noire qu'ils portent au sommet du crâne. Elle présente les mêmes caractéristiques que chez les adultes.

Mue
Les sittelles adultes muent complètement une fois par an, à la fin de l'été.

Les déplacements saisonniers

La plupart des sittelles vivent toute l'année dans la région où elles se reproduisent. Cependant, il est évident qu'une faible portion d'entre elles migre sur une courte distance ou se déplace vers des régions où la nourriture est plus abondante. On présume que ce sont en majorité des jeunes qui se déplacent.

Le comportement autour des mangeoires

Les sittelles, qui ont la charmante habitude de descendre le long des arbres la tête en bas, offrent un spectacle dont on ne se lasse pas. Vous pourrez voir et entendre leurs principales conduites ritualisées autour de votre mangeoire. Peut-être recevrez-vous la visite de plusieurs couples, car les sittelles ont des territoires si étendus qu'ils se chevauchent souvent. Vous pourrez apprendre à distinguer les mâles des femelles (Voir *Le plumage*) et finirez peut-être par reconnaître chaque femelle, car la couleur de leur couronne peut varier du gris argenté pâle à l'anthracite. (Voir *Le territoire, La cour.*)

Comportements habituels
Le couple reste en contact grâce au doux cri «hip-ip». Vous entendrez peut-être aussi de rapides cris «han-han» qui traduisent un énervement croissant. À ce moment-là, essayez de repérer les oiseaux qui exécutent le «déploiement de la queue et hérissement des plumes dorsales».

Autres manifestations
Vers la fin de l'hiver et au début du printemps, les mâles commencent à chanter du haut des arbres. Peut-être s'installeront-ils à proximité de vos mangeoires. En outre, si des écureuils ou des tamias s'approchent de leur source de nourriture, les sittelles ont coutume de se livrer au «déploiement des ailes».

John Gill

Troglodyte des marais
Cistothorus palustris ou
Telmatodytes palustris (Wilson) / Marsh Wren

Les troglodytes des marais se livrent fréquemment à une charmante petite parade juste au-dessus de leur territoire. Ils s'élèvent jusqu'à une hauteur de cinq mètres environ, bien au-dessus des roseaux et des quenouilles dans lesquels ils vivent, avant de redescendre en voletant et en lançant leur chant âpre et rocailleux. C'est ce que l'on appelle le «vol avec chant»; celui-ci permet de repérer aisément les mâles et de cerner l'étendue de leur territoire. En général, plusieurs oiseaux se regroupent dans des territoires adjacents dont la superficie ne dépasse guère mille mètres carrés.

Pendant la revendication territoriale, le mâle s'occupe également de construire plusieurs nids. La femelle, à son arrivée, en choisit un dont elle tapisse l'intérieur ou décide tout simplement d'en bâtir un autre. Quoi qu'il en soit, vous n'aurez guère de difficulté à repérer un ou deux de ces nids de forme sphérique, constitués d'une trame de joncs et de brins d'herbe et munis d'une toute petite entrée sur le côté. Les nids de troglodytes ont environ la taille d'un pamplemousse.

Ces oiseaux présentent l'intéressante caractéristique d'être, dans plusieurs cas, polygames. En général, deux femelles se partagent un mâle et nichent aux extrémités de son territoire. Leurs cycles de reproduction respectifs sont espacés d'une semaine ou deux.

Les troglodytes des marais sont extrêmement dépendants de leur biotope marécageux, des quenouilles ou des spartines au sein desquelles ils évoluent. Ils abondent là où prolifère cette végétation. En revanche, lorsqu'elle se raréfie, les oiseaux disparaissent peu à peu des environs.

CALENDRIER DU COMPORTEMENT

	TERRITOIRE	COUR	NIDIFICATION	ÉDUCATION DES OISILLONS	PLUMAGE	DÉPLACEMENTS SAISONNIERS	COMPORTEMENT EN SOCIÉTÉ
JANVIER							
FÉVRIER							
MARS					▓		
AVRIL	▓		▓			▓	
MAI	▓	▓	▓	▓		▓	
JUIN	▓	▓	▓	▓			
JUILLET	▓	▓	▓	▓			
AOÛT	▓	▓	▓	▓	▓		
SEPTEMBRE					▓	▓	
OCTOBRE						▓	
NOVEMBRE							
DÉCEMBRE							

GUIDE DE LA COMMUNICATION

Communication visuelle

1. Vol avec chant

Mâle   P, É

L'oiseau s'élève jusqu'à une hauteur allant de un mètre et demi à cinq
mètres, puis redescend progressivement en suivant une trajectoire
oblique. Il volète en battant énergiquement des ailes.

Cri: «Chant».

Contexte: Le mâle exécute ce vol au-
dessus de son territoire. (Voir *Le territoire*.)

2. Hérissement

Mâle   P, É

L'oiseau ébouriffe les plumes de sa poitrine tout en relevant la queue. Parfois,
ses ailes sont agitées d'un frémissement
et il arrive qu'il se balance latéralement.

Cri: Aucun ou «chant».

Contexte: On observe cette attitude
aux frontières des territoires, entre voisins. Le mâle l'adopte aussi à côté
d'une femelle alors qu'elle examine les
nids pendant la cour. (Voir *Le territoire,
La cour*.)

Communication auditive

1. Chant

Mâle   P, É

C'est un chant rocailleux et âpre que chaque oiseau, qui en possède sa propre version, répète fréquemment. Entre les chants, les troglodytes font parfois entendre une sorte de bourdonnement très grave.

Contexte: Le «chant» sert à revendiquer le territoire et à attirer une femelle. (Voir *Le territoire, La cour.*)

2. Tchec

Mâle ou femelle   P, É, A, H

Il s'agit d'un cri bref et sec, lancé sur un registre grave. Lorsqu'il est rapidement répété, il ressemble à un caquet.

Contexte: Les oiseaux lancent ce cri lorsqu'ils se sentent menacés.

DESCRIPTION DU COMPORTEMENT

Le territoire

Fonctions: Accouplement; nidification; subsistance.
Dimensions: De 500 à 1500 m².
Comportements habituels: «Chant»; «vol avec chant», poursuites, construction de nids.
Durée de sa défense: De l'arrivée des mâles sur leur territoire jusqu'à la fin du cycle de reproduction.

En vous approchant d'un marécage où abondent les quenouilles, vous entendrez sans doute les troglodytes avant de les voir. Les mâles arrivent les premiers sur le territoire de reproduction et le «chant», élément important de la revendication territoriale, retentit pendant une bonne partie de la journée, entre dix et quinze fois à la minute. En général, le mâle s'installe dans un coin du territoire pour y chanter pendant quelques minutes, puis il s'envole jusqu'à l'autre extrémité avant de recommencer. De temps à autre, il s'élance dans les airs jusqu'à une hauteur qui varie entre un mètre et demi et cinq mètres pour redescendre doucement en chantant. C'est ce que l'on appelle le «vol avec chant».

Les territoires sont exigus et souvent adjacents. Entre voisins, on se livre à des duels chantés de chaque côté de la frontière. Vous remarquerez que chaque mâle émet plusieurs versions du «chant» et, si l'on en croit certaines études, lorsque deux oiseaux s'affrontent en duel, l'un essaie parfois d'imiter le chant de son adversaire. Le mâle dominant apporte le premier des changements à la version commune. Ensuite, l'autre s'efforce de les incorporer à son répertoire. Deux mâles en présence peuvent se livrer au «hérissement», utiliser le «chant» ou se pourchasser.

Pendant la revendication territoriale, le mâle commence aussi à bâtir des nids. Étant donné qu'il en construit plusieurs (Voir *La cour*) sans cesser de défendre son territoire, il déborde d'activité pendant toute cette période.

Si une femelle s'installe, à son arrivée, dans une zone située entre deux territoires, les mâles voisins s'efforceront d'étendre leurs frontières de manière à l'avoir de «leur» côté. C'est peut-être ainsi que les troglodytes mâles deviennent polygames. On a remarqué que le territoire de ces derniers était plus étendu que celui de leurs congénères qui sont monogames, ce qui tendrait à confirmer cette hypothèse.

Dans certaines régions, les troglodytes des marais ne migrent pas, les mâles vivant, pendant l'hiver, sur des territoires aux frontières très floues. Cependant, dès que le printemps approche, ils se remettent à chanter de plus belle tout en établissant clairement les limites de leur fief.

La cour

Comportements habituels: Construction de nids; «chant» par le mâle.
Durée: De l'arrivée de la femelle à la fin de la construction du nid.

L'un des aspects les plus importants de la cour chez les troglodytes des marais est la construction, par le mâle, de plusieurs simulacres de nids destinés à attirer une femelle sur son territoire. De l'extérieur, ils semblent achevés, mais en réalité, ils se résument en une coque externe de joncs tissés et sont totalement dépourvus du rembourrage qui tapisse l'intérieur d'un nid véritable. Le mâle bâtit tous ses nids dans le même coin de territoire, ou les éparpille sur tout son territoire si celui-ci est relativement exigu. Il chante principalement autour de ses nids, mais il préfère aller chercher sa nourriture un peu plus loin. Pendant son repas, il se tient plus ou moins coi. Lorsqu'une femelle apparaît, elle commence par inspecter les nids de plusieurs mâles. L'un de ses soupirants la suit en chantant et en exécutant le «hérissement». Le couple est formé lorsque la femelle montre qu'elle accepte l'un des nids en commençant à en tapisser l'intérieur. Il peut arriver aussi qu'elle décide de construire son propre nid, auquel cas le mâle vient parfois l'aider.

Lorsque la femelle apparaît dans les marécages, elle n'est pas toujours prête à s'accoupler et, si le mâle lui fait des avances trop pressantes, elle se dissimule dans les roseaux en lui lançant des sifflements agressifs. C'est pendant la construction du nid qu'elle devient réceptive. À ce moment-là, le mâle chante et exécute le «hérissement». La femelle s'installe sur un roseau et fait rapidement vibrer ses ailes en élevant le bec et la queue. Le mâle saute alors sur son dos en battant des ailes afin de s'accoupler. Ensuite, tous deux restent calmement dans les environs pendant quelques instants.

Les troglodytes des marais sont souvent polygames, le mâle s'accouplant avec deux — rarement trois — femelles.

On a remarqué que le taux de polygamie variait extrêmement d'une région à l'autre, oscillant entre trois et cinquante pour cent. Les femelles célibataires sont plus portées à se joindre aux mâles dont les territoires englobent des buissons épais de joncs et de roseaux qu'à d'autres mâles qui se sont installés à proximité, mais dans des zones à la végétation moins dense.

La plupart des mâles s'efforcent d'attirer plus d'une femelle et, lorsque leur première partenaire est prête à pondre, ils recommencent à construire des nids en chantant. La première partenaire s'installe dans une zone relativement exiguë et, si la végétation est très dense, elle peut très bien ne jamais apercevoir la seconde, ni entrer en contact avec elle. Dans le cas contraire, il arrive que les deux femelles s'affrontent.

La nidification

Emplacement du nid: Dans les joncs ou les roseaux; à une hauteur allant de 30 cm à 1 m.
Dimensions: Environ 17 cm de hauteur et 7 cm de largeur.
Matériaux: Feuilles de roseaux, jonc, herbe; rembourrage fait de duvet de roseaux, de plumes et de petites racines.

Dès leur arrivée sur leur territoire, les mâles commencent à bâtir toute une série de nids qui resteront inachevés. Ceux-ci se résument en une coque externe composée de feuilles de roseaux tissées, d'herbe ou de jonc. Il leur arrive de construire jusqu'à vingt-sept de ces nids, mais ils en font en moyenne cinq ou six. Ils consacrent de un à trois jours à la construction de chaque nid et ils travaillent parfois à la fabrication de plusieurs à la fois. L'oiseau commence par lier les végétaux qui formeront la plate-forme sur laquelle reposera le nid. Des brins d'herbe, dont certains sont mouillés, forment la trame extérieure du nid. Quelques feuilles de la plate-forme sont parfois introduites dans cette trame. Sur le côté, à une hauteur égale au tiers de la hauteur totale du nid environ, se trouve une ouverture d'un diamètre de trois centimètres.

À son arrivée, la femelle choisit, parmi les nids que le mâle a construits, celui qui lui convient le mieux, avant de commencer à le tapisser. Il est également possible qu'elle décide d'en bâtir un nouveau, auquel cas elle bénéficiera parfois d'un peu d'aide de la part du mâle. À l'intérieur du nid, elle pose un rembourrage composé d'herbe et de feuilles de roseaux, auquel elle ajoute du duvet humide de quenouille qui, en séchant, forme un isolant très efficace. Enfin, elle place une fine couche d'herbe qu'elle garnit parfois de quelques plumes. Elle installe, sur le seuil, une sorte de languette qui s'étend jusqu'à l'intérieur.

Les nids du mâle sont parfois utilisés par les adultes comme abris nocturnes et par les jeunes qui ont quitté leur nid. En hiver, ils servent aussi d'abri aux populations qui ne migrent pas.

Comment découvrir le nid
Emplacement: Dans les marais composés de roseaux et de quenouilles.

Saison: Dès que le mâle arrive sur le territoire de reproduction et commence à chanter.

1. Là où vous entendez le mâle chanter, essayez de repérer une sphère composée de matériaux tissés, dissimulée parmi les feuilles des quenouilles ou parmi les roseaux.

L'éducation des oisillons

Oeufs: De 3 à 8; brun cannelle avec des taches plus foncées.
Incubation: De 13 à 15 jours; seule la femelle incube.
Première phase de croissance des oisillons: De 14 à 16 jours.
Seconde phase de croissance des oisillons: Environ 2 semaines.
Couvées: Soit 1 ou 2.

Ponte et incubation
La ponte peut avoir lieu à n'importe quel moment entre le début du mois d'avril et la mi-août. La femelle pond un oeuf par jour, habituellement à partir du jour suivant l'achèvement du nid. Elle commence à incuber avant même d'avoir déposé tous ses oeufs et ceux-ci éclosent en suivant l'ordre dans lequel ils ont été pondus. La femelle est seule à incuber. Lorsqu'il fait chaud, elle passe moins de temps sur les oeufs. Pendant la période d'incubation, le mâle ne s'approche guère du nid, car il est occupé à construire de nouveaux «nids» et à chanter dans le but d'attirer une autre compagne.

Première phase de croissance
La couvée prend jusqu'à deux jours pour éclore. La femelle s'empresse, chaque fois qu'un oisillon sort, de retirer les coquilles du nid. En général, les deux parents nourrissent les petits, mais on a remarqué que, dans certains cas, le mâle ne nourrissait que les oisillons de la dernière couvée. Au début, les parents enlèvent les poches fécales du nid. Vers la fin de cette phase, les petits reculent jusqu'à l'ouverture

du nid pour laisser tomber leurs excréments à l'extérieur. Ils quittent le nid entre quatorze et seize jours après l'éclosion des oeufs. Si une deuxième couvée doit arriver, le couple commence à construire un autre nid de une à quatre semaines après le départ des oisillons de la première nichée.

Seconde phase de croissance

Les jeunes vivent en groupe pendant la seconde phase de croissance. Ils suivent leur parents en mendiant bruyamment leur pâture. Pendant les deux premières nuits, ils retournent parfois au nid pour y dormir, à moins qu'ils ne choisissent de s'abriter dans l'un des nids inachevés construits par le mâle. Les parents continuent de les nourrir pendant une douzaine de jours et, jusqu'à ce qu'ils soient vraiment autonomes, les petits restent à proximité du nid qui les a vu naître. Vers la fin de l'été, les jeunes se rassemblent en vols. Vous pourrez apercevoir jusqu'à vingt-cinq ou trente de ces oiseaux manger ou se reposer au bord de l'eau.

Le plumage

Comment différencier le mâle de la femelle

Leur plumage est rigoureusement identique. Seul le comportement permet de les distinguer: le mâle chante et exécute le «vol avec chant», tandis que la femelle est seule à incuber les oeufs.

Comment distinguer les jeunes des adultes

Les jeunes sont semblables aux adultes, à la différence que la bande claire qu'ils portent au-dessus des yeux est moins nette, voire totalement inexistante.

Mues

Les troglodytes des marais muent deux fois par an. La mue

complète se produit à la fin de l'été tandis qu'une mue partielle a lieu au printemps.

Les déplacements saisonniers

Les troglodytes des marais qui vivent dans les régions de l'ouest et du sud de l'Amérique du Nord ne migrent pas. Ailleurs, la migration est progressive. Les adultes et les jeunes des premières couvées sont les premiers à partir. Ils migrent vers la fin d'août et le début de septembre. Les retardataires sont surtout des rejetons de la seconde couvée qui n'ont pas encore terminé leur mue d'automne. Ils migrent en général entre la mi-septembre et la mi-octobre.

Les troglodytes des marais hivernent le long des côtes occidentales et méridionales du sud des États-Unis et en Amérique centrale. De la fin d'avril au début de juin, ils repartent vers le Nord. Les premiers à revenir sont les mâles adultes, suivis des femelles adultes. Les dernières caravanes sont surtout composées d'oiseaux plus jeunes, mâles et femelles.

Moqueur roux

Toxostoma rufum (Linné) / Brown Thrasher

À l'instar du moqueur polyglotte et du moqueur-chat, le moqueur roux appartient à la famille des Mimidés. Tous ces oiseaux possèdent le même talent fascinant, celui d'imiter les cris d'autres oiseaux. Ne possédant pas de chant propre, ils sont, de ce fait, difficilement repérables. Souvenez-vous toutefois que le moqueur-chat répète les phrases musicales une fois, que le moqueur roux les répète deux fois et que le moqueur polyglotte les répète au moins trois fois, sinon plus.

C'est au printemps, à leur arrivée, que les moqueurs roux sont le plus facilement observables. Le mâle chante énergiquement, perché à la cime des arbres, dans l'espoir d'attirer une femelle. Après la formation des couples, les moqueurs sont beaucoup plus difficiles à observer, car le mâle ne lance plus qu'une version très atténuée de son chant, installé sur des perchoirs bien cachés, et le couple préfère vaquer à ses occupations au coeur de buissons et de fourrés épais. Les oiseaux se déplacent silencieusement sur leur territoire, demeurant toujours à proximité l'un de l'autre tandis qu'ils se nourrissent au sol. Dans les États du centre et du sud des États-Unis, où les populations de moqueurs roux sont plus denses, on peut les apercevoir plus fréquemment autour des constructions humaines, dans les parcs et les autres habitats humains.

Leur nid ressemble à celui de leurs cousins, les moqueurs-chats et les moqueurs polyglottes. Il est spacieux, constitué surtout de brindilles, tapissé de petites racines et si bien dissimulé sous le couvert végétal que vous pouvez passer tout près sans le voir. Pendant l'incubation, notamment, la femelle attend la dernière extrémité pour jaillir des buissons et s'enfuir, comptant sur la protection que lui offre son plumage dont les couleurs se mêlent harmonieusement à celles de la végétation pour camoufler sa présence.

CALENDRIER DU COMPORTEMENT

	TERRITOIRE	COUR	NIDIFICATION	ÉDUCATION DES OISILLONS	PLUMAGE	DÉPLACEMENTS SAISONNIERS	COMPORTEMENT EN SOCIÉTÉ
JANVIER							
FÉVRIER							
MARS						■	
AVRIL	■	■	■	■		■	
MAI	■	■	■	■		■	
JUIN	■	■	■	■			
JUILLET	■	■	■	■			
AOÛT							
SEPTEMBRE					■	■	
OCTOBRE						■	
NOVEMBRE							
DÉCEMBRE							

GUIDE DE LA COMMUNICATION

Communication visuelle

1. Frémissement d'ailes

Femelle   P

La femelle s'approche du mâle en faisant frémir ses ailes et en gazouillant. Elle transporte parfois une brindille dans son bec.
Contexte: Cette attitude préside à la cour.

Communication auditive

1. Chant

Mâle   P, É, A

Il s'agit d'une série de phrases musicales assez brèves, souvent répétées une fois. On y retrouve parfois des fragments du chant d'autres espèces d'oiseaux.
Contexte: Le mâle chante pendant la saison des nids, soit peu après son arrivée sur le territoire et jusqu'au commencement de la nidification. Ensuite, il se limite à une version très atténuée du «chant». Lorsque la seconde couvée est en route, on entend parfois le mâle chanter avec un regain d'enthousiasme. (Voir *Le territoire, La cour.*)

Exemples: *tioui tioui, toulou toulou dji dji, toulit toulit,* etc.

2. Tchioup

Mâle ou femelle   P, É

C'est une note brève qui rappelle le bruit d'un baiser sonore.
Contexte: Ce cri est émis dans des situations alarmantes.

3. Tii

Mâle ou femelle   P, É

Vous entendrez une note sèche, répétée sur un registre de plus en plus aigu.

Contexte: Lorsqu'un danger menace les oisillons.

DESCRIPTION DU COMPORTEMENT

Le territoire

Fonctions: Accouplement; nidification; subsistance.
Dimensions: Entre 8 000 et 24 000 m².
Comportements habituels: «Chant»; poursuites.
Durée de sa défense: De l'arrivée du mâle à la fin du cycle de reproduction.

Les mâles arrivent avant les femelles sur le territoire de reproduction. Pendant les premiers jours, ils se tiennent souvent cois. Dans les régions où les populations de moqueurs roux sont plutôt clairsemées, les mâles lancent leur «chant» sonore du haut de la cime des arbres et patrouillent une vaste superficie. Mais dès que le mâle a réussi à attirer une femelle, le couple limite ses déplacements à une zone beaucoup plus exiguë avant de commencer la construction de son nid.

Dans les régions où les populations de moqueurs roux sont très denses, les territoires sont parfois adjacents. Les mâles s'empressent alors de revendiquer des zones plus petites, aux frontières clairement établies. C'est à l'aide du «chant» que le moqueur mâle revendique son territoire et il en fixe les frontières en prenant ses voisins en chasse.

Une fois accouplés, les mâles lancent une version atténuée du «chant» pendant les escarmouches territoriales.

La cour

Comportements habituels: Le mâle chante plus doucement; le couple est inséparable.
Durée: Elle commence une semaine ou deux avant la construction du nid.

Chez les moqueurs roux, les indices de la cour et de la formation des couples sont rares. La femelle semble arriver sans tambour ni trompette sur le territoire du mâle. On pense que la formation du couple se produit très rapidement et c'est uniquement parce que le mâle cesse de chanter très fort du haut de perchoirs en vue que l'on devine qu'elle a eu lieu. À ce moment-là, le mâle préfère chanter très doucement, comme s'il chuchotait, installé sur des perchoirs bien dissimulés sous couvert végétal. Il reste à proximité de la femelle et tous deux explorent le territoire à la recherche d'emplacements propices à la construction d'un nid. Lorsqu'ils se séparent, le mâle chante un peu plus fort.

Pendant la copulation, la femelle exécute le «frémissement d'ailes» tout en lançant un cri très aigu à plusieurs reprises. Avant ou après l'accouplement, l'un des oiseaux — parfois les deux — entreprend de recueillir des feuilles et des brindilles.

La nidification

Emplacement du nid: Sur le sol, dans les fourrés, les buissons et même dans les arbres; jusqu'à une hauteur de 5 m, la hauteur moyenne variant entre 60 cm et 2 m.
Dimensions: Diamètre extérieur de 30 cm; profondeur de 2,5 cm; diamètre intérieur de 9 cm environ.
Matériaux: Brindilles, feuilles sèches, écorce de vigne, brins d'herbe, petites racines.

Les oiseaux choisissent ensemble l'emplacement du nid. Lorsqu'ils recueillent des matériaux, ils sautillent sur le sol, ramassant des débris qu'ils abandonnent aussitôt. Il leur arrive d'arracher des brindilles aux branches situées au-dessus d'eux. Ils donnent l'impression de mettre leurs matériaux à l'essai. Pendant ces séances, le mâle chante parfois doucement. Les deux oiseaux vont ensuite déposer les matériaux choisis dans le nid, mais il semble que c'est surtout la femelle qui lui donne sa forme définitive.

Le nid se compose de quatre couches. La première est constituée de brindilles dont certaines ont parfois trente centimètres de long. La deuxième est surtout fabriquée à partir de feuilles mortes. Les oiseaux y ajoutent quelquefois de l'écorce de vigne ou du papier. La troisième couche est composée de petites tiges, de brindilles et de racines qui sont encore terreuses, contrairement aux racines utilisées pour former la quatrième et dernière couche qui, elles, sont propres. Les moqueurs roux les récoltent parfois à même des brins d'herbe qu'ils ont déracinés et secoués pour en faire tomber la terre.

Comment découvrir le nid

Emplacement: Dans les fourrés épais et les buissons denses et emmêlés.

Saison: Dès les premiers signes du printemps.

INDICES DE COMPORTEMENT
1. En écoutant le mâle chanter, efforcez-vous de découvrir les limites de son territoire.
2. Essayez de repérer un couple occupé à transporter des matériaux et suivez-le.
3. Le mâle s'installe parfois pour chanter doucement à proximité du nid.

L'éducation des oisillons

Oeufs: Habituellement de 4 à 5 (3 ou 6 à l'occasion); blancs, parfois tachetés de minuscules points rouges.
Incubation: De 12 à 14 jours; les parents partagent cette tâche.
Première phase de croissance: De 9 à 12 jours.
Seconde phase de croissance: Durée inconnue.
Couvées: 1 ou 2.

Ponte et incubation

La femelle pond généralement le matin et c'est elle qui se charge de la majeure partie de l'incubation, bien que le mâle y participe également. Lorsqu'il se tient au nid, il est beaucoup plus agité que la femelle et s'effraye plus facilement. En revanche, la femelle est d'une immobilité totale et l'on peut s'en approcher à moins d'un mètre sans qu'elle réagisse. Le mâle chante parfois à l'aurore lorsqu'il est au nid. Pendant l'incubation, les deux oiseaux retournent les oeufs. Certains observateurs ont vu le mâle nourrir la femelle à quelques mètres du nid.

Première phase de croissance

Les parents gardent les petits sous leurs ailes pendant les premiers jours. Tous deux se chargent de leur apporter leur pâture. Après le repas des oisillons, le parent attend qu'ils aient déféqué pour retirer les poches fécales du nid. Pendant la première moitié de cette période, les poches sont mangées par les adultes. Ensuite, elles sont sorties du nid.

Les moqueurs roux ont tendance à protéger énergiquement leurs rejetons. Ils attaquent même les humains en lançant le cri «tchioup» ou le «tii».

Seconde phase de croissance

Après que les oisillons ont quitté le nid, ils restent à proximité, bien cachés par la végétation, et les parents continuent de les nourrir. Si la première couvée a été normalement menée à terme et si le couple a le temps d'en élever une deuxième, la femelle commencera alors à bâtir seule le nid de la seconde couvée. Le mâle, de son côté, continuera de s'occuper de la première nichée. Mais si les parents n'élèvent qu'une couvée cette année-là, ils se partageront également l'éducation des oisillons, chaque parent prenant la moitié de la nichée en charge. Il arrive même parfois que les deux groupes s'installent dans des endroits différents.

Le plumage

Comment différencier le mâle de la femelle

Les adultes sont identiques et, pour compliquer la situation, leur comportement est semblable, à la différence que seul le mâle chante.

Comment distinguer les jeunes des adultes

La couleur des yeux est différente. Les jeunes ont un iris gris tandis que celui des adultes est jaune vif.

Mue

Les moqueurs roux muent complètement une fois par an, à la fin de l'été.

Les déplacements saisonniers

Dans le Sud, les moqueurs roux ne migrent pas. En revanche, ceux du Nord migrent en septembre et en octobre. Les oiseaux passent l'hiver dans la région du golfe du Mexique, généralement bien dissimulés dans les fourrés qui bordent les points d'eau. En avril, ils prennent la route du Nord pour retrouver la région où ils se reproduisent.

Grive des bois

Hylocichla mustelina (Gmelin) / Wood Thrush

Les notes flûtées du chant de la grive des bois pénètrent en les imprégnant les forêts humides et ombragées dans lesquelles ces oiseaux se reproduisent. Dans cet environnement où la vue se heurte constamment à un obstacle, les chants et les cris sont le mode privilégié de communication des grives des bois. Les mâles chantent fréquemment, surtout le matin et au crépuscule. Les femelles lancent une version abrégée du chant lorsqu'un danger menace le nid. Si quelque chose les trouble, les oiseaux des deux sexes peuvent émettre le «pip-pip» et le «pioup-pioup», dont l'intensité varie selon les circonstances. Ces cris servent également aux oiseaux à rester en contact, auquel cas ils sont émis très doucement.

Le nid de la grive des bois, comparable à celui du merle d'Amérique, témoigne de la parenté entre les deux espèces. Il est constitué d'herbe et tapissé, à l'intérieur, de boue et de fines brindilles. En général, les oiseaux l'installent à la fourche d'une branche horizontale et souvent assez près du sol pour qu'on puisse observer les activités qui s'y déroulent.

La couleur rousse du plumage de la grive des bois est sans aucun doute l'une des caractéristiques les plus spectaculaires de cet oiseau. Il a coutume d'étaler les plumes de sa poitrine pour faire ressortir ses taches brunes. On observe cette parade pendant les querelles territoriales. L'oiseau aplatit ses plumes en les étalant et en comprimant littéralement le plumage de sa tête. Vu de devant, il semble avoir une énorme poitrine sous une toute petite tête. Essayez également de repérer le «battement des ailes et de la queue», très facile à observer, ainsi que l'«érection de la huppe», beaucoup plus subtile.

CALENDRIER DU COMPORTEMENT

	TERRITOIRE	COUR	NIDIFICATION	ÉDUCATION DES OISILLONS	PLUMAGE	DÉPLACEMENTS SAISONNIERS	COMPORTEMENT EN SOCIÉTÉ
JANVIER							
FÉVRIER							
MARS							
AVRIL	▓	▓				▓	
MAI	▓	▓	▓	▓		▓	
JUIN	▓	▓	▓	▓			
JUILLET	▓	▓	▓	▓	▓		
AOÛT				▓	▓		
SEPTEMBRE						▓	
OCTOBRE						▓	
NOVEMBRE							
DÉCEMBRE							

GUIDE DE LA COMMUNICATION

Communication visuelle

1. Battement des ailes et de la queue

Mâle ou femelle   *P, É, A*

L'oiseau bat rapidement des ailes ou de la queue ou des deux à la fois. Il peut aussi élever puis abaisser à plusieurs reprises les plumes de sa huppe.

Cri: «Pioup-pioup».

Contexte: On observe fréquemment ces mouvements chez les oiseaux légèrement inquiets, par exemple lorsque vous parvenez aux abords du nid. (Voir *Le territoire*.)

2. Étalement de la poitrine

Mâle ou femelle   *P, É, A*

L'oiseau étale latéralement les plumes de sa poitrine, qui paraît très large, tout en comprimant les plumes de sa tête qui, elle, semble se rétrécir. Il peut arriver que les plumes de la huppe, du dos et du croupion soient légèrement ébouriffées. Les ailes sont abaissées et l'oiseau se tient bien droit sur son perchoir. Cette attitude est parfois accompagnée du «battement des ailes et de la queue».

Cris: «Pioup-pioup», «pip-pip» ou «chant».

Contexte: On observe ce comportement lorsque l'oiseau est extrêmement énervé, face à ce qui a provoqué cet état d'irritation. Plus il étale les plumes de sa poitrine, plus il est agacé. Il lui ar-

rive aussi d'adopter cette posture face à d'autres espèces d'oiseaux. (Voir *Le territoire.*)

3. Érection de la huppe

Mâle ou femelle   *P, É, A*

L'oiseau redresse brusquement les plumes de sa huppe avant de les rabaisser plus doucement.
Cri: Aucun ou «pioup-pioup».
Contexte: Ce mouvement en accompagne parfois d'autres tels que l'«étalement de la poitrine» et le «battement des ailes et de la queue». On l'observe lorsque l'oiseau est légèrement troublé. (Voir *Le territoire.*)

4. Hérissement en position horizontale

Mâle ou femelle   *P, É, A*

L'oiseau, en posture horizontale, hérisse les plumes de sa poitrine et de son dos, tout en comprimant celles de sa tête. Le bec est généralement ouvert.
Cri: Aucun.
Contexte: Il s'agit d'une attitude hostile que l'oiseau adopte lorsqu'il est perché à proximité d'un congénère ou d'un spécimen d'une autre espèce. (Voir *Le territoire.*)

Communication auditive

1. Chant

Mâle ou femelle   *P, É, A*

Le chant est constitué d'une brève série de notes flûtées, ascendantes et descendantes, souvent précédées d'une série de notes plus graves. On n'entend parfois qu'une version incomplète du «chant».

poppop iiolé, poppop iiolé

Contexte: Ce sont surtout les mâles qui chantent, à partir de leur arrivée sur le territoire jusqu'à la fin de la saison. Ils commencent habituellement dès l'aube, voire plus tôt. Les chants se font rares pendant la journée pour repartir de plus belle au crépuscule, jusqu'à la tombée de la nuit. Le chant du soir devient plus courant vers la fin de la saison de reproduction. La femelle lance des versions abrégées du «chant» pendant la défense du territoire. (Voir *Le territoire, La cour.*)

2. Pioup-pioup

Mâle ou femelle   *P, É*

Il s'agit d'un cri bas, chuchoté, de trois à cinq syllabes.

pioupioupioupioup

Contexte: On l'entend fréquemment. Les deux partenaires l'utilisent pour rester en contact et lorsque quelque chose les inquiète, notamment juste avant la naissance des oisillons. (Voir *Le territoire.*)

3. Pip-pip

Mâle ou femelle   P, É

pipipipipipip Ce cri, relativement sonore, trahit un certain énervement. Il est composé de quatre ou cinq syllabes et diffère du cri précédent par son registre plus aigu. Il varie en fonction de la gravité de la situation. Vous pourrez l'entendre en conjonction avec le cri «pioup-pioup».

Contexte: Il caractérise les escarmouches entre oiseaux. On l'entend également lorsqu'un danger modérément pressant ou très pressant menace le nid, tel que l'approche d'un prédateur ou d'un humain. Il est plus fréquent pendant les deux phases de croissance des oisillons. (Voir *Le territoire.*)

4. Fîî

Mâle ou femelle   P, É

Il s'agit d'un sifflement aigu, un peu éraillé.

Contexte: On n'est pas encore certain de sa signification, mais des observateurs ont entendu fréquemment ce cri pendant la première phase de croissance des oisillons. Il aide peut-être les adultes à coordonner leurs activités aux alentours du nid.

5. Cri des oisillons

Mâle ou femelle   É

C'est un «tchip» bref et aigu que les jeunes oiseaux répètent parfois à deux ou trois reprises. Ils commencent à le lancer vers la fin de la première phase de croissance et ils s'en serviront jusqu'à la fin de la deuxième. Vous entendrez également un autre cri qui consiste en une série rapide de notes éraillées. Contexte: Les jeunes lancent le «tchip» un jour ou deux avant de quitter le nid. Il est possible que ce cri permette aux parents de repérer leur progéniture. L'autre cri accompagne la becquée. (Voir *L'éducation des oisillons.*)

DESCRIPTION DU COMPORTEMENT

Le territoire

Fonctions: Accouplement; nidification; subsistance.
Dimensions: De 1000 à 8000 m².
Comportements habituels: «Chant»; poursuites, «érection de la huppe», «battement des ailes et de la queue», «étalement de la poitrine».
Durée de sa défense: De l'arrivée des mâles jusqu'à la fin de la saison des nids.

Lorsque vous entendrez les premiers chants mélodieux d'une grive des bois, vous saurez qu'elle est arrivée sur son territoire. En général, ces oiseaux réintègrent chaque année le même territoire, qui peut couvrir une superficie de mille à huit mille mètres carrés. On trouve habituellement les domaines les plus vastes à proximité des établissements humains. Vous entendrez le «chant», surtout à l'aube et au crépuscule, alors qu'il se fait plutôt rare pendant le jour. Au cours de la première semaine qui suit son arrivée, le mâle chante haut perché, bien en évidence à la cime des arbres; mais au fur et à mesure que la saison avance, il préfère s'installer sur des branches plus basses et moins exposées.

Les querelles territoriales se caractérisent par des poursuites et plusieurs manifestations spécifiques. En général, les intrus sont simplement expulsés par l'occupant. Cependant, vous aurez peut-être la chance d'observer avant, pendant et après ces poursuites plusieurs parades soit, par ordre croissant d'intensité: l'«érection de la huppe», le «battement des ailes et de la queue» et l'«étalement de la poitrine». C'est cette dernière qui est sans doute la plus spectaculaire des trois. L'oiseau, face à son adversaire, étale latéralement les plumes de sa poitrine. Plus la situation est grave, plus les plumes sont étalées. Il accompagne ces manifestations de cris tels le «pioup-pioup» et, lorsqu'il est plus énervé, le «pip-pip».

Les duels vocaux sont très fréquents entre mâles pendant la phase où ils revendiquent leur territoire. Deux mâles s'approchent à environ dix mètres l'un de l'autre avant de se livrer à un duo composé du «chant». S'ils se voient, ils accompagnent parfois celui-ci de l'«étalement des plumes».

Pendant les deux phases de croissance des petits, la femelle participe elle aussi à la défense du territoire. Elle étale les plumes de sa poitrine en lançant le cri «piouppioup» et le cri «pip-pip». Vous pourrez aussi l'entendre émettre quelques fragments du «chant».

Le «hérissement en position horizontale» caractérise surtout le moment où deux oiseaux se retrouvent brusquement l'un près de l'autre, par exemple lorsqu'ils se perchent ou pendant une poursuite.

Les grives des bois se montrent parfois agressives à l'égard de certaines espèces d'oiseaux qui font irruption sur leur territoire, tels les merles d'Amérique, les geais et les quiscales. En l'occurrence, elles adoptent, pour expulser les intrus, les mêmes attitudes qu'avec leurs congénères.

La cour

Comportements habituels: Poursuites; «chant».
Durée: Pendant 1 semaine ou 2 à partir de l'arrivée de la femelle.

Les femelles arrivent dans l'aire de reproduction quelques jours après les mâles. Toute femelle qui ose pénétrer sur le territoire d'un mâle en sera chassée exactement comme si elle était un autre mâle. Mais, malgré les poursuites, elle insiste pour demeurer sur le territoire au lieu de s'enfuir. Cela donne lieu à des poursuites circulaires dans une atmosphère d'animosité intense. On remarque, à ce stade, que le «chant» du mâle s'amplifie, en raison peut-être du regain d'agressivité dont il fait preuve. Il est possible, croit-on, que cette attitude incite justement la femelle à rester sur les lieux.

Les poursuites durent plusieurs jours et finissent par s'atténuer au point de se résumer en des vols sur une courte distance, où le mâle se contente de suivre tranquillement la femelle. On a constaté que les partenaires volaient généralement en rase-mottes à cette occasion et que cette habitude pouvait se perpétuer jusqu'au moment de la ponte.

Certains observateurs ont entendu les oiseaux lancer un cri très aigu («fîîî») pendant ces poursuites. D'autres ont vu les grives interrompre temporairement leur vol pour aller se régaler ensemble de feuilles fraîches.

La copulation se déroule généralement à proximité du nid, mais elle est difficile à surprendre.

La nidification

Emplacement du nid: Habituellement entre 1,50 m et 6 m de haut, à la fourche d'une branche horizontale.
Dimensions: Diamètre intérieur de 8 à 9 cm; profondeur de 5 cm environ.
Matériaux: Longues brindilles sèches, papier et ficelle à l'extérieur; feuilles mortes, boue et petites racines (dans cet ordre) à l'intérieur.

Avant que ne débute la construction du nid, vous pourrez observer deux types de comportements chez les partenaires. Tout d'abord, le mâle posera de longues brindilles devant la femelle en effectuant des arrêts devant les endroits qui lui paraissent propices à la nidification. Vous pourrez également voir la femelle se recroqueviller et tourner sur elle-même à l'endroit qu'elle aura choisi avant de commencer les travaux de construction du nid. Ceux-ci durent de trois à cinq jours, mais c'est pendant les deuxiè-me et troisième jours qu'elle travaille avec le plus d'acharnement. Vous la verrez pendant toute la journée, de l'aurore au crépuscule, à l'exception d'une brève pause vers le milieu de l'après-midi, recueillir des matériaux et les incorporer au nid. Pendant ce temps, le mâle s'occupe de plusieurs manières: il chante, pourchasse la femelle, se perche à côté du nid et, parfois, se retourne sur lui-même pendant quelques instants. Il accompagne aussi la femelle lorsqu'elle recueille des matériaux ou il se charge de nourrir les jeunes oiseaux de la première couvée, si elle en est à la construction du nid pour la deuxième.

Comment découvrir le nid
Emplacement: Dans les milieux humides, au coeur des forêts de feuillus où le sous-bois est constitué de fourrés.
Saison: Peu après l'arrivée des femelles, en avril et en mai.

INDICES DE COMPORTEMENT
1. Tâchez de délimiter un territoire en écoutant le mâle chanter.
2. Repérez la femelle qui transporte des matériaux.
3. Écoutez les cris d'alarme «pioup-pioup» et «pip-pip» que les oiseaux poussent lorsque vous approchez du nid.

L'éducation des oisillons

Oeufs: De 2 à 5; bleu vert, unis.
Incubation: De 12 à 13 jours; seule la femelle incube.
Première phase de croissance: De 12 à 14 jours.
Seconde phase de croissance: Environ 2 semaines.
Couvées: 1 ou 2.

Ponte et incubation

La femelle commence à pondre entre un et trois jours après l'achèvement du nid, à raison de un oeuf par jour. Les premières couvées, constituées de quatre ou cinq oeufs, sont les plus nombreuses. Les couvées plus tardives dépassent rarement deux ou trois oeufs. La femelle se charge seule de l'incubation, qui débute généralement juste avant la ponte du dernier oeuf. Vous remarquerez toutefois qu'elle commence très souvent à se coucher dans le nid immédiatement après avoir pondu le premier oeuf. Elle se montre d'une assiduité exemplaire, passant entre quatre-vingts et quatre-vingt-dix pour cent de son temps au nid. En accord avec la température extérieure, elle s'assoit sur les oeufs ou se tient debout à côté d'eux, sur le rebord du nid. Lorsqu'elle est assise, il lui arrive de changer de temps à autre de position ou de retourner les oeufs avec son bec. Chaque séance d'incubation dure trente minutes en moyenne, entre lesquelles elle s'éloigne du nid pendant sept minutes environ.

Quant au mâle, il préfère se percher dans un arbre situé à une distance de vingt à trente mètres du nid. Là, il mange, chante ou fait sa toilette. Lorsque la femelle sort du nid, il s'installe près des oeufs, sur le rebord du nid ou juste à l'extérieur de celui-ci. Il est rare qu'il ne s'approche pas du nid en l'absence de la femelle. Cependant, si le couple a une seconde couvée, le mâle continue habituellement de nourrir les premiers rejetons, se montrant moins assidu auprès de la deuxième couvée.

Première phase de croissance
L'éclosion peut durer entre un et trois jours. Pendant la première phase de croissance, la femelle passe environ soixante-dix pour cent de son temps à couver les oisillons ou debout au bord du nid. Le mâle apporte les deux tiers de leur nourriture aux petits, à raison d'un «goûter» toutes les six ou sept minutes. Lorsque la femelle sort du nid pour aller se nourrir, elle revient avec de la nourriture à leur intention. En son absence, le mâle passe une partie du temps au nid. Pendant les premiers jours, les poches fécales sont mangées par les parents, surtout par la femelle qui garde les oisillons sous ses ailes pendant que le mâle part à la recherche de nourriture.

Seconde phase de croissance
Lorsque les petits quittent le nid, ils s'éparpillent sur le territoire, à une cinquantaine de mètres les uns des autres. Même après avoir appris à voler et à trouver leur nourriture, ils préfèrent suivre l'un des parents. Les premières couvées sont nourries par les deux parents, mais si une seconde est en route, le mâle s'occupe seul des jeunes oiseaux tandis que la femelle recommence à pondre.

Mâle et femelle nourrissent les jeunes de la dernière couvée de la saison, chacun prenant certains de ses rejetons sous sa protection. Les jeunes quittent le territoire des adultes au bout de deux ou trois semaines.

Le plumage

Comment différencier le mâle de la femelle
Il est impossible de distinguer le mâle de la femelle en se fiant uniquement à leur apparence. Cependant, leur comportement, très différent, vous facilitera la tâche. En général, seul le mâle chante et seule la femelle construit le nid, incube les oeufs et garde les oisillons sous son ventre.

Comment distinguer les jeunes des adultes
Les jeunes ont le sommet du crâne brun et la partie antérieure du dos tachetée ou rayée de fauve, tandis que les adultes ont la tête et le dos d'un roux vif.

Mue
Les grives des bois muent complètement une fois par an, de la fin de juillet à la fin d'août.

Les déplacements saisonniers

La migration des grives des bois commence en octobre pour se terminer en novembre. Elles semblent voyager la plupart du temps en grands vols et se déplacent souvent de nuit. Elles hivernent au Mexique, en Amérique centrale et, parfois, dans les Antilles. On sait que le mâle chante aussi en hiver, mais chaque oiseau passe la saison froide seul sur son territoire.

Les grives des bois apparaissent aux États-Unis vers la fin de mars. Dès avril, la migration bat son plein. Vers la mi-mai, elles ont atteint la partie la plus septentrionale de leur aire de répartition, soit la région des Grands Lacs et le sud du Canada.

Jaseur des cèdres

Bombycilla cedrorum (Vieillot) / Cedar Waxwing

Le jaseur des cèdres compte parmi les plus adorables oiseaux de nos régions. Son plumage, parfaitement lisse, en camaïeu délicat, lui donne l'apparence d'une sculpture peinte avec talent. C'est en compagnie d'autres jaseurs que vous risquez de l'apercevoir, s'envolant vers les buissons de baies, se perchant dans un arbre fruitier ou s'amusant à capturer des insectes au-dessus des ruisseaux. On estime en effet que la vie en groupe est un aspect crucial du comportement des jaseurs des cèdres. Même pendant la saison de reproduction, ils quittent le nid pour se nourrir en compagnie de leurs congénères, dès qu'ils les entendent passer au-dessus d'eux groupés en vol en lançant leur cri «ziii». À la fin du repas pris en commun, les couples réintègrent chacun leur territoire.

La formation des couples se produit pendant la migration. Par conséquent, si vous apercevez un vol de jaseurs, essayez de surprendre leur curieux «sautillement latéral». Le mâle sautille en direction d'une compagne éventuelle en tenant une baie dans son bec. La femelle prend la baie offerte, s'éloigne en sautillant à son tour et revient pour rendre la baie au mâle. Cet échange se poursuit jusqu'à ce que l'un des deux se décide à la manger. Cette petite scène se déroule principalement vers la fin de l'hiver et au printemps.

Au départ, vous aurez l'impression que tous les cris des jaseurs des cèdres se ressemblent, mais, avec un peu de patience, vous apprendrez à les distinguer. Vous saurez ainsi à quel stade du cycle de reproduction ils sont parvenus (voir le «Guide de la communication»). Les cris sont également les indices qui vous permettront le mieux de découvrir où les oiseaux se cachent.

Les jaseurs des cèdres ont parfois deux couvées et il

n'est pas rare de trouver des nids occupés en septembre et en octobre.

CALENDRIER DU COMPORTEMENT

	TERRITOIRE	COUR	NIDIFICATION	ÉDUCATION DES OISILLONS	PLUMAGE	DÉPLACEMENTS SAISONNIERS	COMPORTEMENT EN SOCIÉTÉ
JANVIER							■
FÉVRIER							■
MARS		■				■	■
AVRIL		■				■	■
MAI	■	■	■			■	■
JUIN	■	■	■	■			■
JUILLET	■	■	■	■			■
AOÛT	■	■	■	■			■
SEPTEMBRE	■	■	■		■		■
OCTOBRE					■	■	■
NOVEMBRE						■	■
DÉCEMBRE						■	■

GUIDE DE LA COMMUNICATION

Communication visuelle

1. Sautillement latéral

Mâle ou femelle   *P, É*

Un jaseur, avec de la nourriture dans son bec, sautille de côté en direction d'un autre jaseur afin de lui remettre son offrande. L'autre s'éloigne en sautillant à son tour puis revient vers son compagnon afin de lui rendre la nourriture. Les observateurs ont remarqué qu'il arrivait que l'un des oiseaux fasse une révérence entre les sautillements. La scène se répète jusqu'à ce que l'un des oiseaux se décide à manger la nourriture offerte.

Cri: Aucun.

Contexte: Cette manifestation est un élément important de la cour. Elle se produit entre deux oiseaux, soit au sein d'un groupe, soit en tête-à-tête. Ce sont généralement les mâles qui adoptent les premiers cette conduite, dans le but d'attirer une partenaire. Lorsque l'autre oiseau est un mâle, il réagit parfois avec le «cou tendu vers l'avant». La femelle peut soit s'éloigner, soit répondre comme nous l'avons décrit ci-dessus, soit affecter l'indifférence totale. Cette manifestation peut être suivie ou précédée, chez le couple, de rapides vols circulaires. (Voir *La cour.*)

2. Cou tendu vers l'avant

Mâle ou femelle   *P, É, A, H*

Le corps est à l'horizontale, les plumes légèrement hérissées, la huppe bien droite et le bec, légèrement béant. Il arrive aussi que l'oiseau claque du bec à plusieurs reprises.

Cri: Aucun.

Contexte: Il s'agit d'une attitude agressive que l'oiseau adopte vis-à-vis de ses congénères et, quelquefois, face à des spécimens d'autres espèces. (Voir *La cour.*)

3. Mouvement de rame

Femelle ou jeunes   *É, A*

L'oiseau élève les ailes pour leur imprimer un mouvement rotatif, comme s'il s'en servait en guise de rames.

Cri: «Bzii-zii».

Contexte: La femelle ou les jeunes oiseaux exécutent ce mouvement lorsqu'ils sont nourris par le mâle ou, dans le cas des jeunes, par les parents. (Voir *La cour, L'éducation des oisillons.*)

Communication auditive

1. Ziii   *ziiii ziiii*

Mâle ou femelle   *P, É, A, H*

C'est un long zézaiement expiré, extrêmement aigu.

Contexte: Il s'agit du cri que l'on entend le plus fréquemment. Les membres d'un groupe de jaseurs le lancent en vol, lorsqu'ils se posent ou lorsqu'ils se nourrissent. Le couple s'en sert pour communiquer à proximité du nid. (Voir *Le territoire, La cour, L'éducation des oisillons, Le comportement en société.*)

2. Bzii
bziii bziii

Mâle ou femelle — P, É

Ce cri ressemble au précédent, mais il est plus bourdonnant et plus bref. Il peut aussi être un peu plus sonore et moins aigu. Les oiseaux le répètent de manière irrégulière.

Contexte: Les deux partenaires lancent ce cri pendant leurs vols circulaires autour du nid et en période de nidification. (Voir *La cour.*)

3. Bzii-zii
bziiziiziiziiziizii bziiziizii

Femelle ou jeunes — É, A

Ce cri ressemble au «bzii» à la différence près qu'il forme une série rapide et ininterrompue.

Contexte: Lorsque le mâle nourrit la femelle ou que les adultes nourrissent les jeunes. Ce cri rappelle parfois la stridulation d'un grillon champêtre. (Voir *La cour, L'éducation des oisillons.*)

4. Tsiya
tsiiya tsiiya

Mâle ou femelle — É, A

Il s'agit d'un sifflement aigu et ténu, que vous pourrez facilement distinguer du «ziii», grâce au registre beaucoup plus bas sur lequel est chantée la dernière note.

Contexte: C'est un cri d'alarme que les

jaseurs lancent lorsqu'un danger menace le nid. (Voir *L'éducation des oisillons.*)

DESCRIPTION DU COMPORTEMENT

Le territoire

Fonction: Nidification (accouplement).
Dimensions: De 500 à 4000 m².
Comportements habituels: Sentinelle, poursuites.
Durée de sa défense: Du début de la nidification à la fin de la première
phase de croissance de la dernière couvée.

Chez les jaseurs des cèdres, la formation des couples se
produit pendant la migration. C'est pourquoi les oiseaux
ont déjà leur partenaire lorsqu'ils se présentent sur le territoire de reproduction. La revendication territoriale suit un
schéma très simple. En effet, l'oiseau choisit un emplacement propice à la nidification et en défend les alentours
tout en commençant à bâtir le nid.

L'une des principales parades présidant à la défense territoriale consiste, pour le mâle, à «monter la garde» du
haut d'un perchoir très en vue. Il reste en contact avec la
femelle grâce au cri «ziii». Dès qu'il aperçoit un intrus, il
exécute le «cou tendu vers l'avant», puis s'empresse de
voler en direction de l'ennemi. Les deux partenaires ne
manquent pas d'expulser tout intrus qui ose s'aventurer sur
leur territoire.

Les seules activités qui se produisent uniquement sur le
territoire sont l'incubation des oeufs et le transport de
nourriture au nid. Aux heures des repas, les oiseaux quittent leur fief pour se joindre aux autres jaseurs et écumer
les endroits où abondent baies et insectes. Une fois repus,
ils réintègrent leurs territoires respectifs, en évitant généralement le territoire de leurs voisins. La copulation ne se
produit pas forcément sur le territoire.

Il est fréquent de voir plusieurs couples de jaseurs construire leurs nids à seulement sept ou huit mètres les uns des
autres. Au moment de la seconde couvée, il arrive que le
couple reste sur le même territoire.

La cour

*Comportements habituels: «Sautillement latéral», transfert de nourriture;
«bzii-zii», «bzii».*
Durée: Du printemps à la fin de la saison de reproduction.

Chez le jaseur des cèdres, la première manifestation de
la cour, le «sautillement latéral», se produit en pleine migration et peut se poursuivre jusqu'au début de
l'incubation. Un mâle s'approche d'une femelle, généralement perchée à côté que lui. Il sautille latéralement avant
de lui offrir une baie ou un morceau de fruit. La femelle
l'accepte, s'éloigne en sautillant, puis revient tendre la
nourriture au mâle. Ce petit manège se poursuit parfois
pendant plus d'un quart d'heure, jusqu'à ce que l'un des
oiseaux se décide à manger la baie. Le «sautillement latéral» peut être suivi ou précédé de rapides poursuites circulaires, notamment lorsque les oiseaux se retrouvent après
une séparation. Elles sont généralement ponctuées du cri
«bzii».

La copulation est presque toujours précédée du
«sautillement latéral». Après que les oiseaux se sont livrés à
plusieurs reprises à cette parade, la femelle se recroqueville
en faisant vibrer ses ailes. Le mâle saute immédiatement sur
son dos, la huppe hérissée et accomplit la copulation.

Après le début de la ponte, le «sautillement latéral» et
les poursuites circulaires se font plus rares. En revanche, le
transfert de nourriture revêt une importance particulière
pendant la seconde phase de la cour. La femelle, installée
dans le nid ou à proximité, se recroqueville en exécutant le
«mouvement de rame» et en lançant le cri «bzii-zii». Elle

peut aussi accompagner le mâle un peu partout pendant cette période. On a constaté que le transfert de nourriture se poursuivait tout au long de l'incubation.

Un phénomène intéressant se produit après l'éclosion des oeufs. Le mâle arrive au nid et nourrit la femelle. Puis les deux adultes nourrissent les oisillons.

La nidification

Emplacement du nid: À une hauteur située entre 1,20 et 15 m, à la fourche d'une branche horizontale, le plus loin possible du tronc.
Dimensions: Diamètre intérieur de 7,5 à 8 cm; profondeur de 2,5 à 4,5 cm.
Matériaux: Ficelle, brindilles, laine, petites racines, herbe, tiges, chiffons, papier, aiguilles de pin; l'intérieur est parfois tapissé de mousse, d'herbe ou de soie arrachée aux nids de chenilles.

Pendant la cour, les deux partenaires explorent les fourches susceptibles d'abriter le nid avant d'en choisir une. Ils se partagent ensuite la construction du nid. Pendant cette période, vous entendrez fréquemment le cri «bzii». Les oiseaux ne travaillent pas sans interruption: de temps à autre, ils se nourrissent, se reposent et se font la cour. C'est surtout le matin et en fin d'après-midi qu'ils travaillent le plus. Il leur faut entre trois et neuf jours pour terminer le nid, la moyenne étant de six jours. Vous verrez souvent les jaseurs des cèdres dérober les matériaux dans les nids des autres oiseaux. Ils utilisent aussi régulièrement de vieux fils arrachés aux nids des chenilles à tente estivale et des livrées d'Amérique.

Comment découvrir le nid
Emplacement: Dans les buissons ou les arbres, à l'orée des zones dégagées.
Saison: Peu après l'arrivée des oiseaux jusqu'à la fin de l'été et au début de l'automne.

INDICES DE COMPORTEMENT
1. Essayez de repérer deux oiseaux occupés à inspecter en sautillant les fourches des branches.
2. Soyez attentif au cri «bzii»; il est caractéristique de la période de nidification.
3. Surveillez les oiseaux qui sortent souvent en droite ligne d'un endroit situé au coeur d'un arbre. Les jaseurs ne se rendent jamais directement au nid, préférant se poser sur les branches inférieures avant de voler par étapes vers la fourche, mais ils quittent toujours directement le nid.

L'éducation des oisillons

Oeufs: De 2 à 6 (les dernières couvées sont les moins nombreuses); gris pâle avec quelques taches brunes.
Incubation: De 12 à 14 jours; seule la femelle incube.
Première phase de croissance: Environ 15 jours.
Seconde phase de croissance: De 6 à 10 jours.
Couvées: 1 ou 2.

Ponte et incubation
La femelle pond un oeuf chaque matin et commence parfois à incuber avant la ponte du dernier. Pendant ce temps,

elle continue d'apporter des améliorations au nid. Elle est seule à incuber et passe habituellement entre vingt et quarante minutes consécutives au nid. À ce stade, vous l'entendrez émettre un gazouillis très doux, inaudible à moins de se trouver à quatre ou cinq mètres de là. Elle lance également le cri «ziii» lorsqu'elle quitte le nid ou y retourne. Pendant l'incubation, le mâle demeure à proximité du nid, nourrissant fréquemment la femelle de baies régurgitées, tandis qu'elle exécute le «mouvement de rame» ponctué du cri «bzii-zii».

Première phase de croissance
L'éclosion s'étale parfois sur deux jours et la femelle mange fréquemment les coquilles brisées. Lorsque le mâle s'approche du nid, il commence par nourrir sa compagne. Ensuite, les deux adultes s'occupent de nourrir les petits. Pendant les deux premiers jours, les oisillons reçoivent des insectes auxquels viennent par la suite s'ajouter des baies. La femelle garde sa progéniture sous son ventre pendant les trois premiers jours. Ensuite, elle laisse les oisillons seuls plus souvent et, dès qu'ils ont atteint cinq jours, elle aide le mâle à recueillir leur nourriture. Les parents mangent les poches fécales des petits jusqu'au dixième jour, soit jusqu'au moment où les oisillons sont capables de reculer jusqu'au rebord du nid pour laisser tomber leurs déchets dans le vide. Au bout de onze jours, ils peuvent répondre aux parents et même ouvrir tout grand le bec lorsqu'ils entendent d'autres jaseurs survoler le nid.

Le couple a généralement une seconde couvée. Il commence donc à construire un nouveau nid tout en continuant de prendre soin de la première nichée. On a remarqué, sept jours seulement après l'éclosion des oeufs, un retour du comportement nuptial chez la femelle. Tandis qu'elle se prépare à pondre une seconde fois, le mâle déborde d'activité. Il nourrit les jeunes oiseaux, courtise la femelle et commence à construire un nouveau nid. La femelle participe davantage aux travaux au fur et à mesure qu'approche le moment de la ponte. Elle pond le premier oeuf de la seconde couvée au moment où les oisillons de la première quittent le nid. C'est en raison de ce chevauchement que les jaseurs des cèdres parviennent à élever deux couvées en seulement soixante-cinq jours en moyenne.

Seconde phase de croissance
Les jeunes gardent un contact étroit avec leurs parents pendant les trois jours qui suivent leur sortie du nid. Ceux-ci les nourrissent et demeurent à proximité, jour et nuit. Ensuite, les jeunes commencent à se nourrir seuls. Leurs premières tentatives de vol sont quelque peu hésitantes et ils ne réussissent leurs atterrissages qu'au bout du sixième jour. Pendant les dix jours qui suivent leur départ du nid, ils sont nourris par les parents. Ensuite, ils se joignent aux autres jeunes pour former de petits vols qui se nourrissent ensemble.

Le plumage

Comment différencier le mâle de la femelle
Il est impossible de distinguer le mâle de la femelle à l'aide du plumage. Quant au comportement, il ne nous offre pas beaucoup d'indices non plus. On sait que la femelle incube et que, pendant le transfert de nourriture, elle lance le cri «bzii-zii» tout en exécutant le «mouvement de rame». Lisez aussi la rubrique consacrée au «sautillement latéral» pour connaître le comportement des mâles et des femelles pendant cette parade.

Comment distinguer les jeunes des adultes
Les jeunes ont une poitrine brun grisâtre, légèrement rayée de brun plus franc tandis que la poitrine des adultes est unie. En outre, les oisillons ont du blanc autour des yeux et sont dépourvus du masque et du «bouc» noirs des adultes.

Mue

Les jaseurs des cèdres muent complètement une fois par an, en septembre et en octobre.

Les déplacements saisonniers

Les déplacements hivernaux des jaseurs des cèdres sont loin d'être clairement compris. Certains oiseaux semblent migrer vers le Sud en automne et au début de l'hiver. De nombreux observateurs en ont vu arriver en Amérique centrale en janvier, voire en février. Certains de ces oiseaux ne migrent vers le Nord qu'en avril ou en mai. Il est également prouvé que plusieurs vols de jaseurs restent dans les régions nordiques du continent tout l'hiver, se déplaçant sans suivre d'itinéraire précis, probablement attirés par la nourriture.

Au printemps, de nombreux observateurs ont remarqué que les jaseurs migraient en deux vagues. Tout d'abord, de grands vols apparaissent en janvier et en février dans le nord des États-Unis. Ces vols semblent se déplacer constamment. Dès le début du printemps ils sont repartis. Des vols plus petits les suivent et l'on pense que ce sont eux qui se reproduisent dans la région.

Le comportement en société

Les jaseurs sont des oiseaux particulièrement sociables qui se nourrissent en groupe tout au long de l'année. C'est uniquement pendant la brève phase de la reproduction qu'ils passent une partie de la journée au nid. Même alors, il leur arrive de quitter occasionnellement leur territoire pour aller se nourrir en compagnie d'autres jaseurs. Le cri le plus couramment entendu parmi ces vols est le «ziii», qui semble ponctuer sans interruption toutes leurs activités en vol et à terre.

Paruline jaune
(aussi appelée «fauvette jaune»)
Dendroica petechia (Linné) / Yellow Warbler

Les parulines jaunes sont de charmants petits oiseaux que l'on peut aisément voir évoluer sur leurs territoires exigus. Entre voisins, les mâles exécutent souvent le «vol en cercle»: l'un des deux s'élance vers son congénère en décrivant un cercle avant de revenir à son point de départ.

Leur nid est parmi les plus beaux qui soient. Il est surtout composé de fibres duveteuses, telles que les filaments libérés par les graines de saule. Vous n'aurez guère de difficultés à repérer la femelle pendant la construction du nid, car elle effectue d'innombrables navettes en terrain découvert, transportant dans son bec des fibres blanchâtres. Vous pourrez aussi la voir arracher aux nids de chenilles à tente estivale des morceaux de toile soyeuse qu'elle utilise pour lier les autres matériaux composant le nid. C'est vers cette époque que le nid est facile à repérer, car il est généralement placé si bas que vous n'aurez qu'à vous pencher pour regarder à l'intérieur. Vous pourrez non seulement regarder les oeufs, mais encore observer la croissance des oisillons.

Il est intéressant de constater que le mâle possède deux versions distinctes du «chant», chacune semblant accompagner une situation différente. La note finale, dans l'une des versions, est accentuée, alors qu'elle ne l'est pas dans l'autre. Bien que les ornithologues ne soient pas encore tout à fait d'accord sur leur signification, on pense que la première version caractérise plutôt les parades nuptiales tandis que la seconde serait utilisée pour communiquer avec les autres mâles. Il ne vous reste donc plus qu'à écouter attentivement ces deux versions du «chant» et à proposer votre propre interprétation.

CALENDRIER DU COMPORTEMENT

	TERRITOIRE	COUR	NIDIFICATION	ÉDUCATION DES OISILLONS	PLUMAGE	DÉPLACEMENTS SAISONNIERS	COMPORTEMENT EN SOCIÉTÉ
JANVIER							
FÉVRIER							
MARS					■		
AVRIL	■	■			■	■	
MAI	■	■	■	■			
JUIN	■	■	■	■			
JUILLET	■			■	■	■	
AOÛT						■	
SEPTEMBRE							
OCTOBRE							
NOVEMBRE							
DÉCEMBRE							

GUIDE DE LA COMMUNICATION

Communication visuelle

1. Vol en cercle
Mâle   P, É

L'oiseau s'envole vers un autre mâle, puis revient à son point de départ en exécutant un cercle. L'autre réagit parfois en l'imitant.

Cri: Aucun.

Contexte: Les mâles exécutent cette parade en début de saison pour faciliter l'établissement des frontières territoriales. (Voir *Le territoire.*)

2. Glissade
Mâle   P, É

Les ailes et la queue largement déployées, l'oiseau plane dans les airs.

Cri: Aucun.

Contexte: L'oiseau utilise ce vol lorsqu'il revient au coeur de son territoire après une rencontre hostile avec un voisin. Cette parade caractérise les conflits territoriaux. (Voir *Le territoire.*)

3. Déploiement des ailes et de la queue
Mâle   P, É

L'oiseau, installé sur un perchoir, déploie momentanément ses ailes, sa queue ou les deux.

Cri: Aucun.

Contexte: Caractérise les conflits territoriaux et, peut-être, la cour. (Voir *Le territoire, La cour.*)

4. Vol-papillon

Mâle   *P, É*

L'oiseau vole lentement, par saccades, en battant des ailes deux fois plus vite qu'à l'accoutumée.

Cri: Aucun.

Contexte: On observe ce vol pendant les conflits territoriaux et la cour. (Voir *Le territoire, La cour.*)

Communication auditive

1. Chant

Mâle   *P, É*

A. *tsiitsiitsiitsiouit tsitsitsi*
B. *tsiitsiistsiit tsitsitsit*

Il s'agit d'une phrase musicale de trois ou quatre notes aiguës et sifflantes, immédiatement suivies d'un groupe de notes plus brèves et plus trépidantes. Le «chant» est la seule vocalisation mélodique de l'espèce; il ressemble parfois à celui du chardonneret. Vous pourrez en entendre deux versions. L'une est accentuée sur la dernière note, contrairement à l'autre.

Contexte: On entend la première version surtout en présence de la femelle ou d'autres espèces de parulines. Le «chant» dépourvu d'accentuation finale caractérise principalement les affrontements entre congénères mâles. (Voir *Le territoire.*)

2. Tchip

Mâle ou femelle   *P, É, A, H*

Ce cri est bref et grinçant.

Contexte: On l'entend lorsque les oi-

seaux sont légèrement inquiets. Il permet peut-être aussi au couple de rester
en contact.

3. Tchip métallique
Mâle ou femelle   *P, É, A, H*
Il s'agit d'un son bref, sec et métallique.
Contexte: Caractérise les situations ex-
trêmement alarmantes.

4. Ti-ti
Mâle ou femelle   *P, É*
Ce cri est composé d'une série rapide   *titititit*
de notes sèches. C'est le seul, à l'exception du chant, qui forme une phrase
prolongée.
Contexte: Il ponctue la fin de longs
conflits territoriaux.

5. Dziip
Mâle ou femelle   *P, É*
Il s'agit d'une seule note, aiguë et légèrement aspirée.
Contexte: Les oiseaux lancent ce cri
juste avant ou pendant un vol. On
l'entend souvent à la fin de l'été ou à
l'automne, lorsque la migration a commencé. Il permet peut-être aussi aux
oiseaux de rester en contact.

DESCRIPTION DU COMPORTEMENT

Le territoire

Fonctions: Accouplement; nidification; subsistance.
Dimensions: De 1000 à 12000 m².
Comportements habituels: «Chant»; «vol en cercle», poursuites.
Durée de sa défense: De l'arrivée du mâle à la fin de la saison de repro-
duction.

Les mâles arrivent quelques jours avant les femelles et revendiquent leur territoire en chantant du haut de perchoirs exposés. Les intrus sont expulsés. À proximité des frontières, on assiste souvent au «vol en cercle». Le mâle vole vers son voisin, puis revient en exécutant un cercle. Le voisin réagit parfois en l'imitant. En sus des poursuites et du «vol en cercle», se produisent parfois la «glissade» ainsi que le «vol-papillon». Toutes ces parades aident le mâle à prendre possession de son fief. On observe souvent ensuite le «déploiement des ailes et de la queue».

Le «chant» constitue un élément crucial de la vie des parulines jaunes. Au cours des conflits territoriaux qui les opposent à leurs congénères, elles utilisent surtout le «chant» dont la fin n'est pas accentuée. Lorsque ces querelles les opposent à d'autres espèces de fauvettes, telles que la paruline à flancs marron, elles utilisent plutôt le «chant» dont la fin est accentuée et se livrent occasionnellement à des poursuites.

Leur territoire, généralement composé d'un mélange de végétation basse et broussailleuse et de pâturages, se trouve fréquemment à proximité d'un point d'eau. Il est préférable que des arbres ou d'autres éléments atteignant treize ou quatorze mètres le parsèment, car ils constituent un outil privilégié de la défense territoriale. En effet, les mâles s'y perchent pour chanter et monter la garde. Lorsque aucun de ces perchoirs n'est disponible, les poursuites entre mâles et les empiètements sur les territoires voisins semblent beaucoup plus fréquents. Il est possible que leur absence empêche l'oiseau d'utiliser le «chant» pour revendiquer son territoire. Dans les régions propices, la superficie des territoires ne compte parfois guère plus de deux mille mètres carrés, tandis que dans les zones moins favorisées, elle peut aller jusqu'à huit mille ou douze mille mètres carrés.

Les oiseaux ne demeurent pas constamment sur leur territoire. Si la nourriture y est insuffisante, ils s'éloignent de quelques centaines de mètres pour s'alimenter. En général, ils volent très haut en quittant leur territoire, mais ils ont tendance à revenir en rase-mottes. À ce moment-là, il leur arrive d'être pris en chasse par les occupants des territoires qu'ils survolent.

La femelle ne défend pas la totalité de son territoire et, parfois, elle ne limite pas ses mouvements à l'intérieur des frontières de celui-ci. Cependant, elle défend les abords du nid. Après la période de reproduction, les oiseaux quittent rapidement leur territoire.

Certaines études ont montré que les fauvettes jaunes avaient un comportement territorial pendant l'hiver, qu'elles passent en Amérique centrale et en Amérique du Sud. Cela s'applique particulièrement aux adultes, car les jeunes oiseaux ont plutôt tendance à se regrouper en vols.

La cour

Comportement habituel: Poursuites.
Durée: Plusieurs jours après l'arrivée de la femelle.

Nous ne savons pas grand-chose de la cour chez les parulines jaunes. Les femelles arrivent sur le territoire après les mâles et sont d'abord prises en chasse par ceux-ci. En général, elles tiennent bon au lieu de battre en retraite comme le ferait un intrus mâle. Les poursuites suivent donc, en gros, un parcours circulaire. Elles diminuent d'intensité pour cesser complètement au bout de trois ou quatre jours. Les mâles exécutent le «vol-papillon» et le «déploiement des ailes et de la queue» lorsqu'ils sont en présence d'une femelle. Après s'être familiarisés l'un avec l'autre, les oiseaux communiquent surtout à l'aide du cri «dziip» et du «tchip». La copulation se produit vers la fin de la nidification qui, elle, commence peu après l'arrivée de la femelle.

La nidification

Emplacement du nid: Sur une fourche verticale dans un buisson ou un arbuste; à une hauteur située entre 1,50 et 3,50 m.
Dimensions: Diamètre intérieur de 5 cm; profondeur de 3,5 cm.
Matériaux: Fibres de vieilles tiges d'asclépiade commune, fines lamelles d'écorce, fines brindilles et matériaux duveteux tels que les fibres de graines de saule ou les tiges d'osmonde cannelle ainsi que la soie en provenance des nids de chenilles à tente.

En général, c'est la femelle qui se charge de construire le nid, bien que certains observateurs aient vu le mâle lui apporter un peu d'aide. En fait, il a plutôt tendance à demeurer à proximité du nid, chantant, ou à suivre la femelle lorsqu'elle part à la cueillette des matériaux. Vous n'aurez d'ailleurs aucune difficulté à la repérer, car elle travaille avec acharnement pendant au moins deux jours, effectuant de nombreuses navettes entre le nid et les endroits où se trouvent les matériaux convoités. Elle a une prédilection pour les fibres duveteuses et blanchâtres qu'elle transporte très ostensiblement dans son bec. Vous pourrez aussi la surprendre en train d'arracher de la soie aux nids de chenilles à tente estivale. Bien que le plus gros des travaux soit terminé en deux jours environ, la «finition» prend un ou deux jours supplémentaires. Pendant la construction du nid, on entend le couple communiquer à l'aide du «tchip».

Le nid des parulines jaunes est souvent parasité par le vacher à tête brune. Selon une étude, quatre nids sur dix sont touchés. Lorsqu'elles trouvent un oeuf de vacher au milieu de leurs propres oeufs, les fauvettes réagissent habituellement en construisant un nouveau nid par-dessus l'ancien dans lequel elles abandonnent l'oeuf du vacher.

L'éducation des oisillons

Oeufs: De 4 à 6 (5 en moyenne); blanchâtres avec des taches brun grisâtre surtout concentrées à l'extrémité la plus large.
Incubation: Une moyenne de 10 jours; seule la femelle incube.
Première phase de croissance: De 9 à 11 jours.
Seconde phase de croissance: Environ 2 semaines.
Couvée: 1.

Ponte et incubation

Quelques jours peuvent s'écouler entre l'achèvement du nid et la ponte du premier oeuf. En général, la femelle pond un oeuf par jour. Elle commence à incuber un peu avant ou au moment de la ponte du dernier. Pendant l'incubation, elle quitte parfois le nid pour se nourrir. Il lui arrive aussi d'être nourrie par le mâle, à l'intérieur du nid ou à proximité. Le transfert de nourriture est quelquefois si fugitif qu'on ne le remarque pas. Il se produit environ une fois par heure et ce, pendant toute la période d'incubation. Lorsqu'il n'est pas occupé à nourrir sa compagne, le mâle reste aux environs du nid, mangeant et chantant.

Première phase de croissance
Le chant du mâle se raréfie au moment où les oeufs commencent à éclore, sans doute parce que celui-ci, désormais occupé à recueillir de la nourriture pour sa nichée, n'a plus le temps de s'adonner à cette activité. Si les oiseaux sont inquiets, ils lancent le «tchip métallique» ou se livrent à une feinte qui consiste à battre des ailes tout en volant au ras du sol dans le but de détourner l'attention d'un prédateur éventuel. Les abords du nid sont énergiquement défendus pendant l'incubation et sa défense se relâche à peine au cours de la première phase de croissance.

Les deux parents se chargent de nourrir les oisillons. Pendant les trois ou quatre premiers jours, la femelle garde les oisillons sous son ventre. Le mâle lui donne la pâture qu'elle remet ensuite aux petits. Parfois, le mâle les nourrit directement, notamment en l'absence de la femelle. Tout de suite après, il lui arrive de chanter, perché sur le rebord du nid. Au bout de quatre jours, la femelle cesse de «couver» les petits, à moins qu'il ne pleuve ou que le soleil ne soit trop chaud.

En général, les parents mangent les poches fécales pendant les premiers jours. Ensuite, ils les emportent de plus en plus souvent hors du nid. On remarque que, pendant cette phase, le mâle et la femelle utilisent des itinéraires distincts mais fixes pour se rendre au nid et s'en éloigner.

Seconde phase de croissance
Après avoir quitté le nid, les oisillons se perchent à quelques dizaines de centimètres de celui-ci. Le lendemain, ils s'éloignent un peu plus, mais continuent d'être nourris par les parents pendant trois jours environ. Ensuite, ils se dispersent sans pour autant quitter le territoire.

Le plumage

Comment différencier le mâle de la femelle
La livrée nuptiale du mâle est reconnaissable à l'aide des bandes rougeâtres qui marquent sa poitrine. La femelle présente en revanche une poitrine unie, d'un jaune vif. On distingue parfois des bandes rousses aux contours très flous sur ses flancs. En ce qui a trait au comportement, le mâle est seul à chanter, tandis que la femelle est seule à bâtir le nid, à incuber les oeufs et à garder les petits sous son ventre.

Comment distinguer les jeunes des adultes
Les jeunes ont un dos d'un brun olivâtre et sont dépourvus de bandes pectorales.

Mues
Les parulines jaunes muent deux fois par an. La mue complète se produit en été (juillet-août) tandis qu'une mue partielle (ailes et queue exceptées) a lieu au printemps.

Les déplacements saisonniers

Les parulines jaunes migrent dès la fin de leur saison de reproduction. Il arrive qu'elles prennent leur envol au début de juillet. En août, elles ont disparu de nos régions. Elles sont parmi les premières à arriver en Amérique centrale et en Amérique du Sud, atteignant le Guatemala dès les premiers jours d'août. Elles voyagent en grands vols que l'on aperçoit dans le sud des États-Unis en plein été. Elles passent neuf mois par an sur leur territoire hivernal où les mâles chantent et se livrent à des revendications territoriales dès leur arrivée. Ils utilisent aussi le «tchip» pour défendre leur domaine.

    La migration vers le Nord commence en avril et se termine vers la mi-mai.

Sturnelle des prés
Sturnella magna (Linné) / Eastern Meadowlark

Les cris des sturnelles, relativement faciles à reconnaître, vous renseigneront, mieux que tout autre indice, sur le comportement des oiseaux en période de reproduction. Le «chant» du mâle consiste en d'agréables notes un peu brouillées qui traversent les prés verdoyants que les oiseaux revendiquent comme territoires. Les mâles arrivent avant les femelles, chantent du haut de perchoirs bien en vue, se pourchassent et exécutent une parade très particulière, le «vol avec saut», au cours de laquelle ils s'élèvent de quelques mètres en gardant les pattes à la verticale tout en déployant très haut les ailes. On a remarqué qu'un mâle partait souvent ainsi à la poursuite d'un autre pendant les querelles territoriales. D'autres activités se déroulent au sol et vous risquez d'avoir de la difficulté à surprendre les oiseaux dissimulés par les hautes herbes des prairies.

Si vous entendez le «chant», immédiatement suivi du «gazouillis guttural», cela signifie que vous êtes en présence d'un couple. Le mâle et la femelle sont généralement inséparables pendant les quelques jours qui précèdent la construction du nid. La cour se caractérise par des poursuites et par le «vol avec saut». C'est pourquoi il n'est pas toujours facile de distinguer le comportement nuptial du comportement territorial, d'autant plus que le plumage des deux sexes est rigoureusement identique.

Les mâles sont généralement polygames et courtisent deux ou trois femelles qui pondent sur leur territoire. Si vous surveillez de près les femelles, vous n'aurez sans doute pas de difficulté à repérer leur nid. C'est surtout pendant la construction et la première phase de croissance des oisillons que les femelles sont faciles à surprendre, car elles y effectuent des centaines d'allées et venues. Le nid est sur le sol, très bien camouflé, protégé par un dôme de brins d'herbe tissés. Il est magnifique et, une fois que vous l'aurez trouvé, vous aurez la possibilité d'observer à loisir la croissance des oisillons.

CALENDRIER DU COMPORTEMENT

	TERRITOIRE	COUR	NIDIFICATION	ÉDUCATION DES OISILLONS	PLUMAGE	DÉPLACEMENTS SAISONNIERS	COMPORTEMENT EN SOCIÉTÉ
JANVIER							■
FÉVRIER						■	■
MARS	■	■				■	
AVRIL	■	■	■	■		■	
MAI	■	■	■				
JUIN	■	■	■	■			
JUILLET	■	■		■			
AOÛT	■			■	■		■
SEPTEMBRE						■	■
OCTOBRE						■	■
NOVEMBRE							■
DÉCEMBRE							■

GUIDE DE LA COMMUNICATION

Communication visuelle

1. Élévation du bec

Mâle ou femelle   P, É, A

L'oiseau élève le bec tandis que les plumes de son corps sont parfaitement lisses.

Cri: Aucun.

Contexte: La sturnelle adopte cette attitude pendant les escarmouches. Elle l'accompagne parfois du «déploiement rapide des ailes et de la queue». (Voir *Le territoire.*)

2. Déploiement rapide des ailes et de la queue

Mâle   P, É, A

L'oiseau déploie rapidement et à plusieurs reprises les ailes et la queue. Vous pouvez alors voir jaillir les plumes blanches qui se trouvent de chaque côté de sa queue.

Cri: «Dzzrt».

Contexte: Cette parade est utilisée pendant les affrontements; elle accompagne parfois l'élévation du bec. (Voir *Le territoire.*)

3. Vol avec saut

Mâle ou femelle   P, É

L'oiseau saute dans les airs, s'élevant de un à trois mètres, vole sur une distance de plusieurs mètres puis se pose. Pendant ce vol, il bat rapidement des ailes et celles-ci sont maintenues beaucoup plus à la verticale que pendant un vol ordinaire. La queue est élevée tandis que les pattes pendent.

Cri: Aucun.

Contexte: Cette parade caractérise un affrontement entre deux mâles pendant les querelles territoriales. Lorsque l'un des oiseaux s'y livre, l'autre l'imite immédiatement après. En revanche, s'il s'agit d'un couple, le second n'imite pas le premier. (Voir Le *territoire, La cour.*)

4. Hérissement

Mâle ou femelle   *P, É*

L'oiseau ébouriffe les plumes de son corps, mettant en évidence les plumes blanches qui ornent les côtés de sa queue.

Cri: Aucun.

Contexte: Les mâles adoptent cette posture pendant les affrontements territoriaux; les partenaires exécutent cette parade en période de cour. (Voir *Le territoire, La cour.*)

Communication auditive

1. Chant

Mâle   *P, É, A, H*

Il s'agit d'une série de deux à huit sifflements aigus. Plusieurs de ces sifflements peuvent être brouillés et indiscernables les uns des autres. Le chant varie.

Contexte: Les mâles seuls chantent, surtout pendant la défense du territoire et la cour, mais vous pouvez les entendre à n'importe quel moment de l'année. C'est au commencement de la saison de reproduction, avant l'incubation, qu'ils sont le plus en verve. (Voir *Le territoire, La cour.*)

2. Dzrrt

Mâle ou femelle   P, É, A, H

Ce cri sonore est bref et répété de manière irrégulière. Il précède parfois le gazouillis.

dzrrt ou *dzrrrt*

Contexte: Vous l'entendrez lorsque les oiseaux sont perturbés. Il peut accompagner plusieurs manifestations visuelles caractéristiques de la revendication territoriale et de la cour. (Voir *Le territoire, La cour.*)

3. Gazouillis guttural

Mâle ou femelle   P, É

Ce gazouillis prolongé dure de une à deux secondes. Il peut être précédé ou suivi du «dzrrt».

tcht tcht tcht tcht

Contexte: Il caractérise surtout les relations entre partenaires. Pendant la cour, on entend la femelle émettre ce gazouillis immédiatement après que le mâle a fini de chanter. (Voir *La cour.*)

4. Chant en vol

Mâle   P

Il s'agit de plusieurs notes sifflées, suivies d'un gazouillis rapide et aigu. L'oiseau chante ainsi lorsqu'il est en plein vol.

Contexte: Vous n'aurez aucune difficulté à distinguer ce son du «chant», que l'oiseau émet aussi en vol, car il se termine par un gazouillis rapide. Ce cri, très surprenant, n'est pas souvent poussé par l'oiseau. On ne connaît pas encore très bien sa fonction, mais il semble trahir un énervement extrême. On l'entend pendant la revendication du territoire et la cour.

5. Pîît

Mâle ou femelle   *P, É*

pîît   Il s'agit d'une note expirée et sonore, environ deux fois plus longue que le cri «dzrrt». Le «pîît» n'accompagne généralement aucun autre cri.
Contexte: Il sert peut-être à sonner l'alarme, mais on l'entend aussi pendant la cour.

DESCRIPTION DU COMPORTEMENT

Le territoire

Fonctions: Accouplement; nidification; subsistance.
Dimensions: De 12000 à 60000 m².
Comportements habituels: «Chant»; poursuites, «vol avec saut».
Durée de sa défense: De l'arrivée dans la région de reproduction au printemps jusqu'à la fin de la saison des nids.

Lorsque les mâles arrivent dans la région de reproduction au début du printemps, leur chant mélodieux envahit les prés à peine reverdis. Vous apercevrez facilement leur poitrine jaune vif barrée d'un «V» noir tandis que le mâle est confortablement installé sur l'un de ses perchoirs de chant: poteau, clôture ou arbre. C'est au cours des deux ou quatre semaines qui précèdent l'arrivée de la femelle que le mâle chante avec le plus d'ardeur. Dans les régions où les sturnelles ne migrent pas, les chants peuvent résonner toute l'année, mais c'est avant la première couvée qu'ils sont les plus intenses.

Le comportement territorial des sturnelles se caractérise par le «chant», les poursuites, le «vol avec saut» et plusieurs parades exécutées au sol face à l'adversaire. C'est le «chant» qui est d'abord utilisé pour assurer la défense du territoire et vous verrez fréquemment des «voisins» s'affronter en duels vocaux, bien installés sur leurs perchoirs. Tout migrant qui fait intrusion sur un territoire est derechef poursuivi et expulsé par l'occupant. Mais un mâle qui vient expressément défier son voisin ne se laissera pas aussi facilement intimider. L'occupant vient alors se poser à ses côtés. Les deux oiseaux se livrent ensuite à une série de manifestations telles que l'«élévation du bec», le «hérissement» et le «déploiement rapide des ailes et de la queue». À la suite de quoi, ils peuvent commencer à se poursuivre au-dessus du territoire. On a remarqué que, bien que ce petit jeu puisse durer plusieurs minutes, le poursuivant ne semblait jamais véritablement essayer de rattraper le poursuivi. Si le conflit n'est pas résolu, les oiseaux se posent dans l'herbe avant d'exécuter, l'un après l'autre, le «vol avec saut». (Voir le «Guide de la communication».) Entre ces vols, nos valeureux mâles se livrent à d'autres parades au sol, mais il est rare que ces querelles dégénèrent jusqu'à l'affrontement. On a toutefois remarqué que lorsque tel était le cas, la lutte pouvait devenir féroce. Les oiseaux s'agrippent l'un à l'autre tout en roulant sur le sol.

Les dimensions moyennes d'un territoire sont de l'ordre de vingt-huit mille à trente-deux mille mètres carrés, mais en fonction de la région, elles peuvent aller de douze mille à soixante mille mètres carrés. Les frontières semblent fluctuer tout au long de la saison. Au début du mois d'août, on remarque une atténuation du comportement territorial tandis que les oiseaux se déplacent vers des endroits où ils se nourrissent par petits groupes. Bien que l'on puisse entendre le «chant» du mâle à l'automne, il n'accompagne aucune revendication territoriale.

La cour

Comportements habituels: Poursuites, «hérissement», «vol avec saut»;
«chant» et «gazouillis guttural».
Durée: De l'arrivée de la femelle jusqu'à l'incubation.

Les femelles arrivent deux à quatre semaines après les mâles. Malheureusement, leur plumage est identique à celui du mâle et leur comportement n'offre pas beaucoup d'indices pour les distinguer. C'est pourquoi il est difficile de savoir si une femelle est arrivée, d'autant plus que le comportement territorial de la sturnelle est fort proche de son comportement nuptial.

Sachez cependant que lorsqu'une femelle fait irruption sur le territoire d'un mâle, elle se conduit différemment d'un intrus mâle. Elle ne répond pas aux parades territoriales de ce dernier et ne s'enfuit pas à sa vue. Elle se contente de flâner silencieusement sur le territoire tout en récoltant de la nourriture. La constitution des couples semble se produire sur-le-champ, sans tambour ni trompette.

Après la formation du couple, les oiseaux deviennent inséparables et se promènent sur leur territoire à la recherche d'un emplacement pour y bâtir leur nid. À ce stade, lorsque le mâle lance son «chant», la femelle lui répond immédiatement par le «gazouillis guttural».

Il est fort intéressant de constater que soixante à quatre-vingts pour cent des sturnelles mâles sont polygames. La plupart ont deux compagnes, rarement, trois. Toutes pondent sur le territoire du mâle de leur choix, mais leurs cycles de reproduction ne sont pas synchronisés. Par conséquent, elles se rencontrent peu. Lorsque cela se produit, elles réagissent par l'«élévation du bec» et le «déploiement des ailes et de la queue». Cependant, en général, le mâle et ses femelles se nourrissent en toute quiétude sur le territoire.

Vous pouvez surprendre d'autres manifestations entre deux partenaires, telles que les poursuites aériennes, le «vol avec saut» et la copulation. Il est toutefois impossible de distinguer les poursuites entre un mâle et une femelle de celles qui se produisent entre deux mâles. Elles sont plutôt prolongées, les deux oiseaux volant à une distance constante l'un de l'autre. Parfois, le mâle essaie brièvement de rattraper la femelle, donnant l'impression qu'il veut lui donner un petit coup de bec. Les oiseaux sortent parfois des limites de leur territoire, auquel cas le mâle voisin vient se joindre aux «réjouissances». On a également remarqué que si le mâle était polygame, l'autre femelle se joignait parfois à la poursuite.

Le «vol avec saut» se déroule pendant la cour, mais, contrairement à ce qui se produit dans les parades territoriales, le second oiseau ne cherche pas à imiter le premier. Entre deux partenaires, ce comportement se produit peu avant la copulation.

Dès que le couple est formé, il arrive que le mâle exécute le «hérissement» en face de la femelle. Lorsque approche le moment de la copulation, il modifie ce mouvement en pointant son bec vers le bas, en élevant les plumes de sa huppe et en paradant fièrement à proximité de sa compagne. Si elle n'est pas réceptive, elle le repousse en exécutant le «hérissement». En revanche, si le moment est opportun, elle se recroqueville en élevant la tête et la queue. Le mâle monte alors sur son dos pour s'accoupler avec elle.

La nidification

Emplacement du nid: Sur le sol des prairies, des champs, des prés.
Dimensions: Hauteur de 17,5 cm; diamètre intérieur de 10 cm.
Matériaux: Herbe séchée.

La femelle se charge entièrement de la nidification. Le nid est construit dans une petite dépression à même le sol et mesure de 2,5 cm à 7 cm de diamètre. Elle la creuse parfois elle-même en donnant des coups de bec par terre. C'est surtout à l'aurore et au crépuscule qu'elle travaille. On a remarqué qu'elle commençait fréquemment à construire plusieurs nids, apportant des matériaux tantôt dans l'un, tantôt dans l'autre. Peu après, cependant, elle ne s'intéresse plus qu'à un seul de ces nids. Elle y effectue de fréquentes navettes, toutes les cinq ou dix minutes et, au bout de quelques jours, elle aura réussi à construire la base du nid ainsi que le dôme d'herbe qu'elle tisse au-dessus. En moyenne, il lui faut entre quatre et huit jours pour achever son oeuvre. Pendant cette période, la copulation et les autres manifestations nuptiales sont très fréquentes. Il arrive que la femelle commence à pondre avant d'avoir achevé le nid.

Lorsqu'il y a plus d'une femelle sur le même territoire, leurs nids sont généralement éloignés les uns des autres. Il arrive cependant qu'ils ne soient qu'à quinze mètres de distance, mais il s'agit là de cas exceptionnels.

Comment découvrir le nid
Emplacement: Dans les prés et les champs.
Saison: De la mi-avril à la fin de juin.

INDICES DE COMPORTEMENT
1. Essayez de repérer les oiseaux qui transportent des matériaux.
2. Surveillez les oiseaux qui semblent faire régulièrement la navette.
3. Soyez attentif au «dzrrt» que les adultes lancent dès que vous approchez du nid.

L'éducation des oisillons

Oeufs: De 3 à 7 (généralement 5); blancs, tachetés de brun ou de lavande.
Incubation: De 13 à 15 jours; seule la femelle incube.
Première phase de croissance: De 11 à 12 jours.
Seconde phase de croissance: Environ 4 semaines.
Couvées: 1 ou 2.

Ponte et incubation
La femelle pond un oeuf par jour et commence à incuber la veille de la ponte du dernier oeuf. Elle demeure dans le nid jour et nuit, ne le quittant que peu de temps à la fois pour se nourrir pendant la journée. Elle se lève fréquemment pour retourner les oeufs. Si le mâle chante, elle lui répond parfois en lançant un doux caquet que l'on ne peut entendre que de très près. L'incubation prend treize ou quatorze jours, parfois quinze.

Première phase de croissance
Pendant les jours qui suivent l'éclosion, la femelle garde les petits sous son ventre. Les deux parents se chargent de nourrir les oisillons, bien que ce soit surtout la femelle qui s'en occupe. Les poches fécales sont retirées du nid pendant les premiers jours, mais dès le troisième ou le quatrième, les petits reculent jusqu'au bord du nid pour déféquer en dehors. Vers le huitième jour, ils commencent à s'agiter, endommageant ainsi le dôme et l'assiette du nid.

Dès le onzième ou le douzième jour, ils sortent de leur abri et sont capables de voler sur de courtes distances.

Seconde phase de croissance
Après leur départ du nid, les oisillons continuent de dépendre de leurs parents pendant environ quatre semaines. Ils lancent un cri qui ressemble à «tsioup, tsioup». La femelle s'occupe davantage d'eux que le mâle, sauf si le moment est venu pour elle d'entamer une seconde couvée. Vers la troisième semaine, les petits commencent à se nourrir seuls et parviennent à émettre le «gazouillis guttural». Dès qu'ils sont autonomes, le mâle s'empresse généralement de les chasser du territoire.

Le plumage

Comment différencier le mâle de la femelle
Il est impossible de distinguer le mâle de la femelle en se fondant sur leur plumage. Cependant, le mâle est seul à chanter tandis que la femelle se charge seule de la construction du nid et de l'incubation.

Comment distinguer les jeunes des adultes
Les jeunes sont dépourvus du «V» noir qui barre la poitrine jaune des adultes. En revanche, le haut de leur poitrine est tacheté de noir.

Mue
Les sturnelles muent complètement une fois par an, vers la fin de l'été ou à l'automne.

Les déplacements saisonniers

La plupart des sturnelles forment de grands vols de vingt à trois cents oiseaux, qui migrent dans le Sud pour y passer l'hiver, dès septembre et octobre. Cependant, certains vols demeurent toute l'année dans le Nord, notamment le long des côtes où ils semblent se nourrir et nicher près des marais salants.

Les oiseaux retournent vers le Nord à la fin du mois de mars et en avril. Les oiseaux voyagent de nuit, passant la journée à se nourrir.

Le comportement en société

Après la saison de reproduction, les sturnelles se rassemblent en vols qui comptent jusqu'à plusieurs centaines d'oiseaux. Certains de ces vols migrent vers le Sud tandis que d'autres restent regroupés tout l'hiver dans le Nord. Ils écument, pour se nourrir, les vieux champs de maïs, de chaume ou de broussailles. La nuit, ils nichent ensemble, souvent parmi les hautes tiges des plantes marécageuses. Ils se joignent parfois aux quiscales pour se nourrir.

Vacher à tête brune
Molothrus ater (Boddaert) / Brown-Headed Cowbird

Le vacher à tête brune est un sujet d'étude fascinant. En effet, avec son habitude de pondre dans les nids des autres oiseaux, il constitue la seule espèce parasitoïde d'Amérique du Nord. Plusieurs questions surgissent à l'esprit au sujet de cet oiseau. Quelle évolution a suivi sa tendance au parasitisme? A-t-il déjà construit son propre nid? Comment les jeunes reconnaissent-ils leurs congénères puisqu'ils ont été élevés par des oiseaux d'autres espèces? Qu'est-ce qui les empêche de s'attacher à leurs parents nourriciers? Pour l'instant, ces questions n'ont trouvé que peu de réponses et l'existence de ces oiseaux reste encore nimbée de mystère.

On pourrait se demander pourquoi il n'existe pas davantage de parasitoïdes chez les oiseaux. Après tout, cette coutume dispense de construire un nid et, après la ponte, de s'occuper des oeufs. Cependant, elle comporte également ment des inconvénients. Par exemple, le vacher abdique toute responsabilité en matière d'éducation de ses rejetons. En outre, les femelles doivent pondre en moyenne quarante oeufs par an, alors que seulement deux ou trois parviennent à maturité.

Les vachers sont merveilleusement plaisants à observer, car les mâles se livrent constamment à de multiples parades. Dès leur arrivée dans la région de reproduction et ce, jusqu'en plein été, ils perchent ensemble. Ils chantent, exécutent l'«élévation du bec» et le «faux plongeon», donnant l'impression, avec cette dernière parade, qu'ils vont tomber face contre terre. Il s'agit principalement de luttes pour la suprématie qui, une fois acquise, leur accordera le privilège de s'accoupler avec une femelle. Les femelles, elles, sont plus discrètes, car elles surveillent constamment les autres oiseaux en silence afin de découvrir l'emplacement de leurs nids.

Les vachers endossent souvent le rôle de «méchant» parmi les oiseaux, car beaucoup de gens croient, bien à tort, qu'ils nuisent au développement des couvées d'autres espèces. C'est pourtant loin d'être le cas. (Voir *L'éducation des oisillons*.) Si vous parvenez à surmonter la méfiance qu'ils vous inspirent, vous découvrirez que leur comportement est fascinant et digne d'être observé. Ils apportent un démenti à beaucoup d'idées préconçues sur l'existence des oiseaux, nous permettant ainsi d'étendre nos connaissances sur les nombreuses formes que la vie animale peut prendre.

CALENDRIER DU COMPORTEMENT

	TERRITOIRE	COUR	NIDIFICATION	ÉDUCATION DES OISILLONS	PLUMAGE	DÉPLACEMENTS SAISONNIERS	COMPORTEMENT EN SOCIÉTÉ
JANVIER							■
FÉVRIER						■	■
MARS	■	■				■	■
AVRIL	■	■		■		■	■
MAI	■	■		■			■
JUIN	■	■		■			■
JUILLET	■	■		■			■
AOÛT					■		■
SEPTEMBRE						■	■
OCTOBRE						■	■
NOVEMBRE						■	■
DÉCEMBRE							■

GUIDE DE LA COMMUNICATION

Communication visuelle

1. Élévation du bec
Mâle ou femelle   *P, É, A*

L'oiseau élève la tête et le bec. Les plumes de son corps sont parfois lissées.

Cri: Aucun.

Contexte: On observe cette attitude chez les oiseaux — mâles ou femelles — qui essaient de dominer un congénère. Elle est parfois suivie du «faux plongeon». (Voir *Le territoire, La cour.*)

2. Faux plongeon
Mâle   *P, É*

L'oiseau ébouriffe les plumes de son corps, tend le cou vers l'avant, déploie les ailes et la queue et commence à plonger vers l'avant sans quitter son perchoir. Il achève souvent cette parade en frottant brièvement son bec contre la branche.

Cri: «Chant».

Contexte: Le mâle exécute ce mouvement perché sur une branche ou au sol. Face à une femelle, il s'agit sans doute d'une manifestation de la cour, et face à un autre mâle, de rivalité. (Voir *Le territoire, La cour.*)

3. Cou tendu vers l'avant
Mâle ou femelle   *P, É, A*

L'oiseau ébouriffe les plumes de son corps, élève les ailes et tend la tête vers l'avant.

Cri: Aucun.

Contexte: On observe ce mouvement pendant la défense du territoire et lorsque de nombreux oiseaux se nourrissent au même endroit. Les vachers se comportent de la même manière face aux autres espèces.

Communication auditive

1. Chant

Mâle   *P, É*

glouglougliiii   Il s'agit de plusieurs gloussements suivis d'une sorte de sifflement aigu et éraillé.

Contexte: En présence des femelles ou d'autres mâles, les mâles émettent le «chant» tout en exécutant le «faux plongeon».

2. Sifflement

Mâle   *P, É*

tsîîtsîît   Ce sifflement, long et éraillé, suit un registre légèrement ascendant. Il peut être accompagné de sifflements plus brefs et un peu moins aigus. Il dure entre deux et trois secondes.

Contexte: Les mâles sifflent sur leur perchoir ou en vol. Ce cri, très courant, leur permet peut-être de rester en contact.

3. Gazouillis

Femelle   *P, É, A*

tchtchtchtcht   Il s'agit d'une série de sons fluides, comme si l'oiseau bavardait.

Contexte: La femelle gazouille à diverses occasions, notamment lors de rencontres hostiles. Il est également possible que ce son permette aux oiseaux de rester en contact. (Voir *Le territoire, La cour.*)

4. Caquet

Mâle ou femelle   *P, É, A*

C'est un bruit sec et bref.   *tchoc*

Contexte: Il caractérise l'inquiétude ou signale la proximité d'un danger. On l'entend aussi parfois pendant que les oiseaux mangent.

DESCRIPTION DU COMPORTEMENT

Le territoire

Fonctions: Accouplement; nidification.
Dimensions: Entre 40 000 et 200 000 m².
Comportements habituels: Poursuites, «élévation du bec»; «gazouillis».
Durée de sa défense: Tout au long de la période de ponte.

Le comportement territorial du vacher est, pour une large part, inféodé à l'environnement. Par exemple, sur les terres agricoles du centre du continent, là où les «hôtes» qui peuvent accueillir les oeufs des vachers sont moins nombreux et se concentrent aux lisières des champs, les vachers ne présentent guère de comportement territorial. De petits vols de mâles restent à certains endroits tandis que les femelles rôdent à la recherche de nids dans lesquels elles pondront leurs oeufs.

Dans les forêts mixtes d'arbres à feuilles caduques, où les hôtes sont nombreux et largement dispersés, les vachers revendiquent un territoire. Les femelles reviennent au début du printemps pour se constituer un territoire de quarante mille à deux cent mille mètres carrés. Elles rivalisent avec d'autres femelles aux frontières de celui-ci avec l'«élévation du bec», le «cou tendu vers l'avant» et le «gazouillis». Elles s'efforcent de maintenir leurs rivales à distance, du moins le matin. Un peu plus tard dans la journée, tous les vachers de la région se retrouvent là où la nourriture abonde, peu importe que cet endroit soit ou non situé sur le territoire de l'un d'entre eux. Les mâles défendent leur partenaire contre les avances des autres mâles, mais ils ne défendent pas de territoire.

La cour

Comportements habituels: «Faux plongeon», «élévation du bec»; «chant».
Durée: De mars à juillet.

Le «régime matrimonial» des vachers varie en fonction de leur comportement territorial (voir *Le territoire*). Ceux qui vivent sur les terres agricoles du centre du continent ne revendiquent pas de territoire et s'accouplent un peu au hasard. Les mâles se regroupent en petits vols à la composition très lâche et occupent une aire de quatre-vingt mille à huit cent mille mètres carrés. Il est fréquent de voir ces mâles, perchés ou au sol, se livrer à toutes sortes de parades, dont le «faux plongeon», l'«élévation du bec» et le «chant», dans le but d'établir leur suprématie. Les femelles parcourent de vastes distances à la recherche de nids pour déposer leurs oeufs et, lorsqu'elles sont prêtes à s'accoupler et à pondre, elles font des avances au mâle dominant de la région. Par conséquent, chaque femelle s'accouple habituellement avec un certain nombre de mâles.

Dans les régions boisées composées de feuillus de l'Est, les femelles occupent des territoires fixes et ce sont les mâles qui rôdent. Le «régime matrimonial» alors en vigueur est la monogamie. Les mâles rivalisent à l'aide du «faux plongeon», de l'«élévation du bec» et du «chant» pour établir leur suprématie sur le territoire d'une femelle.

Le mâle dominant entreprend alors de «garder» la femelle en la suivant partout. Lorsque d'autres mâles s'approchent, il s'interpose entre eux et sa partenaire en exécutant le «faux plongeon», accompagné du «chant» et de l'«élévation du bec». Ces manifestations incitent généralement le fâcheux à battre en retraite. L'occupant exécute alors un plongeon en direction de la femelle qui, si elle est réceptive, s'accouple avec lui. Sinon, elle le repousse avec le «gazouillis» et le «cou tendu vers l'avant». La raison pour laquelle le mâle surveille étroitement «sa» compagne est que cette dernière peut s'accoupler avec n'importe quel mâle qui s'approche d'elle. La cour se poursuit tout au long de la ponte, soit jusqu'en plein été.

Le mâle et la femelle communiquent parfois à l'aide du «gazouillis» et du «sifflement» lorsqu'ils s'envolent et se posent. En général, le matin, la femelle recherche des nids hôtes et elle semble préférer se livrer seule à cette occupation, montrant de l'agressivité envers tout mâle qui manifeste l'envie de la suivre.

La nidification

Les femelles pondent dans les nids des autres oiseaux. Leur problème n'est donc pas de construire un nid mais d'en trouver. On a découvert que les vachers pouvaient parasiter les nids de plus de cent cinquante espèces d'oiseaux, mais ils semblent préférer ceux des parulines, des viréos, des moucherolles et des roselins. Vous trouverez à la fin de cette rubrique la liste de leurs hôtes préférés.

C'est surtout le matin que la femelle part à la recherche de nids, généralement seule. Elle dispose pour cela de plusieurs méthodes. L'une de ses préférées consiste à se percher assez haut dans les arbres afin de surveiller silencieusement les activités des autres oiseaux.

Il peut aussi lui arriver de se déplacer parmi les buissons ou les arbres, là où d'autres oiseaux construisent activement leur nid. Elle marche ou vole très bas sous les taillis. Enfin, elle peut exécuter de nombreuses allées et venues dans les buissons, faisant du bruit et battant des ailes. Cette tactique est destinée à effrayer les oiseaux nidificateurs, les obligeant à trahir l'emplacement de leur nid.

Du point de vue de l'ornithologue amateur, il est certain que les vachers femelles possèdent un extraordinaire sens de l'observation, car elles sont constamment obligées de chercher de nouveaux nids, tout au long de la saison de la ponte.

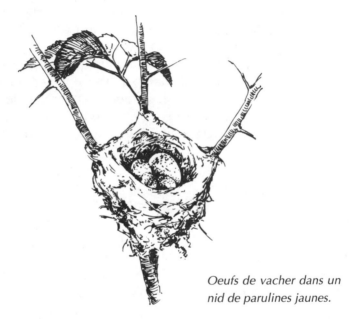

Oeufs de vacher dans un nid de parulines jaunes.

INDICES DE COMPORTEMENT

Pour découvrir un oeuf de vacher, vous devrez observer les mouvements de la femelle. Vous trouverez ci-dessous la liste des espèces les plus souvent parasitées. Beaucoup d'entre elles font l'objet d'un chapitre de ce livre ou du tome précédent et il vous suffit de lire la partie consacrée aux habitudes de nidification des espèces en question pour apprendre à découvrir leur nid.

Moucherolle phébi (tome II)
Grive des bois (tome II)
Grive fauve
Viréo aux yeux rouges (tome I)
Viréo mélodieux
Paruline (fauvette) jaune (tome II)
Paruline (fauvette) couronnée
Paruline (fauvette) masquée
Paruline (fauvette) polyglotte

Paruline (fauvette) flamboyante
Carouge à épaulettes (tome I)
Cardinal (tome II)
Passerin (bruant) indigo (tome II)
Tohi à flancs roux (tohi commun) (tome II)
Bruant familier (tome II)
Pinson (bruant) chanteur (tome I)

Sachez toutefois qu'en dépit de la multitude d'oeufs pondus, les populations de vachers ne croissent pas plus vite que les autres espèces, car seul un nombre infime des oeufs pondus par une femelle éclosent et se rendent à maturité en raison de la prédation et des réactions de rejet des hôtes.

Les vachers pondent après que l'espèce hôte a elle-même commencé à pondre. Il arrive cependant que leurs oeufs soient les premiers dans le nid. La femelle vacher pond le matin, pendant que l'occupante du nid est absente. En général, les femelles vachers retirent du nid l'un des oeufs de l'hôte. Elles le mangent et emportent les coquilles avant de pondre leur propre oeuf. Dans les régions où elles n'ont pas de territoire (voir *Le territoire*) ou lorsque plusieurs territoires se chevauchent, il peut arriver que plus d'une femelle vacher ponde dans le même nid.

Les hôtes réagissent de diverses manières. Certains reconnaissent l'oeuf étranger, y percent un trou et le retirent du nid. Ce comportement est caractéristique des merles et des moqueurs. D'autres espèces sont plutôt portées à abandonner le nid ou à en construire un autre juste au-dessus. C'est généralement ce que font les parulines jaunes et les moucherolles phébi. D'autres oiseaux acceptent l'oeuf de vacher et élèvent l'oisillon étranger comme l'un des leurs. Cela est vrai pour la plupart des espèces énumérées dans la rubrique précédente.

L'éducation des oisillons

Oeufs: Généralement 1 par nid d'hôte; blanc cassé avec des taches brunâtres.
Incubation: De 10 à 13 jours.
Première phase de croissance: De 9 à 11 jours.
Seconde phase de croissance: Inconnue.

Ponte et incubation

Après qu'une femelle vacher a pondu un oeuf dans le nid d'un autre oiseau, elle n'a plus rien à faire puisque c'est ce dernier qui se charge de l'incubation et de l'éducation des oisillons. Chaque femelle pond en moyenne quarante oeufs par saison. En général, elle ne laisse pas plus d'un oeuf dans le même nid, peut-être pour éviter toute rivalité entre les petits vachers. On a remarqué qu'elle pondait chaque fois cinq ou six oeufs, à raison de un par jour, avant de faire une pause de quelques jours.

L'incubation d'un oeuf de vacher prend de dix à treize jours. Cette variation est attribuable aux habitudes de l'hôte. En général, l'oeuf de vacher éclôt un peu avant les autres, ce qui permet à l'oisillon de prendre de l'avance sur ses frères et soeurs adoptifs.

Première phase de croissance

Deux caractéristiques de la croissance des vachers leur permettent de parasiter avec succès les nids des autres oiseaux. Tout d'abord, la période d'incubation est généralement plus courte et, pendant les premières semaines qui suivent l'éclosion, la croissance des petits vachers se fait très rapidement. C'est pourquoi ils sont généralement beaucoup plus développés que les petits de l'hôte, obtiennent une plus grosse part de nourriture et, dans certains cas, expulsent purement et simplement les autres oisillons du nid.

Selon une croyance populaire, lorsqu'il y a un vacher dans un nid, aucun des autres oisillons ne peut survivre. De minutieuses études ont prouvé le contraire. En effet, les nids dans lesquels les vachers sont élevés produisent également de belles couvées. Une de ces études a démontré que la présence d'un vacher ne réduisait l'effectif de la couvée hôte que d'un seul oisillon.

La longueur de la première phase de croissance du petit vacher dépend de la capacité des parents adoptifs à le nourrir. Quoi qu'il en soit, le jeune vacher quitte généralement le nid avant les autres.

Seconde phase de croissance

C'est à ce stade que vous avez le plus de chances de reconnaître les jeunes vachers. Vous remarquerez probablement des oiseaux tout petits occupés à nourrir un énorme jeune. En outre, les jeunes vachers émettent constamment une sorte de bourdonnement, très spécifique. On ignore pour l'instant la durée de cette phase de croissance.

Le plumage

Comment différencier le mâle de la femelle

Leur plumage est très différent. Le mâle est noir avec une tête brune tandis que la femelle est gris-brun.

Comment distinguer les jeunes des adultes

Les jeunes ressemblent à la femelle, mais ils sont d'un brun un peu plus clair. Leur poitrine est légèrement rayée.

Mue

Les adultes muent complètement une fois par an, vers la fin de l'hiver ou au début du printemps.

Les déplacements saisonniers

Les vachers se rassemblent en grands vols à l'automne et au printemps pour migrer. Ils se joignent habituellement aux carouges, aux quiscales rouilleux et aux quiscales bronzés. La migration d'automne se poursuit de septembre à novembre, mais la majorité des oiseaux partent en octobre. Ils passent l'hiver dans le sud des États-Unis et en Amérique centrale. Certains demeurent dans des régions plus septentrionales, notamment le long des côtes.

La migration du printemps commence au début de mars et les oiseaux atteignent la région de reproduction dès les premiers jours d'avril.

Le comportement en société

Pendant la plus grande partie de l'année, les vachers passent la nuit dans de grands abris communautaires. En été, ils y sont la seule espèce, mais pendant les autres saisons, ils les partagent souvent avec d'autres espèces telles que les carouges à épaulettes, les quiscales bronzés, les moineaux domestiques et les étourneaux. Dans les régions du Sud où les oiseaux passent l'hiver, certains abris comptent jusqu'à près d'un million d'oiseaux, dont quatre cent mille sont des vachers. Lorsqu'ils arrivent au printemps, ils continuent parfois à passer la nuit en compagnie des carouges à épaulettes.

Le comportement autour des mangeoires

Les vachers sont très amusants à observer à proximité des mangeoires, car ils sont plutôt voraces et se nourrissent habituellement en commun. Les rivalités amoureuses et territoriales les incitent à se livrer constamment à des parades pendant la période de reproduction. Reportez-vous au «Guide de la communication» et aux rubriques consacrées au territoire et à la cour à cet effet.

Comportements habituels

Les oiseaux qui se nourrissent au sol ont tendance à élever le bec. Ne croyez pas qu'ils observent le ciel. Il s'agit simplement d'une forme de communication. Les mâles exécutent le «faux plongeon» et le «chant» face aux femelles et aux autres mâles. Pendant qu'ils mangent, ils peuvent parfois exécuter le «cou tendu vers l'avant» en signe d'agressivité.

Autres manifestations

Ces oiseaux se nourrissent ensemble et vous apercevrez parfois plus d'une femelle et de nombreux mâles autour de votre mangeoire. Vous entendrez le «sifflement» du mâle et le «gazouillis» de la femelle. Lorsqu'un danger les menace, les oiseaux lancent le «tchoc».

Oriole du nord [1]

Icterus galbula (Linné) / Northern Oriole

Dès leur arrivée dans la région de reproduction, les orioles du nord, débordants d'activité, illuminent de leurs brillantes couleurs la communauté des oiseaux. C'est comme si chaque rangée de grands arbres avait son couple d'orioles, occupés à tisser leur nid aux extrémités des branches tombantes, gazouillant et sifflant. On pourrait penser que des oiseaux aussi colorés et aussi bruyants sont bien connus mais, de toutes les espèces étudiées dans ce livre, ce sont peut-être ceux sur qui les chercheurs se sont le moins penchés. Par conséquent, des observations minutieuses s'imposent afin d'en apprendre davantage sur leur comportement et leurs différents types de communication, tant auditive que visuelle.

L'oriole du nord appartient au petit groupe des espèces dont mâles et femelles chantent, à l'instar des cardinaux, des grives des bois, des tangaras écarlates et des gros becs à poitrine rose. Le mâle arrive le premier dans l'aire de reproduction et chante du haut de perchoirs bien en vue, situés sur son territoire. Entre voisins, on se livre fréquemment à des duels vocaux. Parfois, l'un des mâles imite le chant de son rival. Les intrus sont énergiquement expulsés et vous assisterez peut-être à cette occasion à l'«abaissement des ailes» accompagné du «gazouillis».

À l'arrivée de la femelle, le mâle commence par la prendre en chasse. Peu à peu, on assiste à d'autres manifestations telles que la «révérence» et le «vol avec chant». Après la pariade, les partenaires restent en contact à l'aide de courtes phrases du «chant», du «gazouillis» et du cri «ouîît-ouîît».

---

1. En Amérique du Nord, il existe deux races d'oriole du nord: la race de l'Est ou «oriole de Baltimore» et la race de l'Ouest ou «oriole à ailes blanches». Dans les régions centrales, les deux races s'hybrident. *(N. D. T.)*

Peut-être connaît-on surtout, de l'oriole du nord, son merveilleux nid suspendu. Il est bâti par la femelle, peu après son arrivée, à l'aide de fibres qu'elle arrache aux tiges des plantes, notamment aux vieilles asclépiades. Le nid, suspendu à l'extrémité d'une branche, se balance de manière alarmante au vent, mais il est extrêmement solide et reste parfois en place tout l'hiver. À l'automne, après la chute des feuilles, il devient plus facile à repérer. Vous serez éberlué de constater combien de couples d'orioles ont niché dans des endroits que vous avez traversés et retraversés tout l'été.

CALENDRIER DU COMPORTEMENT

	TERRITOIRE	COUR	NIDIFICATION	ÉDUCATION DES OISILLONS	PLUMAGE	DÉPLACEMENTS SAISONNIERS	COMPORTEMENT EN SOCIÉTÉ
JANVIER							
FÉVRIER							
MARS							
AVRIL	■					■	
MAI	■	■	■	■			
JUIN	■		■	■	■		
JUILLET	■			■	■		
AOÛT					■	■	
SEPTEMBRE					■	■	
OCTOBRE							
NOVEMBRE							
DÉCEMBRE							

GUIDE DE LA COMMUNICATION

Communication visuelle

1. Révérence

Mâle   *P, É*

L'oiseau se penche vers l'avant à plusieurs reprises, abaissant la tête pour
montrer son dos orange. Il peut arriver
que ses ailes, sa queue ou les deux
soient légèrement déployées.

Cri: Version mélodique du «chant».

Contexte: Le mâle fait la révérence devant une femelle qu'il courtise. (Voir *La
cour.*)

2. Abaissement des ailes

Mâle ou femelle   *P, É, A*

L'oiseau abaisse les ailes bien en dessous du niveau de la queue, qui est parfois légèrement relevée.

Cri: «Gazouillis» ou aucun.

Contexte: On observe ce mouvement
pendant les affrontements. Il arrive
qu'une femelle l'exécute face à son
partenaire pendant les premiers jours
de la cour. (Voir *Le territoire, La cour.*)

3. Vol avec chant

Mâle   *P, É*

L'oiseau vole de manière saccadée,
lentement, en déployant les ailes et la
queue.

Cri: Version mélodique du «chant».

Contexte: Cette parade se produit pendant la cour ou les conflits territoriaux.
Le mâle l'exécute parfois en présence

d'une femelle. (Voir *Le territoire, La cour.*)

Communication auditive

1. Chant
Mâle ou femelle   P, É

Il s'agit d'une série ininterrompue de quatre à huit notes sifflées. Certaines sont émises sur le même registre, tandis que d'autres sont légèrement brouillées. Parfois, elles sont plus mélodieuses et rappellent le chant du merle d'Amérique.

Contexte: Les mâles chantent pendant les revendications territoriales et les oiseaux des deux sexes chantent pendant la cour. Les mâles s'affrontent en duels vocaux à l'aide du «chant», chaque oiseau s'efforçant d'imiter l'autre. Dans sa version mélodique, le «chant» accompagne habituellement les parades visuelles du mâle. (Voir *Le territoire, La cour.*)

2. Gazouillis
Mâle ou femelle   P, É

tchtchtchtcht Le gazouillis consiste en une série rapide de notes sèches.

Contexte: Les oiseaux l'émettent pendant les affrontements et lorsqu'ils s'approchent du nid. On l'entend aussi dans les moments d'inquiétude. (Voir *Le territoire, La cour, L'éducation des oisillons.*)

3. Ouîît

Mâle ou femelle   *P, É*

Il s'agit d'un sifflement isolé, émis sur un   *ouîît*
registre ascendant et quelque peu
brouillé. Il est bref et parfois assez doux.
Contexte: Il permet aux oiseaux de
coordonner leurs activités autour du nid
et leur sert peut-être à rester en contact. (Voir *L'éducation des oisillons.*)

4. Cri d'alarme

Mâle ou femelle   *P, É*

Vous entendrez deux notes claires, la   *tiitou tiitou*
première souvent plus aiguë que la se-
conde.
Contexte: Les oiseaux lancent ce cri
lorsqu'un danger menace le nid, notamment si des corneilles ou d'autres
prédateurs s'en approchent. (Voir
L'éducation des oisillons.)

5. Cris des jeunes

Mâle ou femelle   *É*

Pendant qu'on les nourrit, les petits lancent une série rapide de «sîîsîîsîîsîî», sur
un registre soit descendant, soit ascendant. Le reste du temps, ils peuvent
émettre un doux «piip» qui rappelle le
cri des oiseaux de rivage.

DESCRIPTION DU COMPORTEMENT

Le territoire

Fonctions: Accouplement; nidification; subsistance.
Dimensions: Quelques milliers de mètres carrés.
Comportements habituels: «Chant», «gazouillis»; poursuites.
Durée de sa défense: De l'arrivée du mâle à la fin du cycle de reproduction.

Les mâles arrivent dans l'aire de reproduction vers la fin du printemps et commencent par réclamer l'exclusivité de leurs territoires, souvent les mêmes que ceux de l'année précédente. On les repère facilement grâce à leur «chant», sifflé et clair, ainsi qu'à leur plumage orange, noir et blanc.

Leurs territoires sont exigus, ne recouvrant parfois que quelques milliers de kilomètres, et souvent adjacents à ceux de leurs congénères. Les mâles chantent du haut de perchoirs situés sur leur fief et se livrent souvent à des duels vocaux avec leurs voisins. On a parfois l'impression qu'ils imitent le chant de leur rival. En effet, le «chant» des orioles se ressemble beaucoup à l'intérieur d'une région donnée, mais peut différer beaucoup d'une région à l'autre. Quoi qu'il en soit, les intrus sont expulsés et les poursuites sont parfois agrémentées du «gazouillis». Pendant les trêves, l'un des oiseaux (ou les deux) peut exécuter l'«abaissement des ailes». Il est également possible que le «vol avec chant» (l'oiseau vole lentement en chantant, ailes et queue déployées) soit une forme de revendication territoriale, mais la preuve n'en est pas encore faite.

Les femelles participent à la défense du territoire dès leur arrivée, chassant les autres femelles qui s'y aventurent.

La cour

Comportements habituels: Poursuites, «révérence», «abaissement des ailes»; «gazouillis».
Durée: De l'arrivée de la femelle à l'incubation.

La cour commence dès qu'une femelle apparaît sur le territoire d'un mâle, ce dernier s'empressant de la prendre en chasse, allant parfois jusqu'à l'expulser du perchoir qu'elle a choisi. Mais quelques heures plus tard, les deux oiseaux se perchent à proximité l'un de l'autre. Le mâle sautille avec excitation d'une branche à l'autre tandis que la femelle émet le «gazouillis» en exécutant l'«abaissement des ailes». Si elle s'envole, le mâle la suit.

Un peu plus tard, vous verrez le mâle faire la «révérence». Il se pose à côté de sa compagne, la salue très bas et relève la tête, recommençant parfois ce petit manège à plusieurs reprises. Pendant ce temps, il peut déployer la queue et les ailes, ponctuant ses mouvements d'une version mélodique du «chant». Le mâle se livre parfois au «vol avec chant» pour faire sa cour à la femelle.

La nidification

Emplacement du nid: Entre 1,80 et 18 m au-dessus du sol; généralement à l'extrémité d'une branche.
Dimensions: Entre 9 et 20 cm de longueur.
Matériaux: Fibres arrachées aux plantes, ficelle, crin, écorce de vigne, herbe, tillandsie.

Les orioles sont aussi connus pour leurs nids que pour n'importe quelle autre caractéristique de leur comportement. Ce dernier ressemble à un sac tissé, suspendu à l'extrémité d'une branche tombante. Vous n'aurez pas de difficulté à le repérer en hiver, notamment s'il pend au-dessus d'une route. Il est toujours intéressant de compter combien de couples d'orioles ont niché dans notre région, même si nous ne leur avons guère prêté attention pendant la saison de reproduction.

En général, c'est la femelle qui bâtit le nid. Pour commencer, quelques longues fibres sont fixées à une branche pour être ensuite attachées en dessous. Par la suite, elle va chercher d'autres fibres qu'elle ramène, une à la fois, afin de les pousser d'un côté. Et puis, se plaçant de l'autre côté, elle les tire au hasard. Bien que ces gestes ne trahissent aucune compétence particulière en matière de tissage, la femelle n'en réussit pas moins à fabriquer une grosse poche suspendue. Ensuite, entrant dans le nid par l'ouverture située au sommet, elle le tapisse de matériaux fins tels que des plumes, de l'herbe, de la laine, du duvet de saule ou de pissenlit. Il lui faut entre cinq et huit jours pour achever son oeuvre. Les orioles bâtissent habituellement un nouveau nid chaque année, mais certains observateurs les ont vus parfois en restaurer un déjà existant. Pour construire leur nouveau nid, ils utilisent souvent des matériaux en provenance de leurs nids désaffectés ou de ceux des autres oiseaux.

Pendant que la femelle travaille, le mâle reste à proximité, chantant et gazouillant. Parfois, il s'approche du nid pour toucher les matériaux. La femelle fait entendre des fragments du «chant» et le «gazouillis» pendant qu'elle s'adonne à ses activités de construction.

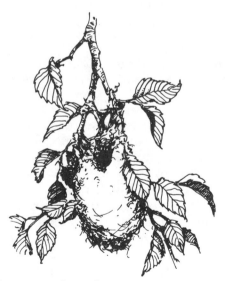

Comment découvrir le nid
Emplacement: Dans les grands arbres, notamment ceux qui ont des branches tombantes, au bord des routes ou en lisière des bois.
Saison: Au printemps, dès l'arrivée des oiseaux.

INDICES DE COMPORTEMENT
1. Repérez une femelle qui transporte des matériaux tels que des fibres végétales. Vous pouvez aussi mettre certains matériaux à sa disposition, par exemple de la ficelle blanche ou de couleur neutre, et attendre qu'elle vienne les chercher.
2. Trouvez le territoire d'un oriole en étant attentif à ses chants et à ses cris, et en surveillant ses allées et venues. Ces oiseaux sont faciles à repérer grâce à leur plumage coloré et aux bruits ininterrompus — «chant» et «gazouillis» — qui ponctuent leur saison de reproduction.

L'éducation des oisillons

Oeufs: De 4 à 6; bleuâtres ou grisâtres avec des taches brunes disséminées çà et là.
Incubation: De 12 à 14 jours; seule la femelle incube.
Première phase de croissance: De 12 à 14 jours.
Seconde phase de croissance: 1 semaine ou plus.
Couvée: 1.

Ponte et incubation
La femelle, après avoir pondu un oeuf par jour, se charge d'incuber sa couvée. Pendant ce temps, le mâle flâne sur le territoire, lançant le «chant» et le «gazouillis» à l'approche d'un danger. La femelle lui répond parfois du nid par des fragments du «chant» ou le doux «ouîît». Chaque fois qu'elle arrive au nid ou en repart, elle émet soit le gazouillis, soit le cri «ouîît». C'est pourquoi, si vous entendez ces bruits, vous avez de bonnes chances de découvrir le nid.

Première phase de croissance
Les petits restent dans le nid de douze à quatorze jours, pendant lesquels ils sont nourris par leurs parents. Au bout d'une semaine, ils commencent à pépier de plus en plus énergiquement. Lorsqu'ils sont prêts à quitter le nid, ils peuvent s'accrocher quelques instants à l'extérieur de celui-ci et s'amuser à y entrer et à en sortir.
Tout comme pendant l'incubation, les parents n'hésitent guère à se faire entendre au voisinage du nid. Tous deux lancent des fragments du «chant», émettent le «gazouillis» ou le «ouîît» en entrant et en sortant du nid.

L'un ou l'autre des adultes sort les poches fécales du nid.

Seconde phase de croissance

Les jeunes orioles sont tout aussi bruyants en dehors du nid qu'ils l'étaient au-dedans. Ils suivent leurs parents, mendient leur nourriture avec force pépiements et continuent d'être alimentés par ces derniers pendant au moins une semaine, parfois plus. Leurs cris varient mais ils sont toujours extrêmement sonores. Reportez-vous à cet effet au «Guide de la communication».

La femelle quitte parfois sa progéniture quelques jours plus tôt que le mâle, lorsque sa mue commence. Elle en profite pour rôder un peu partout. Le mâle continue de prendre soin des jeunes pendant une semaine ou deux, jusqu'à ce qu'ils soient autonomes. Ensuite, ils quittent le lieu de leur naissance pour migrer vers le Sud. Les mâles adultes, en revanche, demeurent sur leur territoire de reproduction jusqu'à la fin de la mue. C'est seulement lorsqu'elle est complétée, vers la fin de l'été, qu'ils prennent le chemin du Sud.

Le plumage

Comment différencier le mâle de la femelle

Le mâle est orange vif. La partie antérieure de son dos, ses ailes et sa tête sont noires. La femelle est jaune orangé, avec la partie antérieure du dos, les ailes et parfois la tête brun olivâtre. Elle possède deux barres alaires blanches tandis que le mâle n'en possède qu'une. Il est difficile de distinguer les mâles âgés de un an des femelles, car leur tête et leurs ailes sont encore brun olivâtre.

Comment distinguer les jeunes des adultes

Si les jeunes sont difficiles à distinguer des femelles adultes, leur ventre très pâle et des barres alaires de couleur fauve les différencient néanmoins.

Mues

Les adultes muent complètement une fois par an, en août et en septembre, parfois plus tôt dans le cas des femelles. Les jeunes oiseaux subissent une mue additionnelle au printemps suivant leur naissance. Dès leur premier automne, ils adoptent le même «programme» de mue que les adultes.

Les déplacements saisonniers

En août, les femelles et les jeunes oiseaux se dirigent en flânant en direction du Sud avant d'avoir achevé leur mue. Les mâles sont plutôt portés à rester sur leur territoire jusqu'à la fin de celle-ci. La migration d'automne se produit en août et en septembre.

La plupart des orioles du nord hivernent en Amérique centrale et dans les régions septentrionales de l'Amérique du Sud. Ils capturent les insectes qui parasitent les feuilles et sont également friands de nectar de fleurs. Certaines études suggèrent que les mâles défendent des territoires de subsistance en hiver.

Depuis quelques années, une proportion croissante d'orioles du nord reste en Amérique du Nord, notamment le long de la côte atlantique. Vous ne manquerez pas d'apercevoir ces résidents à proximité de vos mangeoires. Ils sont friands d'oranges et de plusieurs autres fruits, de beurre d'arachide et de mélanges à base de semoule de maïs et de graisse. Ils adoptent de préférence les régions où abondent arbres et buissons semper virens à larges feuilles.

C'est en avril que commence la migration printanière et, vers la mi-mai ou, au plus tard à la fin de mai, la majorité des orioles ont réintégré leur aire de reproduction. Les mâles semblent arriver quelques jours avant les femelles.

Tangara écarlate

Piranga olivacea (Gmelin) / Scarlet Tanager

À l'instar de nombreux oiseaux qui vivent sous le couvert de la forêt, les tangaras écarlates sont plus communs qu'on ne le croit. C'est en les écoutant que vous prendrez conscience de leur nombre. Le mâle chante avec ardeur et les oiseaux des deux sexes lancent le cri «tchip-beûrr» dès qu'ils sont dérangés. Avec un peu d'attention, vous ne tarderez pas à les voir. Le mâle est facile à repérer, avec son corps écarlate ourlé d'ailes et d'une queue noires. En revanche, la femelle risque de mettre à rude épreuve votre talent d'observateur, car elle est exactement de la même couleur que les feuilles printanières gorgées de soleil parmi lesquelles elle se nourrit et bâtit son nid.

Pendant la cour et la nidification, les deux partenaires ne se quittent guère. Par conséquent, ce sont les vives couleurs du mâle qui vous aideront à repérer la femelle. Vous la verrez surtout le matin pendant qu'elle s'occupe de construire son nid, voletant au ras du sol pour recueillir de l'herbe, des brindilles et de minuscules racines. Elle ne semble pas répugner à être vue pendant qu'elle s'efforce d'arracher des brins d'herbe ou de tailler des brindilles. C'est également à ce stade que vous aurez de bonnes chances de surprendre la copulation, activité fréquente chez cette espèce qui s'y livre du haut de perchoirs bien en vue. La femelle peut interrompre n'importe laquelle de ses occupations pour faire des avances au mâle. Elle se recroqueville, bat des ailes et lance un cri aigu, très doux, à plusieurs reprises.

Les jeunes sont faciles à distinguer des adultes, car ils n'arborent pas les couleurs vives de leurs aînés. Leur plumage est brunâtre, légèrement rayé. Vers la fin de l'été, les adultes subissent une mue complète. Une autre mue se produit au printemps et, pendant quelques jours, le mâle est gaiement bigarré de rouge et de jaune; pendant l'hiver, il revêt un plumage jaune verdâtre. Vers la fin de l'été, la mue achevée, il ressemble à la femelle, à la différence que ses ailes et sa queue sont noires plutôt que brunes.

CALENDRIER DU COMPORTEMENT

	TERRITOIRE	COUR	NIDIFICATION	ÉDUCATION DES OISILLONS	PLUMAGE	DÉPLACEMENTS SAISONNIERS	COMPORTEMENT EN SOCIÉTÉ
JANVIER							
FÉVRIER							
MARS					■		
AVRIL	■	■			■		
MAI	■	■	■	■	■		
JUIN	■	■	■		■		
JUILLET	■				■		
AOÛT					■		
SEPTEMBRE					■	■	
OCTOBRE					■	■	
NOVEMBRE							
DÉCEMBRE							

GUIDE DE LA COMMUNICATION

Communication visuelle

1. Frémissement d'ailes

Femelle   P, É

L'oiseau se recroqueville, élève légèrement le bec et fait frémir ses ailes
contre son corps.

Cri: Son doux et répété.

Contexte: La femelle adopte cette posture lorsqu'elle est prête à copuler et
lorsqu'elle reçoit sa nourriture du mâle
pendant la cour. (Voir *La cour.*)

2. Abaissement des ailes et élévation de la queue

Mâle ou femelle   P, É

L'oiseau abaisse les ailes, exposant — s'il
s'agit du mâle — son dos écarlate, et
élève la queue. Il lance un cri tout en
battant de la queue.

Cris: «Tchip» ou «tchip-beûrr».

Contexte: Les mâles adoptent cette
posture pendant les querelles territoriales. Cette parade caractérise également, chez les oiseaux des deux sexes,
les rencontres hostiles ou l'imminence
d'un danger. (Voir *Le territoire.*)

3. Abaissement des ailes

Mâle   P, É

L'oiseau abaisse les ailes en volant au
ras du sol. Contrairement à ce qui se
passe quand il accomplit le mouvement précédent, l'oiseau tient la
queue baissée et n'émet aucun son. Le

contexte à l'origine de cette attitude est différent, lui aussi, de la parade précédente.

Cri: Aucun.

Contexte: Le mâle adopte cette posture lorsque la femelle vole au-dessus de lui, à une hauteur qui peut aller de trois à six mètres. (Voir *La cour.*)

Communication auditive

1. Chant

Mâle ou femelle   *P, É*

djiiyit djiiya   Il s'agit d'une série de cinq à neuf siffle-
djiiyou djiiyet ments légèrement rauques, qui donnent l'impression d'entendre un merle d'Amérique à la voix enrouée.

Contexte: Le mâle chante tout au long de la période de reproduction et la femelle, à l'occasion, se joint au concert. (Voir *Le territoire, La cour.*)

2. Tchip-beûrr

Mâle ou femelle   *P, É, A*

tchip beûrr   Ce cri bref est constitué de deux notes
tchip beûrr   très distinctes.

Contexte: Les oiseaux lancent ce cri dès que quelque chose les perturbe. En outre, vous pouvez l'entendre à l'aurore et au crépuscule sans raison apparente. Il accompagne parfois des fragments du «chant».

3. Tchip

Mâle ou femelle   *P, É, A*

Il s'agit simplement d'un «tchip» très bref et très sec.

Contexte: Les oiseaux émettent ce cri lorsqu'ils sont inquiets ou à l'approche d'un danger. Un battement de queue l'accompagne parfois.

4. Sîî

Mâle ou femelle   *P, É*

C'est une note très longue, très aiguë, qui s'élève légèrement à la fin.

Contexte: Lorsque le couple est réuni, l'un des partenaires émet parfois ce cri avec douceur. On l'entend surtout au début de la saison de reproduction. (Voir *La cour.*)

5. Tsiiya

Mâle ou femelle   *P, É*

Il s'agit d'un sifflement bref, un peu sec, dont la dernière note est émise sur un registre descendant.

Contexte: Les oiseaux lancent ce cri lorsqu'ils sont à proximité du nid. Il s'agit peut-être d'un signal annonçant l'échange de nourriture avec les oisillons.

DESCRIPTION DU COMPORTEMENT

Le territoire

Fonctions: Nidification; accouplement; subsistance.
Dimensions: De 8 000 à 24 000 m².
Comportements habituels: «Chant», tchip», «tchip-beûrr»; «abaissement des ailes et élévation de la queue», poursuites.
Durée de sa défense: De l'arrivée dans la région de reproduction jusqu'à la fin de la première phase de croissance des petits.

Les mâles arrivent quelques jours avant les femelles et commencent aussitôt à limiter leurs activités à un territoire de quelques milliers de mètres carrés. Ils chantent presque toute la journée du haut des perchoirs les plus élevés, ne les quittant que pour chercher leur nourriture. Entre voisins, ils se livrent à de fréquents duels vocaux.

Les querelles territoriales incitent généralement les mâles à raccourcir le «chant» qui devient alors plus trépidant. Ils le font alterner avec des «tchip» et des «tchip-beûrr». Pendant ces escarmouches, on peut apercevoir l'«abaissement des ailes et élévation de la queue», notamment chez le mâle dominant. De courtes poursuites, destinées à expulser les intrus, se produisent fréquemment.

La cour

Comportements habituels: «Sîî», «chant»; «abaissement des ailes», copulation, transfert de nourriture.
Durée: De l'arrivée de la femelle jusqu'à la première phase de croissance des oisillons.

La femelle arrive sur le territoire quelques jours après le mâle. Elle se comporte généralement avec discrétion, mais vous devinerez sa présence en observant ce dernier: il passe alors moins de temps haut perché et son «chant» s'atténue. Il suit la femelle, explorant avec elle les buissons et les arbres au son du doux «sîî». Si la femelle s'aventure en dehors du territoire, le mâle la harcèle jusqu'à ce qu'elle le réintègre.

Vers cette époque, le mâle adopte fréquemment une attitude assez discrète, soit l'«abaissement des ailes», exposant de cette manière les plumes rouges de son dos. Il exécute cette parade à environ un mètre du sol, sautillant sous la femelle perchée à une hauteur de six mètres au-dessus de lui. Les deux partenaires restent silencieux et la femelle semble suivre le mâle dans ses déplacements.

Ce comportement prélude parfois à la copulation, mais c'est généralement la femelle qui fait les premiers pas en s'envolant vers un perchoir horizontal bien en vue; elle frémit des ailes, élève la tête et lance à plusieurs reprises un doux cri que l'on n'entend que de très près. Le mâle vient alors planer au-dessus d'elle et accomplit la copulation sans cesser de planer. Celle-ci ne dure que quelques secondes, mais peut être répétée aussitôt. L'accouplement est fréquent et facile à observer, du moins jusqu'à la première phase de croissance des oisillons. Par exemple, vous pourrez l'apercevoir alors que vous étudiez un autre aspect du comportement des tangaras tel que la nidification ou l'éducation des petits. Il se produit généralement dans un rayon de douze à quinze mètres du nid.

Chez les tangaras écarlates, mâles et femelles chantent. Il est généralement impossible de distinguer leur chant, mais on a remarqué que, très souvent, celui de la femelle était plus doux et plus court. Elle chante principalement lorsqu'elle recueille des matériaux pour le nid ou récolte sa nourriture. Il lui arrive de chanter sans interruption, mais elle fait souvent alterner son chant avec celui du mâle. On ne sait pas exactement quelle fonction il remplit, bien qu'on suppose qu'il permet aux oiseaux de rester en contact lorsqu'ils se livrent à différentes activités.

Le transfert de nourriture est en général un élément important de la cour chez les oiseaux. Pour de nombreuses autres espèces, il marque l'ouverture de la saison de reproduction, remplissant des fonctions plus rituelles que pratiques. Par contre, chez les tangaras écarlates, il n'apparaît qu'après le début de l'incubation, assumée par la femelle. Elle exécute alors le «frémissement d'ailes», exactement comme dans le prélude à l'accouplement, et reçoit sa nourriture du mâle. Le transfert se produit soit dans le nid, soit à proximité et il cesse dès que les oeufs ont éclos.

La nidification

Emplacement du nid: Sur une branche horizontale où se sont accumulées de petites brindilles; entre 1,50 et 22 m au-dessus du sol (la moyenne se situe entre 6 et 9 m).
Dimensions: Diamètre intérieur de 6 cm environ; profondeur de 2,5 cm.
Matériaux: Brindilles, herbe, tiges, petites racines; parfois lamelles d'écorce et ficelle.

C'est la femelle qui construit le nid. Elle vole au sol pour recueillir de l'herbe et des tiges, les tirant avec son bec en battant des ailes pour les arracher. Chaque allée et venue ne dure que quelques minutes et c'est au cours de la première moitié de la matinée qu'elle travaille le plus. Pendant ce temps, le mâle l'accompagne ou chante du haut de perchoirs situés au coeur de la forêt. On entend parfois la femelle chanter pendant qu'elle récolte ses matériaux, ou encore pousser le cri «sîî». Il lui faut entre trois et sept jours pour achever son oeuvre. À la moindre alerte à proximité du nid, l'un ou l'autre des futurs parents se rapproche en lançant le «tchip-beûrr».

Tout en observant la construction du nid, vous assisterez peut-être à la copulation. La femelle interrompt brusquement ses activités, exécute le «frémissement d'ailes» sur un perchoir à proximité du nid et attend que le mâle vienne la rejoindre. Ensuite, elle reprend son travail.

Comment découvrir le nid
Emplacement: Dans les forêts d'arbres mûrs à feuilles caduques.
Saison: Vers la fin du printemps et au début de l'été.

INDICES DE COMPORTEMENT
1. Écoutez le chant du mâle ou de la femelle pour cerner les limites de leur territoire.
2. Commencez à surveiller les activités de la femelle, notamment le matin, quelques jours après son arrivée.

L'éducation des oisillons

Oeufs: Une moyenne de 4; turquoise pâle, irrégulièrement mouchetés de brun.
Incubation: De 12 à 14 jours; seule la femelle incube.
Première phase de croissance: De 9 à 10 jours.
Seconde phase de croissance: Environ 2 semaines.
Couvée: 1.

Ponte et incubation
La femelle pond un oeuf par jour et commence à couver aussitôt que le dernier a été déposé dans le nid. Elle se charge seule de l'incubation, changeant fréquemment de position dans le nid et se posant régulièrement sur le rebord pour retourner les oeufs avec son bec. Elle quitte le nid de temps à autre pour se nourrir seule ou pour rejoindre le mâle qui s'empresse de lui offrir à manger lorsqu'elle adopte le «frémissement d'ailes». Le mâle s'approche du nid, parfois en l'absence de sa compagne, d'autres fois dans le but de la nourrir. Ses visites ne durent habituellement que quelques secondes. Il passe le reste du

temps à explorer le territoire, à chanter et à expulser les tangaras mâles qui osent s'y aventurer. La quantité de nourriture qu'il offre à sa compagne pendant l'incubation varie énormément d'un couple à l'autre. Chez certains, le transfert est presque inexistant.

Première phase de croissance
La première phase de croissance est relativement courte puisqu'elle ne se prolonge pas au-delà de neuf ou dix jours. Les oisillons restent à l'abri sous le corps de leur mère pendant quelques jours. C'est le mâle qui se charge alors d'apporter la nourriture au nid. Parfois il la donne directement aux oisillons, parfois il l'offre à la femelle qui la mange ou la présente à sa progéniture. Pendant la nuit, elle garde les petits sous son ventre. Dès le quatrième ou le cinquième jour, vous pourrez entendre les abords du nid résonner des piaillements des oisillons au moment des «goûters». Ceux-ci sont offerts aux petits à un intervalle de dix minutes et la quantité de nourriture que chaque parent apporte au nid varie d'un couple à l'autre. Pendant la première moitié de cette phase, les parents mangent les poches fécales. Ensuite, ils les emportent en dehors du nid.

Seconde phase de croissance
Les oisillons restent à proximité du nid pendant les deux semaines qui suivent leur première envolée. Ils sont nourris par les parents et se montrent extrêmement loquaces. Les rayures sombres de leur plumage contrastent avec les couleurs vives des adultes, au point que, lorsqu'on les aperçoit en compagnie de leurs parents, on croit facilement être en présence de deux espèces différentes.

Le plumage

Comment différencier le mâle de la femelle
En été, le mâle a un plumage écarlate, à l'exception des

ailes et de la queue qui sont noires. Été comme hiver, la femelle arbore le même plumage: son ventre et sa poitrine sont jaunâtres, son dos et sa tête sont vert olive, alors que ses ailes et sa queue sont brunes. En revanche, le mâle acquiert pour l'hiver les mêmes couleurs que sa compagne à la différence que ses ailes et sa queue sont noires.

Comment distinguer les jeunes des adultes
Les jeunes ont un dos brun et légèrement rayé, alors que leur poitrine et leur ventre sont blanchâtres, rayés de brun.

Mues
Les tangaras muent deux fois par an. Vers la fin de l'été ou au début de l'automne (de juillet à octobre), ils muent complètement. Une mue partielle des plumes du corps se produit au printemps. Pendant leur mue, les mâles présentent un merveilleux plumage d'apparence exotique, mi-rouge, mi-jaune.

Les déplacements saisonniers

La migration d'automne se déroule en septembre et en octobre. Les oiseaux voyagent seuls ou par petits groupes. Ils sont toujours extrêmement discrets. On pense qu'ils traversent le golfe du Mexique pour passer l'hiver dans le nord-ouest de l'Amérique du Sud. En avril et en mai, ils remontent, toujours aussi discrètement, par petits groupes, vers les régions nordiques.

Cardinal
(aussi appelé «cardinal rouge»)
Cardinalis cardinalis (Linné) / Northern Cardinal

Le cardinal se classe parmi les favoris des observateurs et ce choix se justifie aisément. Le plumage écarlate du mâle et les couleurs nuancées de la femelle, alliés à leur chant mélodieux, en font d'adorables sujets d'observation en toute saison.

Mâles et femelles chantent tout aussi harmonieusement, contrairement à la croyance populaire selon laquelle seuls les mâles chantent. Le «chant», composé de plusieurs phrases musicales différentes, est un élément important de l'existence des cardinaux. Au cours des échanges vocaux, l'un des oiseaux répète à plusieurs reprises une phrase musicale que l'autre imite à son tour. Ensuite, l'oiseau dominant en chante une nouvelle, que son congénère imite de nouveau. Ces concerts sont utiles pour coordonner les activités d'un couple. Lorsqu'ils opposent deux mâles, ils servent à régler les conflits territoriaux.

Vous apercevrez, à proximité de votre mangeoire, le transfert de nourriture, maillon capital de la relation du couple. Le mâle recueille un morceau, sautille vers la femelle et leurs becs entrent fugitivement en contact tandis qu'elle accepte l'offrande. Si un couple se livre au transfert de nourriture à proximité de votre mangeoire, il est probable que leur nid n'est pas loin. Vous n'aurez pas de difficultés à le repérer (voir *La nidification)* et vous pourrez ensuite y observer le transfert de nourriture jusqu'à la fin de la période d'incubation.

CALENDRIER DU COMPORTEMENT

	TERRITOIRE	COUR	NIDIFICATION	ÉDUCATION DES OISILLONS	PLUMAGE	DÉPLACEMENTS SAISONNIERS	COMPORTEMENT EN SOCIÉTÉ
JANVIER							■
FÉVRIER	■	■					■
MARS	■	■					
AVRIL	■	■	■	■			
MAI	■	■	■	■			
JUIN	■	■	■	■			
JUILLET	■	■	■	■			
AOÛT	■	■		■	■		
SEPTEMBRE				■	■		
OCTOBRE							■
NOVEMBRE							■
DÉCEMBRE							■

GUIDE DE LA COMMUNICATION

Communication visuelle

1. Battement de queue

Mâle ou femelle   *P, É, A, H*

L'oiseau bat rapidement de la queue, verticalement et latéralement, avant de la rabaisser plus lentement. Sa huppe est hérissée.
Cri: «Tchip».
Contexte: On observe ce mouvement lorsque quelque chose inquiète l'oiseau ou à l'approche d'un danger.

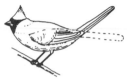

2. Cou tendu vers l'avant

Mâle ou femelle   *P, É, A, H*

Le corps horizontal, légèrement recroquevillé, l'oiseau tend la tête vers l'avant. Sa huppe est abaissée et il arrive qu'il ouvre grand son bec. Lorsqu'il est très énervé, l'oiseau accompagne parfois ce mouvement d'un frémissement d'ailes.
Cri: Aucun ou «tchip».
Contexte: Caractérise les affrontements avec des oiseaux posés à proximité.

3. Vol avec chant

Mâle   *P, É*

L'oiseau vole lentement en battant rapidement des ailes, s'arrêtant parfois pour planer. Il hérisse la huppe, gonfle la poitrine et déploie la queue. Il peut parcourir entre trois et trente mètres de cette manière.

Cri: «Chant».
Contexte: Le mâle chante en volant vers la femelle. Il utilise parfois cette parade en l'absence de cette dernière. (Voir *La cour.*)

4. Pose disloquée

Mâle ou femelle   P, É

L'oiseau élève un côté du corps, exposant son ventre et donnant ainsi l'impression qu'il se disloque. Il peut se balancer dans cette position d'un côté, puis de l'autre. Sa huppe est abaissée et l'aile qui se trouve du côté élevé peut être déployée. Dans une variante de cette pose, l'oiseau se tient un peu plus droit, hérisse sa huppe et se balance latéralement.

Cris: Aucun ou «quiout» si la huppe est abaissée et le «chant» si elle est élevée.

Contexte: L'oiseau adopte généralement cette posture lorsque son partenaire se trouve près de lui. Parfois, tous deux exécutent ce mouvement de concert. (Voir *La cour.*)

Communication auditive

1. Chant

Mâle ou femelle   P, É, A, H

ouaît ouaît ouaît ou *ouat-tiou ouat-tiou* ou *tiouit tiouit,* etc.

Le «chant» consiste en une série de notes claires et sifflées, regroupées en courtes phrases musicales. Celles-ci sont répétées à plusieurs reprises avant d'être modifiées. Il arrive qu'une note plus étouffée suive le «chant», mais vous devrez être tout près de l'oiseau pour l'entendre.

Contexte: Les mâles et les femelles chantent pendant la revendication territoriale et la cour. Pendant ces deux périodes, ils se livrent à des duels vocaux. (Voir *Le territoire, La cour.*)

2. Tchip

Mâle ou femelle P, É, A, H

Ce «tchip», bref, clair et métallique peut être sonore ou plus doux, unique ou rapidement répété à plusieurs reprises.

Contexte: C'est le cri le plus courant des cardinaux qui s'expriment ainsi dans une multitude de circonstances, par exemple lorsqu'ils sont inquiets, lorsqu'ils vont s'abriter pour la nuit, pendant les querelles territoriales, etc. Il sert aussi au couple à rester en contact. (Voir *Le territoire, La cour.*)

3. Quiout

Mâle ou femelle P, É

Ce cri, sec et bref, n'est pas aussi courant que le «tchip». Il est plus bas et moins métallique. En outre, les oiseaux ne le répètent jamais.

Contexte: On l'entend pendant la cour, lors des rencontres hostiles et lorsqu'un danger menace les oisillons tant qu'ils n'ont pas acquis leur autonomie. (Voir *La cour, L'éducation des oisillons.*)

4. Pîî-tou

Mâle ou femelle   *P, É*

Ces deux notes sont claires et brèves. La première semble souvent plus aiguë que la seconde.

Contexte: Caractérise les affrontements. On l'entend parfois en alternance avec le «tchip» ou le «quiout».

5. Cris des jeunes

Mâle ou femelle   *P, É*

Le cri le plus courant chez les jeunes oiseaux consiste en plusieurs «tchip» brefs rapidement répétés.

DESCRIPTION DU COMPORTEMENT

Le territoire

Fonctions: Accouplement; nidification; subsistance.
Dimensions: De 12 000 à 40 000 m².
Comportements habituels: Duels vocaux; poursuites.
Durée de sa défense: De la fin de l'hiver à l'issue de la saison de reproduction.

À l'arrivée du printemps, les cardinaux, qui ont passé l'hiver rassemblés en vols, commencent à se disperser pour revendiquer leur territoire en chantant du haut de perchoirs bien en vue. Les oiseaux qui ont passé un hiver solitaire dans leur région de reproduction se contentent de recommencer à chanter. Il semble que ce soient les mâles qui revendiquent et défendent activement le territoire. Entre voisins, ils se livrent à de fréquents duels vocaux, l'un des oiseaux imitant généralement les phrases musicales de l'autre. Les récitals alternent avec de courtes poursuites entrecoupées de furieux «tchip».

Pendant la cour, les partenaires aussi se livrent à des

duels vocaux. Par conséquent, c'est uniquement en voyant les oiseaux que vous saurez à quelle parade attribuer ces comportements.

Mâles et femelles sont très portés à faire irruption sur les territoires de leurs congénères. En l'occurrence, les intrus mâles sont expulsés par les mâles et les intrus femelles par les femelles. Pendant ces poursuites, le partenaire de l'oiseau qui chasse l'intrus n'intervient pas. Il peut arriver que les oiseaux cessent de se poursuivre pour se poser l'un à côté de l'autre pour exécuter le «cou tendu vers l'avant».

La cour

Comportements habituels: Duels vocaux; transfert de nourriture et «pose disloquée».
Durée: De la fin de l'hiver au début de l'été.

Si votre mangeoire attire les cardinaux, ne manquez pas d'observer leur comportement vers la fin de l'hiver. Vous aurez sans doute la chance de surprendre les prémices de la cour. En hiver, vous verrez peut-être le mâle se montrer agressif envers la femelle pendant qu'ils mangent. Mais après le début de la cour, il laisse sa compagne se nourrir à ses côtés en toute quiétude. C'est également vers cette époque que le mâle entonne des fragments de «chant» pendant la journée. Au cours des semaines suivantes, vous pourrez observer les trois principaux aspects que revêt la cour chez les cardinaux: les duels vocaux, le transfert de nourriture et l'adoption de la «pose disloquée».

Le mâle et la femelle chantent tout aussi mélodieusement l'un que l'autre. Cependant, les phrases musicales varient d'une journée à l'autre, d'un oiseau à l'autre et d'une région à l'autre. Ne vous y méprenez pas! Il ne s'agit pas de cris différents mais de variations du «chant».

Pendant les premiers jours de la cour, le mâle et la femelle se perchent à différents endroits du territoire pour se livrer à des duels vocaux. Le premier chante une phrase et le second lui répond, souvent en répétant la même phrase. Au bout d'un moment, le premier oiseau modifie cette dernière et l'autre l'imite de nouveau. Ces concerts sont merveilleusement agréables et peuvent se poursuivre une bonne partie de la journée. Comme ils sont identiques aux duels vocaux qui caractérisent les revendications territoriales entre voisins, vous ne saurez qu'il s'agit de partenaires qu'après les avoir vus.

L'autre manifestation de la cour se produira certainement autour de votre mangeoire. Il s'agit du transfert de nourriture. Le mâle recueille une graine ou une autre parcelle de nourriture, sautille vers la femelle et penche la tête sur le côté pour placer son offrande dans le bec de sa compagne. Au printemps, le transfert de nourriture devient très fréquent et il se poursuit jusqu'au début de l'été, parfois au rythme de quatre offrandes à la minute.

Le troisième aspect de la cour est beaucoup moins facile à observer. Les oiseaux adoptent la «pose disloquée», penchant le corps d'un côté puis de l'autre, parfois si rapidement qu'on a l'impression qu'ils tanguent et sont sur le point de s'écrouler. En général, c'est le mâle qui exécute ce mouvement face à la femelle. Il l'accompagne parfois du cri «quiout» ou du «chant».

Vous pourrez également assister au «vol avec chant», exécuté par le mâle en direction de sa compagne ou d'intruses. Reportez-vous à cet effet au «Guide de la communication».

Il peut arriver qu'un oiseau solitaire ou qu'un membre d'un couple voisin vienne faire des avances à l'un des deux partenaires. Les oiseaux réagissent par des poursuites: Les mâles prennent les autres mâles en chasse tandis que les femelles s'occupent d'expulser les autres femelles du territoire. Ces activités sont ponctuées du «chant» et du «tchip». Elles sont extrêmement difficiles à suivre et se poursuivent parfois pendant plusieurs heures.

La copulation n'a pas été souvent observée. On pense que la femelle signale sa réceptivité en se recroquevillant tout en élevant la tête et la queue et en émettant un cri aigu («sîî»). Juste avant l'accouplement, le mâle, huppe hérissée, semble glisser en chantant le long d'une branche vers sa compagne. Il est possible qu'une résurgence des duels vocaux signale la venue d'une seconde couvée.

La nidification

Emplacement du nid: Dans la partie la plus épaisse des fourrés ou des buissons de petite taille, des vignes ou des haies; à une hauteur qui va de 60 cm à 3,60 m. La hauteur moyenne varie entre 1,20 et 1,50 m.
Dimensions: Profondeur de 4,5 cm environ; hauteur de 8 cm; diamètre extérieur de 13 à 14 cm.
Matériaux: Mauvaises herbes, brindilles, vigne, brins d'herbe, écorce, morceaux de papier et feuilles.

Les cardinaux se plaisent à nicher dans des fourrés et des buissons. Vous trouverez fréquemment des nids dans les chèvrefeuilles, les haies de troènes, les buissons de roses multiflores et les arbustes semper virens au feuillage très dense. C'est la femelle qui construit habituellement le nid et il est fréquent de voir le couple traverser ensemble un espace découvert, la femelle en tête, transportant des matériaux dans son bec. En effet, le mâle l'accompagne souvent dans ses expéditions. Parfois, il demeure près du nid, chantant de temps à autre. Chaque fois que la femelle s'approche du nid, elle lance plusieurs «tchip». On a remarqué qu'elle n'hésitait guère à arracher des brindilles sèches des buissons lorsqu'elle ne les recueillait pas directement au sol.

Les nids des cardinaux sont composés de quatre strates. La première est une plate-forme de tiges rigides arrachées aux vignes ou composées de mauvaises herbes. Ensuite, vient une épaisseur de feuilles, de papier et de lamelles d'écorce de vigne. La troisième couche est composée de fines tiges et de brindilles, auxquelles s'ajoute parfois de la vigne vierge. La quatrième, enfin, est constituée de fines racines, mêlées à des brins d'herbe. Le mâle aide parfois sa compagne à recueillir des matériaux et on l'a même vu participer à la construction du nid. En général, les travaux sont terminés au bout de quatre à six jours.

Comment découvrir le nid
Emplacement: Dans les fourrés, les vignes épaisses, les buissons.
Saison: À partir de la fin de mars ou du début d'avril.

INDICES DE COMPORTEMENT
1. Surveillez les oiseaux qui recueillent des matériaux et pénètrent ensemble dans les fourrés.
2. La femelle chante lorsqu'elle se trouve au nid; servez-vous de cet indice pour la repérer. Si un mâle s'approche en tenant de la nourriture dans son bec, surveillez-le; la femelle vient parfois à sa rencontre.

L'éducation des oisillons

Oeufs: De 2 à 5; 3 en moyenne; grisâtres ou bleuâtres; tachetés ou mouchetés.
Incubation: De 12 à 13 jours; seule la femelle incube.
Première phase de croissance: De 9 à 10 jours.
Seconde phase de croissance: De 3 à 4 semaines.
Couvées: De 1 à 4.

Ponte et incubation

La femelle pond un oeuf par jour et commence à incuber dès que le dernier a été pondu. Pendant cette étape, son attitude varie. Parfois elle chante, incitant son compagnon à lui apporter à manger au nid. À d'autres moments, elle préfère se déplacer pour se nourrir seule ou recevoir sa pâture du mâle. Ce dernier a coutume de chanter en volant autour du territoire et la femelle de lui répondre du nid.

Première phase de croissance

La femelle garde les petits sous son ventre pendant les deux premiers jours. Elle le fait de moins en moins longtemps, chaque jour, puis, le cinquième jour, elle les laisse à l'air libre. Pendant ces premiers jours, le mâle nourrit non seulement les oisillons mais aussi la femelle. Ensuite, les parents vont ensemble recueillir de la nourriture qu'ils apportent à leur progéniture. Vers le septième jour, les oisillons commencent à crier et à tendre le bec par-dessus le rebord du nid. Pendant les deux derniers jours de cette phase, ils reçoivent près de onze «goûters» par heure.
Les parents commencent par manger les poches fécales, mais au bout de quelques jours ils préfèrent les sortir du nid.

Seconde phase de croissance

Après leur départ, les jeunes oiseaux se perchent à proximité, lançant de courtes séries de «tchip». Ils sont nourris par les deux parents, sauf lorsque la femelle s'est éloignée pour pondre une autre couvée. Au fur et à mesure que les jeunes apprennent à voler, la famille se disperse. Si vous approchez de l'endroit où les petits sont nourris, les parents lanceront sans aucun doute le «quiout» et le «tchip» tout en volant, très énervés, autour de vous. Lorsqu'un préda-teur aérien survole la région, les cardinaux émettent une série de «tchip». On a remarqué que lorsque les couvées se succédaient, les adultent chassaient les jeunes qui avaient acquis leur autonomie au moment d'amorcer leur seconde couvée.

Le plumage

Comment différencier le mâle de la femelle
Le mâle et la femelle sont très différents l'un de l'autre. Le mâle est entièrement rouge tandis que la femelle a un plu-mage chamois clair avec des reflets roux.

Comment distinguer les jeunes des adultes
Les jeunes ressemblent beaucoup aux femelles, à la diffé-rence que leur bec est brun au lieu d'être rouge.

Mue
Les cardinaux muent complètement un fois par an, vers la fin de l'été et le début de l'automne.

Le comportement en société

Les cardinaux se rassemblent en vols dès l'automne et res-tent en groupes tout l'hiver dans des régions où abonde la nourriture. Il est fréquent que les vols ne soient pas mixtes. Les oiseaux flânent en lançant le cri «tchip» et en se pour-chassant mutuellement. La nuit, ils s'abritent ensemble. L'effectif des vols demeure relativement stable, mais il est possible que certains oiseaux s'en aillent pour être aussitôt remplacés par d'autres. On remarque que, durant cette période, les mâles ont tendance à dominer les femelles autour des mangeoires. C'est vers la fin de février que les vols commencent à se fractionner.

Certains cardinaux ne se joignent pas à leurs congénères, préférant hiverner en compagnie de leur partenaire sur le territoire de reproduction.

Le comportement autour des mangeoires

Les couples de cardinaux ajoutent aux mangeoires une note agréablement colorée. Ils les fréquentent toute l'année, ce qui vous permettra de suivre l'évolution de leur relation au fur et à mesure qu'approche la saison de reproduction. À l'automne et au début de l'hiver, le mâle se montre parfois légèrement agressif envers la femelle. Vers la fin de l'hiver, il tolère plus facilement sa présence. Peu après, vous assisterez au transfert de nourriture. Il peut arriver que des vols entiers de cardinaux élisent domicile à proximité de vos mangeoires.

Comportements habituels
En général, les cardinaux approchent de la mangeoire en exécutant le «battement de queue» et en lançant le cri «tchip». Si la place est déjà occupée par d'autres oiseaux, vous les verrez peut-être adopter la posture appelée «cou tendu vers l'avant».

Autres manifestations
Après le début de la cour, vous verrez les mâles et les femelles prendre la «pose disloquée» en chantant. Les parents conduisent souvent les jeunes aux mangeoires, ce qui vous offrira l'occasion d'entendre crier les petits pendant qu'ils sont nourris.

Gros-bec à poitrine rose
(aussi appelé «cardinal à poitrine rose»)
Pheucticus ludovicianus (Linné)
Rose-Breasted Grosbeak

Chez les gros-becs à poitrine rose, les mâles commencent à chanter dès leur arrivée dans l'aire de reproduction. Ils s'installent au sommet des arbres, cachés dans le feuillage, et ne sont pas faciles à repérer malgré leur plumage brillamment coloré. Après l'arrivée de la femelle, le «chant» s'atténue progressivement pour laisser place au «tchik», cri bref et métallique. Dès que vous saurez le reconnaître, il sera l'indice certain de la présence des oiseaux. Ultérieurement, pendant l'incubation et la première phase de croissance des oisillons, le mâle et la femelle utilisent le «chant» et le «tchik» aux abords du nid. Ils sont si loquaces que vous n'aurez aucune difficulté à observer leurs activités.

Le mâle arbore une superbe «cravate» rouge, bien en évidence sur sa poitrine blanche. La forme et les dimensions de cette tache varient considérablement d'un mâle à l'autre, vous permettant d'identifier un mâle avec certitude et de suivre ses allées et venues. Les femelles, brunes avec des rayures blanches et beiges, ressemblent à d'énormes moineaux. On sait que chez la plupart des espèces qui présentent un dimorphisme sexuel aussi accentué, les activités des deux partenaires en période reproductive sont généralement bien distinctes mais, chez les gros-becs, mâles et femelles semblent partager l'incubation et les soins prodigués aux petits. En outre, tous deux sont capables d'émettre le «chant».

Le nid des gros-becs a une trame très lâche, si bien que vous pouvez voir à travers lorsque vous vous trouvez juste en dessous. Il est très volumineux et composé presque exclusivement de brindilles. Il est généralement situé à trois mètres au-dessus du sol, à l'orée des bois, et il est assez facile à repérer, le couple ne cessant de chanter et de lancer toute une gamme de cris pendant sa construction. Le nid des gros-becs est l'un des plus faciles à observer, car les adultes se partagent l'incubation et l'entretien des oisillons en effectuant de multiples allées et venues.

CALENDRIER DU COMPORTEMENT

	TERRITOIRE	COUR	NIDIFICATION	ÉDUCATION DES OISILLONS	PLUMAGE	DÉPLACEMENTS SAISONNIERS	COMPORTEMENT EN SOCIÉTÉ
JANVIER							
FÉVRIER							
MARS					■		
AVRIL	■					■	
MAI	■		■	■			
JUIN	■		■				
JUILLET	■			■			
AOÛT	■			■	■	■	
SEPTEMBRE						■	
OCTOBRE						■	
NOVEMBRE							
DÉCEMBRE							

GUIDE DE LA COMMUNICATION

Communication visuelle

1. Érection de la huppe
Mâle ou femelle   P, É, A, H

L'oiseau redresse les plumes de sa huppe, donnant à son crâne une apparence légèrement pointue.

Cri: Aucun.

Contexte: Ce geste est généralement accompli par les oiseaux les moins dominants, au cours d'un conflit. (Voir *Le territoire*.)

2. Vol avec chant
Mâle   P, É

Il s'agit d'un vol lent, pendant lequel l'oiseau déploie la queue en donnant de petits coups d'ailes. Les motifs blancs et noirs des ailes apparaissent à cette occasion. Le vol peut être long ou bref, en droite ligne ou circulaire, ascendant ou parallèle au sol.

Cri: «Chant» rapide.

Contexte: Le mâle exécute cette parade lorsqu'il quitte la femelle ou revient vers elle pendant la cour. L'«abaissement des ailes et hérissement» peut suivre. (Voir *La cour*.)

3. Abaissement des ailes et hérissement
Mâle   P, É

L'oiseau commence par abaisser les ailes, élever la queue et sautiller en zigzags le long d'une branche. Puis, après être légèrement descendu ou s'être posé au sol, il arrive souvent que ses ailes frémissent, qu'il déploie sa queue en l'abaissant et hérisse les plumes du bas de son dos et de sa poitrine. En même temps, il se balance d'un côté puis de l'autre.

Cri: «Chant» (surtout la version rapide).

Contexte: Ce geste est accompli près de la femelle pendant la cour, parfois juste avant la copulation. La femelle peut alors prendre le mâle en chasse; lorsque cela se produit, les deux oiseaux commencent parfois à exécuter de grands bonds. Il arrive que le mâle, pour terminer, se mette à son tour à poursuivre la femelle. (Voir *La cour.*)

Communication auditive

1. Chant

Mâle ou femelle   P, É, A

touit touet touout Le chant du gros-bec est composé d'une série de strophes sifflotées et sonores. Il ressemble au chant du merle d'Amérique, mais il est plus entraînant. On en connaît au moins deux versions. La première comprend des pauses entre chaque sifflement tandis que la seconde est plus rapide et ininterrompue.

Contexte: Le «chant» accompagne une multitude de situations et on l'entend presque continuellement pendant la saison de reproduction. La femelle chante parfois près du nid ou lorsqu'elle

cherche sa nourriture. Le mâle chante
pendant la revendication territoriale, la
cour et lorsqu'il se trouve aux abords du
nid. (Voir *Le territoire, La cour, L'éducation des oisillons.*)

2. Tchik

Mâle ou femelle   *P, É, A, H*

Il s'agit d'un cri bref et métallique dont
le son rappelle un peu le crissement
d'une voiture qui freine.

Contexte: Les deux oiseaux émettent
doucement ce cri lorsqu'ils se trouvent
à proximité l'un de l'autre. Pendant les
moments de danger, on entend une
version beaucoup plus sonore du
«tchik». (Voir *Le territoire, La cour, La
nidification.*)

3. Iîî

Mâle ou femelle   *P, É*

Ce cri est constitué d'une note prolongée, extrêmement aiguë, mais audible
seulement de très près.

Contexte: Le couple lance ce cri près
du nid et pendant les contacts intimes.
(Voir *La cour.*)

4. Tchrrr

Femelle   *P*

Il s'agit d'un cri bref et très sec.

Contexte: La femelle lance parfois ce
cri lorsqu'elle se trouve face au mâle à
l'occasion de ses premières rencontres
avec lui pendant la cour. (Voir *La cour.*)

5. Cris des jeunes

Mâle ou femelle   É

Les jeunes s'expriment souvent avec enthousiasme. Ils lancent une série de cris du genre «touiou». Ils sont également capables d'émettre le «tchik». (Voir *L'éducation des oisillons*.)

DESCRIPTION DU COMPORTEMENT

Le territoire

Fonctions: Accouplement; nidification; subsistance.
Dimensions: De 8 000 à 12 000 m².
Comportements habituels: «Chant», «tchik»; poursuites.
Durée de sa défense: Tout au long de la saison de reproduction.

Les mâles arrivent dans l'aire de reproduction avant les femelles et commencent à restreindre leurs activités à un territoire de huit mille à douze mille mètres carrés. Ils y cherchent leur nourriture et s'y promènent, chantant et lançant le cri «tchik». Ils adoptent parfois pour le «chant» une position particulière: Ils se tiennent très droits, les ailes légèrement abaissées, la tache blanche du croupion bien en évidence.

Au cours des conflits territoriaux entre voisins, l'oiseau dominant chante plus énergiquement et finit par expulser l'intrus. Il est fréquent que le fâcheux reparaisse sur le territoire pour en être expulsé de nouveau. Pendant les poursuites, on entend le cri «tchik» ou la version rapide du «chant». Lorsque deux mâles se trouvent à proximité l'un de l'autre, vous pouvez voir l'un des oiseaux battre rapidement des ailes ou déployer brièvement la queue. Ces gestes précèdent généralement l'attaque et la prise en chasse.

Si vous apercevez plusieurs mâles qui semblent coexister pacifiquement sur le même territoire, il est probable que les intrus sont des migrants. En effet, les occupants de territoires autorisent les migrants non chanteurs à venir se nourrir chez eux, mais si les «convives» ont l'audace de se mettre à chanter, ils sont impitoyablement expulsés.

Lorsqu'une femelle arrive sur le territoire d'un mâle, elle en chasse toutes les autres femelles. On ne sait si c'est le mâle ou le territoire qu'elle défend ainsi. (Voir *La cour.*)

La cour

Comportements habituels: Poursuites, «abaissement des ailes et hérissement», «vol avec chant».
Durée: De l'arrivée de la femelle jusqu'à la ponte.

Les femelles arrivent peu de temps après les mâles. Pendant les premiers jours, le mâle qui occupe le territoire chasse la femelle à l'aide de vols courts en rase-mottes. Pendant ces poursuites, vous entendrez peut-être la femelle lancer le «tchrrr».

Vous saurez que le couple s'est formé lorsque, trois ou quatre jours plus tard, les oiseaux se promèneront ensemble sur le territoire. Ils demeurent l'un près de l'autre, échangeant des «tchrrr» et des «îîî» tout en cherchant leur nourriture. À ce stade, on a parfois l'impression que la femelle domine quelque peu le mâle, car elle lui dérobe certains de ses perchoirs et le pourchasse sur une courte distance.

Deux autres phénomènes se produisent pendant la cour: le «vol avec chant» et l'«abaissement des ailes et hérissement». C'est le mâle qui se livre à ces manifestations, notamment au «vol avec chant» qui peut être spectaculaire, l'oiseau s'élevant haut dans les airs, exhibant les audacieux motifs blanc et noir de ses ailes. Il arrive cependant que ce vol soit plus court et plus discret. En général, il a pour effet d'inciter les deux oiseaux à se rapprocher. Ensuite, le mâle exécute l'«abaissement des ailes et hérissement». Cette manifestation nuptiale présente un caractère assez intense et possède plusieurs variantes. Cependant, l'abaissement des ailes et le hérissement des plumes du croupion et de la poitrine sont toujours présents. Cette parade est souvent suivie de la copulation. Les oiseaux continuent d'utiliser ces parades jusqu'au début de la ponte.

Il arrive que des couples voisins se poursuivent ou se menacent à proximité des frontières de leurs territoires et que le mâle ou la femelle fasse irruption sur un territoire «étranger». L'intrus en est alors expulsé par l'occupant du même sexe. L'autre membre du couple accompagne parfois son ou sa partenaire, mais ne participe pas directement aux escarmouches.

La nidification

Emplacement du nid: À une hauteur qui va de 1,50 m à 7,50 m; dans la fourche d'un arbuste ou d'un arbre au feuillage dense, qu'il s'agisse d'une essence semper virens ou décidue.
Dimensions: Diamètre intérieur de 8 à 9 cm; profondeur de 5 cm.
Matériaux: Brindilles fines et grossières; souvent mêlées à des feuilles et à des crins.

Avant le début de la construction du nid, vous verrez peut-être l'un des partenaires se percher à des emplacements propices et s'y recroqueviller avant de tourner sur lui-même. C'est une attitude que l'on retrouve chez de nombreuses espèces d'oiseaux et l'on croit qu'elle leur permet de voir si l'emplacement réunit les qualités recherchées. On a remarqué que les oiseaux pouvaient commencer à bâtir leur nid dans la semaine suivant l'arrivée de la femelle. Le partage des tâches semble fluctuer d'un couple à l'autre. Dans certains cas, seule la femelle s'approche du nid jusqu'à l'incubation. Dans d'autres, le mâle l'aide à recueillir des matériaux. On a même remarqué, dans un cas au moins, que le mâle s'installait dans le nid, se chargeant de la totalité de sa construction, pendant que la femelle se contentait de lui apporter des brindilles.

La construction du nid est ponctuée du «chant» du mâle. Les deux membres du couple lancent parfois les cris «tchik» et «îîî». Occasionnellement, la femelle émet de courtes versions du «chant».

La trame du nid est extrêmement lâche, au point que, souvent, il est possible de voir à travers. Il est surtout constitué de brindilles recueillies au sol ou arrachées aux arbres et aux buissons. Le revêtement intérieur est simplement confectionné à l'aide de brindilles plus fines (les gros-becs semblent adorer la pruche à cet effet) et contient parfois quelques crins. Deux à trois jours suffisent au couple pour achever le nid.

Comment découvrir le nid

Emplacement: Dans les arbres ou les buissons; en lisière des zones dégagées telles que les champs, les routes ou les jardins.

Saison: Vers le milieu et la fin du printemps, puis de nouveau en plein été, car les oiseaux ont souvent une seconde nichée.

1. Écoutez le chant du mâle ou de la femelle et tâchez de le ou la repérer, car les deux partenaires ont coutume de chanter, surtout lorsqu'ils sont près du nid.
2. Soyez à l'écoute des cris «tchik» et «îîî» et tâchez de surprendre un oiseau transportant une brindille.

L'éducation des oisillons

Oeufs: De 3 à 6; d'un bleu pâle, irrégulièrement tachetés de brun, surtout vers l'extrémité la plus grosse.
Incubation: De 12 à 14 jours; mâle et femelle incubent.
Première phase de croissance: De 9 à 12 jours.
Seconde phase de croissance: De 2 à 3 semaines.
Couvées: 1 ou 2.

Ponte et incubation

La ponte peut commencer avant l'achèvement du nid, à raison de un oeuf par jour. Au moment d'incuber, les parents laissent rarement les oeufs sans surveillance. Les oiseaux se partagent l'incubation, mais on a remarqué que la femelle couvait parfois un peu plus que son compagnon. Pendant qu'ils sont au nid, le mâle chante et la femelle lance le «tchik». Lorsqu'ils se relayent, l'un ou l'autre, parfois les deux, émet une version douce et discrète du «chant». On entend aussi le léger «îîî». Si vous voyez l'oiseau incubateur perché sur le rebord du nid, le bec penché en direction des oeufs, c'est probablement parce qu'il est occupé à les retourner. Ce geste est très fréquent chez les gros-becs.

Première phase de croissance

Les oisillons sont fréquemment «couvés» par les parents toute la journée, pendant des périodes de dix minutes environ. Vers la fin de la première phase de croissance, les adultes se contentent de se tenir debout au-dessus des petits, peut-être dans le but de les abriter du soleil. Certains observateurs n'ont aperçu que la femelle gardant les oisillons sous son ventre. Cependant, comme les deux parents se chargent de nourrir leur progéniture, le nid reste rarement sans surveillance. L'un des adultes reste auprès des petits tandis que l'autre part à la recherche de nourriture. Comme pendant l'incubation, les parents lancent parfois une courte version adoucie du «chant» en se relayant au nid.

Dès le quatrième jour, vous commencerez à entendre les oisillons pépier à l'arrivée de l'un des parents au nid. Vers le sixième jour, ils crient beaucoup plus souvent, que les parents arrivent ou non avec de la nourriture. Au début, après chaque «goûter», les adultes mangent les poches fécales, mais au bout de quelques jours, ils préfèrent les emporter.

Si le couple a une seconde couvée, la femelle quitte les oisillons pour commencer à construire son nouveau nid. Celui-ci n'est parfois éloigné du précédent que de neuf ou dix mètres. Certains observateurs ont vu des femelles abandonner leur première couvée très tôt, entre le deuxième et le sixième jour qui suit l'éclosion. Mais, en général, la femelle attend que la première phase de croissance soit presque achevée avant de quitter sa nichée. Après son départ, c'est le mâle qui se charge seul de nourrir les oisillons.

Seconde phase de croissance

Peu après que les jeunes oiseaux ont quitté leur nid, ils sont capables de voler sur de courtes distances. À ce stade, ils sont extrêmement bruyants, lançant constamment des cris ressemblant au son «touiou». Ils peuvent s'éloigner de quelques centaines de mètres du nid dès les premiers jours, mais restent sur le territoire en compagnie des deux parents ou seulement du mâle. À la deuxième ou troisième semaine de cette phase, on remarque que les parents les nourrissent de manière plus agressive, leur enfonçant presque la nourriture dans la gorge. Il leur arrive aussi de donner des coups au bec des petits après les avoir nourris et de les poursuivre sur de courtes distances. Ce sont là les signes précurseurs du fractionnement de la famille.

Le plumage

Comment différencier le mâle de la femelle
La femelle est rayée de brun, ressemblant à un énorme moineau. Le mâle a le ventre blanc, une «cravate rouge» sur la poitrine, la tête et le dos noirs. Ses couleurs le rendent donc facile à différencier de la femelle pendant la saison de reproduction.

Comment distinguer les jeunes des adultes
Les jeunes ressemblent à la femelle adulte, à la différence que leur poitrine ne présente que de très légères rayures sur les côtés et que le bord d'attaque des ailes est rosé.

Mues
Les gros-becs à poitrine rose muent deux fois par an. La mue complète se produit en août tandis qu'une mue partielle a lieu vers la fin de l'hiver, avant la migration printanière. Les femelles ne changent guère d'apparence mais les mâles acquièrent, à l'automne, un plumage rayé de brun et de noir sur la tête, le cou et le dos.

Les déplacements saisonniers

La migration d'automne a généralement lieu en septembre. Les mâles ont presque terminé leur mue et sont moins brillamment colorés. Le seul cri que l'on entend à ce moment-là est le «tchik», que lancent mâles et femelles en se déplaçant discrètement à l'étage supérieur de la végétation. Ils hivernent en Amérique centrale et en Amérique du Sud. La migration du printemps a lieu en avril et en mai. Les oiseaux commencent à chanter seulement après leur arrivée dans l'aire de reproduction.

Bruant indigo

(aussi appelé «passerin indigo»)

Passerina cyanea (Linné) / Indigo Bunting

Le comportement du bruant indigo est un mélange insolite de discrétion et d'ostentation. Le mâle, dès son arrivée dans l'aire de reproduction, est facile à voir et à entendre, car il répète constamment son «chant» du haut de perchoirs bien en vue, à la cime des arbres. Le femelle, en revanche, peut être si discrète qu'on ne s'aperçoit parfois de sa présence que lorsqu'elle commence à recueillir de la nourriture pour ses oisillons.

En général, lorsque le mâle d'une espèce est brillamment coloré, vous n'avez qu'à le suivre pour repérer la femelle, car il se tient toujours à proximité. Mais chez le bruant indigo, chaque membre du couple semble mener sa propre vie. Vous aurez beau vous escrimer à surveiller le mâle, vous risquez fort qu'il ne vous conduise jamais à la femelle.

Le nid est généralement très bien dissimulé et, pendant l'incubation, la femelle peut le quitter quelques instants dans le plus grand secret. Mais ne désespérez pas, car l'un des comportements des bruants indigo peut vous servir d'indice pour découvrir le nid. En effet, si vous vous approchez du nid sans le savoir, l'un des deux oiseaux, parfois les deux, lanceront leur «tchip», vous accueilleront avec le «battement de queue» et se mettront à sautiller ici et là. Il est possible qu'ils commencent à se livrer à ces manifestations alors que vous vous trouvez encore à dix ou quinze mètres du nid. D'autre part, les oiseaux refuseront d'y retourner tant que vous serez à proximité. Cependant, après avoir légèrement battu en retraite, placez-vous à l'affût. Votre patience sera certainement récompensée, car la femelle finira par retourner au nid.

Lorsque vous aurez découvert le nid, la vie de ces oiseaux se déploiera sous vos yeux. Vous pourrez observer les allées et venues des adultes et admirer les oisillons en pleine croissance. Si vous constatez un jour que le nid est vide alors que, selon vos calculs, les oisillons devraient encore s'y trouver, ne vous inquiétez pas. Ils quittent le nid très tôt et sont sans aucun doute perchés silencieusement à proximité.

CALENDRIER DU COMPORTEMENT

	TERRITOIRE	COUR	NIDIFICATION	ÉDUCATION DES OISILLONS	PLUMAGE	DÉPLACEMENTS SAISONNIERS	COMPORTEMENT EN SOCIÉTÉ
JANVIER							
FÉVRIER							
MARS					■		
AVRIL	■				■		■
MAI	■	■	■	■	■		
JUIN	■	■	■	■	■		
JUILLET	■	■	■	■	■		
AOÛT	■	■	■	■	■	■	
SEPTEMBRE	■			■	■	■	
OCTOBRE						■	
NOVEMBRE						■	
DÉCEMBRE							

GUIDE DE LA COMMUNICATION

Communication visuelle

1. Battement de queue
Mâle ou femelle   *P, É*

L'oiseau balance la queue d'un côté, puis de l'autre.

Cri: «Tchip».

Contexte: Cette parade signale la proximité d'un danger. (Voir *L'éducation des oisillons.*)

2. Érection de la huppe
Mâle ou femelle   *P, É*

L'oiseau redresse les plumes de sa huppe.

Cri: «Tchip».

Contexte: Ce phénomène, qui se produit fréquemment, signale toute agitation inhabituelle aux abords du nid ou se manifeste pendant les conflits avec d'autres bruants indigo. (Voir *Le territoire, La cour.*)

3. Vol-papillon
Mâle   *P, É*

Les ailes déployées, la tête et la queue relevées, les plumes du corps ébouriffées, l'oiseau vole lentement, en donnant de petits coups d'ailes rapides. Il peut voler en arc de cercle, en droite ligne ou en se laissant glisser vers le sol.

Cri: «Chant de vol».

Contexte: Les mâles exécutent souvent cette parade en direction du territoire d'un autre mâle. On la remarque surtout à l'aube et au crépuscule, mais on peut l'apercevoir à n'importe quel moment de la journée. (Voir *Le territoire.*)

4. Hérissement
Mâle ou femelle   *P, É*

L'oiseau ébouriffe les plumes de son corps, élève légèrement les ailes en les faisant frémir et se balance lentement d'un côté, puis de l'autre.

Cris: «Chant» (très doux) ou «tchip».

Contexte: On observe cette attitude entre mâles pendant les affrontements. Les oiseaux des deux sexes peuvent l'adopter lorsqu'un danger menace le nid. La femelle possède sa propre version du «hérissement» qu'elle exécute si quelque chose menace les oisillons, peut-être dans le but de détourner l'attention du prédateur. (Voir *Le territoire.*)

Communication auditive

1. Chant
Mâle   *P, É, A*

suîsuîtchoutchou Le «chant» est constitué d'une série de
suîtsuîtsuît, etc. notes couplées, très aiguës, semblables à des sifflements. Il dure de deux à six secondes. Chaque individu possède sa propre version du début du «chant» et cela vous permettra d'identifier «votre» spécimen tout au long de la saison. La fin du chant varie parfois, certains oiseaux ajoutant ou retranchant des notes.

Contexte: Les mâles chantent du haut de perchoirs bien en vue ou pendant leur repas. Vous les entendrez tout au long du cycle de reproduction. (Voir *Le territoire.*)

2. Chant de vol

Mâle *P, É*

Ce son rappelle plutôt un gloussement et ne ressemble en rien au «chant» proprement dit. Il accompagne le «vol-papillon». Il ressemble au «chant long» du chardonneret jaune.

Contexte: Caractérise les revendications territoriales et accompagne toujours le «vol-papillon». (Voir *Le territoire.*)

3. Tchip

Mâle ou femelle *P, É, A, H*

Ce «tchip» rappelle le bruit de deux cailloux qui s'entrechoquent. La version du mâle est parfois un peu différente de celle de la femelle, ce qui permet de les distinguer l'un de l'autre sans les voir. Il arrive que le «tchip» soit rapidement répété à plusieurs reprises.

Contexte: Les oiseaux poussent ce cri lorsqu'ils sont inquiets, par exemple lorsque vous approchez du nid. (Voir *La cour, La nidification, L'éducation des oisillons.*)

4. Tziip

Mâle *P, É*

Ce cri est très aigu, ténu et légèrement prolongé.

Contexte: Les mâles lancent le «tziip» au début de la saison de reproduction. Les observateurs croient que ce cri se rattache à la cour. (Voir *La cour.*)

DESCRIPTION DU COMPORTEMENT

Le territoire

Fonctions: Accouplement; nidification; subsistance.
Dimensions: De 8 000 à 24 000 m².
Comportements habituels: «Chant»; poursuites, «vol-papillon».
Durée de sa défense: Tout au long de la saison de reproduction.

Dès leur arrivée dans l'aire de reproduction, les mâles commencent à chanter du haut de plusieurs perchoirs bien en vue, situés sur leur territoire. Vous pouvez entendre le «chant» toute la journée, mais c'est principalement à l'aurore et au crépuscule qu'il est le plus intense. Lorsqu'il fait chaud, les oiseaux descendent de leurs perchoirs matinaux pour s'abriter du soleil et le «chant» résonne moins énergiquement. Ils peuvent aussi chanter pendant leurs repas, mais de manière beaucoup plus fragmentaire.

Au fur et à mesure que la saison avance, les mâles prennent l'habitude de chanter face à face et il est probable qu'ils finissent par se reconnaître. Vous aussi, vous parviendrez à reconnaître les différents mâles à l'aide de leur version personnelle du «chant» qui contient à peu près les mêmes strophes musicales.

Si un «voisin» empiète sur le territoire d'un mâle, il en est généralement expulsé. S'il persiste à rester, l'occupant vient se percher à ses côtés et exécute le «hérissement». Parfois, de nouveaux arrivants essaient de défier des mâles déjà installés sur leurs territoires en les provoquant avec le «vol-papillon» accompagné du «chant de vol». Ils se dirigent alors dans leur direction, puis reviennent à leur perchoir initial en exécutant un arc de cercle. Les intrus sont parfois pris en chasse par le résident et ce petit jeu peut durer plusieurs jours. Au fur et à mesure que les affrontements s'intensifient, le «chant» devient de plus en plus sonore et fréquent. Certains oiseaux y ajoutent parfois des notes éraillées. Les observateurs croient que les mâles âgés de un an défient souvent les adultes de cette manière et que, ce faisant, ils adaptent leur chant encore mal «dégrossi» à celui de l'oiseau auquel ils se mesurent. Un peu plus tard, ils cessent de se montrer agressifs et nichent à proximité. Voilà peut-être ce qui explique la ressemblance frappante entre les chants des mâles d'une même région.

Les mâles reviennent généralement sur les territoires qu'ils ont occupés l'année précédente, mais si l'un d'eux ne réussit pas à attirer une femelle, il se déplacera. On note également des changements de territoires juste avant la seconde couvée.

La cour

Comportement habituel: Poursuites.
Durée: Quelques jours.

On ne sait pas grand-chose de la cour chez les bruants indigo. La femelle est extrêmement discrète et son arrivée passe fréquemment inaperçue. Maints observateurs ont affirmé qu'ils ne réussissaient à la repérer qu'après l'éclosion des oeufs, alors qu'elle transporte de la nourriture au nid. On a cependant remarqué que les mâles chantaient moins lorsqu'ils avaient trouvé leur compagne. En outre, ils semblent pourchasser les femelles avec persistance pendant les premiers jours suivant leur arrivée. Le mâle lance parfois le cri «tziip» et la femelle repousse ses avances à l'aide de l'«érection de la huppe» et du cri «tchip».

La nidification

Emplacement du nid: À la fourche d'un arbuste ou de roseaux; la hauteur se situe entre 60 cm et 3 m au-dessus du sol, généralement le plus bas possible.
Dimensions: Diamètre intérieur de 4,5 cm à 7 cm; profondeur de 3,5 cm à 6,5 cm.
Matériaux: Feuilles mortes, tiges, herbe; tapissé de brins d'herbe plus fins et parfois de poils ou de duvet. Le nid est compact.

La femelle se charge de choisir l'emplacement du nid et de le construire. Il lui faut généralement de trois à quatre jours pour achever son oeuvre. Le mâle l'accompagne parfois au nid, mais il ne l'aide en aucune façon à la cueillette des matériaux. En général, il se perche à la cime des arbres et chante. Toutefois, si vous vous approchez du nid, il descend pour pousser le «tchip» tandis que la femelle vient se poster encore plus près de vous en poussant le même cri. Parfois, les oiseaux réagissent de cette manière, même si vous vous trouvez encore à dix ou douze mètres du nid. Malgré cet indice, vous ne le trouverez pas facilement, car il est bien dissimulé. Les oiseaux vont et viennent au nid en suivant des trajectoires différentes. C'est probablement à cette époque qu'il est le plus facile de repérer la femelle. Ensuite, elle redevient discrète jusqu'à l'éclosion des oeufs.

Comment découvrir le nid

Emplacement: Dans les zones dégagées mais broussailleuses ou en lisière des champs et des routes.

Saison: Vers la fin du printemps et au début de l'été, après l'arrivée de la femelle.

INDICES DE COMPORTEMENT

1. Prenez note des endroits où vous entendez le mâle ou la femelle lancer le «tchip» à votre approche.
2. Suivez soigneusement la femelle, surtout si elle transporte de la nourriture dans son bec. Ne vous laissez pas distraire par les activités du mâle. Le nid des bruants indigo est l'un des plus difficiles à trouver.

L'éducation des oisillons

Oeufs: De 3 à 4; entièrement blancs.
Incubation: Environ 12 jours; seule la femelle incube.
Première phase de croissance: De 10 à 12 jours en moyenne.
Seconde phase de croissance: De 2 à 3 semaines.
Couvées: 1 ou 2.

Ponte et incubation

C'est pendant la ponte que le couple est le plus intimement lié. Il est possible que ce rapprochement soit dû à la nécessité, pour le mâle, de s'accoupler avec la femelle et de s'assurer que nul autre mâle n'aura la fâcheuse idée de venir lui faire des avances. La femelle pond un oeuf par jour et se charge seule de l'incubation pendant que le mâle passe ses journées à se nourrir et à égayer de son «chant» d'autres endroits de son territoire.

Première phase de croissance

L'éclosion des oeufs s'étale sur une ou deux journées. Le premier jour, la femelle garde les petits sous son ventre les trois quarts du temps. Ensuite, elle les «couve» de moins en moins pour s'arrêter complètement le huitième jour. Cependant, elle revient chaque soir au nid.

Certains observateurs ont vu le mâle aider la femelle à nourrir les petits. D'autres affirment qu'il nourrit sa compagne à quelque distance du nid et que c'est elle qui donne à manger aux oisillons. Cependant, la majorité sont d'avis que le mâle s'occupe très peu de la couvée et ne s'approche guère à moins de quatre ou cinq mètres du nid. Il semble consacrer ses journées à monter la garde. C'est pourquoi vous saurez que vous approchez du nid lorsque vous entendrez le mâle lancer le «tchip» et que vous verrez le «battement de queue». La femelle, notamment à la fin de la première phase de croissance des oisillons, vient parfois le rejoindre. Surveillez-la, surtout si elle transporte de la nourriture. À un moment précis, elle se taira complètement avant de se laisser choir au sol comme une pierre. Ensuite, elle se dirigera subrepticement vers le nid en sautillant sur le sol pour nourrir sa nichée. Sachez qu'elle n'est guère facile à espionner. Une fois sa mission remplie, elle rejoint parfois le mâle en lançant des «tchip».

Seconde phase de croissance
À partir de ce moment-là, les deux parents se partagent la tâche de nourrir les oisillons, sauf lorsque la femelle pond une seconde couvée, auquel cas le mâle prend la responsabilité des rejetons. Lorsque vous vous approchez d'eux, les adultes lancent des «tchip» sonores et sont faciles à repérer. Les jeunes passent la journée éparpillés dans les buissons tout en émettant des «tchip» semblables à ceux des adultes, probablement pour rester en contact avec eux. On a remarqué que les parents et les jeunes de la seconde couvée restaient ensemble jusqu'à la migration.

Le plumage

Comment différencier le mâle de la femelle
Les mâles sont bleu indigo tandis que les femelles sont brunes. Chez les mâles âgés de un an, le bleu est mouche-

té de brun et les plumes de l'abdomen sont blanchâtres. Au niveau du comportement, le mâle est le seul à chanter tandis que la femelle se charge de construire le nid et d'incuber les oeufs.

Comment distinguer les jeunes des adultes
Les jeunes ressemblent aux femelles à la différence que leurs barres alaires sont fauves plutôt que blanches.

Mues
Les bruants indigo muent deux fois, complètement, vers la fin de l'été et l'automne, et partiellement au printemps. Pendant l'hiver, le mâle ressemble à la femelle à l'exception de quelques plumes bleues dispersées dans le brun. Après la mue printanière, son plumage se colore de plus en plus, tandis que les pointes grisâtres des plumes disparaissent et que le bleu commence à poindre en dessous.

Les déplacements saisonniers

Les oiseaux voyagent en direction du Sud en grands vols, de la fin du mois d'août jusqu'en novembre. Ils se nourrissent pendant la journée dans des endroits broussailleux où abondent graines et céréales. Ces vols hivernent ensemble dans le sud de la Floride, en Amérique centrale et dans les régions septentrionales de l'Amérique du Sud.

La migration printanière se déroule en avril et en mai. Habituellement, les vols sont moins nombreux, ne comptant que cinq à dix oiseaux. Certains mâles chantent pendant leur voyage en direction du Nord. On a remarqué que les mâles semblaient précéder les femelles et que les mâles plus âgés précédaient les plus jeunes. Les oiseaux se déplacent surtout de nuit.

Tohi à flancs roux
(aussi appelé «tohi commun»)
Pipilo erythrophthalmus (Linné)
Rufous-Sided Towhee

Si vous consacrez un certain temps à l'observation des tohis, vous ne tarderez pas à reconnaître deux de leurs manières de communiquer «verbalement». La première est le «chant» du mâle, que l'on rend habituellement par la phrase «drî-kou-tiiii», l'accent portant sur la dernière note, expirée et prolongée. La seconde est le «tchouink», grâce auquel les oiseaux communiquent tout au long de la saison. Le nom de «tohi» qu'on leur a attribué dérive d'ailleurs de ce dernier cri.

Les couleurs des tohis sont extraordinaires. La livrée blanche et noire du mâle, audacieusement parcourue de deux bandes rousses latérales, et les subtiles nuances de brun de la femelle en font des oiseaux superbes. Ils sont également très faciles à observer car ils passent beaucoup de temps au ras du sol. Leur manière particulière de faire voler les feuilles mortes en exécutant de petits bonds en arrière pour chercher leur nourriture facilite l'observation. En fait, le bruit qu'ils font à cette occasion constitue un bon indice de leur présence.

Dès son arrivée, au printemps, le mâle commence à chanter et à se livrer à de fréquents duels vocaux avec ses voisins. La femelle ne tarde pas à le rejoindre. Pendant que son compagnon chante, elle se nourrit au sol un peu en dessous de lui. Pendant la cour, les deux oiseaux se livrent au «déploiement des ailes et de la queue», exhibant de cette manière les magnifiques motifs blanc et noir de leur plumage.

Toutefois, lorsque la ponte et l'incubation commencent, il devient beaucoup plus difficile de surveiller les activités des tohis. Le mâle s'approche rarement du nid avant l'éclosion et la femelle se montre d'une prudence exemplaire, refusant de réintégrer le nid à la moindre menace.

Ce dernier est si bien camouflé qu'il est fort difficile à repérer, même lorsqu'on a surpris les allées et venues de la femelle. Mais si vous le trouvez, votre persévérance sera richement récompensée, car il se fond harmonieusement dans la végétation qui l'entoure. Vous pourrez alors vous en approcher de très près avant que la femelle soit alertée.

Après l'éclosion, le mâle rend de fréquentes visites au nid. Il commence par nourrir les oisillons et la femelle qui les abrite sous son ventre pendant quelques jours, puis, un peu plus tard, il partage les tâches familiales avec la femelle.

CALENDRIER DU COMPORTEMENT

	TERRITOIRE	COUR	NIDIFICATION	ÉDUCATION DES OISILLONS	PLUMAGE	DÉPLACEMENTS SAISONNIERS	COMPORTEMENT EN SOCIÉTÉ
JANVIER							■
FÉVRIER							■
MARS	■					■	
AVRIL	■	■	■				
MAI	■	■	■				
JUIN	■	■	■				
JUILLET	■	■	■	■			
AOÛT	■	■		■	■		
SEPTEMBRE	■				■	■	
OCTOBRE						■	■
NOVEMBRE							■
DÉCEMBRE							■

GUIDE DE LA COMMUNICATION

Communication visuelle

1. Élévation des ailes

Mâle   *P, É*

L'oiseau élève brièvement une aile qui s'agite parfois d'un frémissement. Il peut répéter ce geste à quelques reprises.
Cri: Aucun ou «chant» très doux et rapide.
Contexte: Caractérise les conflits territoriaux entre mâles. (Voir *Le territoire.*)

2. Déploiement des ailes et/ou de la queue

Mâle ou femelle   *P*

L'oiseau déploie ses ailes, sa queue ou les deux en même temps. Parfois, il les maintient quelques secondes dans cette position, mettant en évidence les motifs blanc et noir de son plumage.
Cri: Aucun.
Contexte: Mâles et femelles exécutent ce geste pendant la cour. En outre, si un prédateur menace le nid, ils essaient parfois de détourner son attention en adoptant cette posture. (Voir *La cour, L'éducation des oisillons.*)

Communication auditive

1. Chant

Mâle   *P, É, A, H*

Il s'agit d'un trille qui dure une seconde. Il est constitué d'une note pro-

drî-kou-tiiii ou
kou-tiiii ou *tiiii*

longée extrêmement aiguë, parfois précédée par une introduction de une ou deux notes beaucoup plus brèves. On a remarqué que les notes préliminaires étaient courantes surtout chez les sous-espèces de l'Est. En revanche, elle sont télescopées, voire inexistantes, chez les sous-espèces de l'Ouest.

Contexte: Les mâles chantent toute l'année, mais surtout au printemps et en été, installés sur des perchoirs partiellement cachés ou lorsqu'ils picorent au sol. (Voir *Le territoire, La cour.*)

2. Tchouink
Mâle ou femelle P, É, A, H

Il s'agit du cri le plus courant du tohi. Il varie selon les sous-espèces et, dans l'Ouest, il rappelle le miaulement du moqueur-chat.

Contexte: On l'entend lorsque quelque chose dérange ou inquiète l'oiseau. Il est possible que ce cri permette aussi au couple de rester en contact. (Voir *Le territoire, La cour.*)

3. Chant doux
Mâle ou femelle H, P, É

Le bec clos, l'oiseau lance toute une série très douce et prolongée de cris et de fragments du «chant». C'est une sorte de gazouillis extrêmement mélodieux.

Contexte: On entend le «chant doux» lorsque l'oiseau est perché sous couvert végétal dense ou lorsqu'il fouille dans les feuilles mortes à la recherche de nourriture. N'importe quel autre cri ou fragment du «chant» peut y être inclus. Celui-ci diffère toutefois du chant maladroit, caractéristique des jeunes oiseaux. Il s'agit d'une forme de communication entre adultes dont la fonction est inconnue et que l'on peut entendre tout au long de la saison de reproduction. (Voir *La cour.*)

4. Sîî

Mâle ou femelle   P, É, A, H

Ce cri aigu, très ténu et habituellement doux peut être lancé sur un registre ascendant ou descendant. Il est parfois un peu chevrotant.

Contexte: Les oiseaux qui fouillent la végétation l'utilisent. Certains observateurs croient qu'il permet aux oiseaux de rester en contact. Il n'est audible qu'à deux ou trois mètres.

DESCRIPTION DU COMPORTEMENT

Le territoire

Fonctions: Accouplement; nidification; subsistance.
Dimensions: De 2 000 à 8 000 m².
Comportements habituels: «Chant», «tchouink»; «élévation des ailes».
Durée de sa défense: Tout au long de la saison de reproduction.

À leur arrivée dans l'aire de reproduction, les mâles migrateurs restent en petits vols. Au bout de quelques jours, ils se dispersent pour revendiquer leur territoire. Dans les régions où les oiseaux ne migrent pas, ils forment tout l'hiver des vols à la structure très lâche qui se fractionnent au printemps. Les mâles revendiquent leur territoire en volant en cercle au-dessus de celui-ci et en chantant, soit perchés à trois ou quatre mètres de hauteur, ou au sol, pendant qu'ils picorent. Lorsqu'un mâle pénètre sur le territoire d'un autre, il est pris en chasse par l'occupant. Si le conflit se prolonge, l'un ou l'autre réagit par l'«élévation des ailes». Les oiseaux lancent aussi à cette occasion le cri «tchouink» ou une version douce et rapide du «chant».

Lorsque les territoires sont bien établis, les conflits entre voisins deviennent plutôt rares et les mâles ne répondent avec agressivité qu'aux chants des «étrangers». On a même remarqué qu'entre les territoires se trouvaient de petites zones où plusieurs couples voisins se nourrissaient ensemble sans la moindre anicroche. Les tohis défendent leur territoire jusqu'à la fin de la période de reproduction, mais les jeunes sont autorisés à se promener partout. Ils ne sont chassés d'un territoire que s'ils convoitent la «salle à manger» favorite de l'occupant.

La cour

Comportements habituels: Poursuites, «déploiement des ailes et de la queue»; «tchouink».
Durée: De l'arrivée de la femelle jusqu'à la ponte.

Les femelles arrivent sur les territoires quelques jours après que les mâles y ont entamé leurs revendications. Les parades qui président à la cour sont multiples. Par exemple, une femelle peut être pourchassée par un ou plusieurs mâles. L'un des oiseaux, mâle ou femelle, grâce au «déploiement des ailes et de la queue», exhibe les motifs blanc et noir de son plumage. On entend également le «chant doux», émis par l'un ou par l'autre des oiseaux. À ce stade, vous verrez parfois les mâles transporter des brindilles, qu'ils laissent choir au sol au bout d'un moment.

Au cours des semaines suivantes, le couple renforce ses liens en s'interpellant constamment à l'aide du cri «tchouink» et en passant de plus en plus de temps ensemble pendant la journée. On entend le mâle chanter, perché sur une branche, tandis que la femelle picore en dessous. Le couple semble passer presque tout son temps dans une petite partie du territoire, généralement là où il bâtira son nid.

Le comportement d'un mâle change radicalement lorsqu'il a trouvé une compagne. Il chante moins et limite ses promenades à une certaine partie de son territoire. En revanche, les mâles célibataires continuent à lancer énergiquement le «chant» et à patrouiller la totalité de leur territoire à intervalles réguliers.

La nidification

Emplacement du nid: Généralement sur le sol; sinon, à une hauteur maximale de 1,80 m; il est dissimulé par un petit buisson, une branche ou des plantes.
Dimensions: Diamètre intérieur de 8 cm; profondeur de 5,5 cm.
Matériaux: Feuilles, tiges d'herbes folles, lamelles d'écorce, brins d'herbe; tapissé d'herbe plus fine et parfois de poils.

Le nid se trouve généralement dans une petite dépression, peut-être creusée par l'oiseau lui-même, car le rebord supérieur se trouve au ras du sol. Les tohis bâtissent leurs nids à des endroits relativement exposés, sous un arbuste solitaire, par exemple, et non au coeur de fourrés épais. On remarque que des branches ou des feuilles pendent généralement au-dessus du nid.

C'est la femelle qui recueille les matériaux et construit le nid. Il lui faut deux à trois jours pour achever son oeuvre. Elle ne se rend jamais directement au nid, mais se pose sur un perchoir proche avant de descendre et de sautiller en direction de celui-ci, bien cachée sous le couvert végétal. En revanche, lorsqu'elle part du nid, elle se contente de parcourir une trentaine de centimètres au sol avant de s'envoler sans plus de cérémonie. Elle garde le même itinéraire tout au long de la saison.

Le mâle ne s'approche guère du nid pendant sa construction. Il préfère flâner dans une autre partie du territoire, chantant ou accompagnant brièvement sa compagne lorsqu'elle va à la recherche de matériaux. Les nids sont très difficiles à repérer, même lorsqu'on suit de près les multiples allées et venues de la femelle.

Comment découvrir le nid

Emplacement: Dans les terrains dégagés où abondent les petits buissons, en lisière des champs ou des routes.

Saison: Vers la fin du printemps ou le début de l'été, peu après la formation des couples.

INDICES DE COMPORTEMENT
1. En écoutant le mâle chanter, cernez la partie du territoire que fréquente le couple et observez les activités de la femelle.
2. Si la femelle semble inquiète en vous voyant et réagit en lançant le cri «tchouink», il est probable que vous l'avez surprise dans le nid. Cependant, vous devrez vous éloigner beaucoup avant qu'elle n'y retourne.

L'éducation des oisillons

Oeufs: De 3 à 5; grisâtres, entièrement mouchetés de brun, surtout vers l'extrémité la plus grosse.
Incubation: De 12 à 14 jours; seule la femelle incube.
Première phase de croissance: De 9 à 11 jours.
Seconde phase de croissance: Environ 4 semaines.
Couvées: 1 ou 2.

Ponte et incubation

La femelle pond un oeuf par jour et commence à incuber dès la ponte du dernier. Étant seule à se charger de cette tâche, elle ne s'éloigne du nid qu'à contrecoeur et vous pourrez vous en approcher de très près avant qu'elle ne se décide à s'envoler. Certaines femelles essaient de détourner l'attention de l'arrivant en sautillant à terre, en lançant des cris et en exécutant le «déploiement des ailes et de la queue» au ras du sol.

Le mâle s'approche rarement du nid pendant l'incubation. Il préfère évoluer dans d'autres parties du territoire, mangeant, éloignant les intrus, chantant et criant. À ce stade, les contacts semblent très limités entre les deux partenaires, qui vivent chacun de leur côté. La femelle quitte le nid toutes les demi-heures environ pour manger et elle se rend plusieurs jours de suite au même endroit. Le mâle la rejoint parfois, mais il s'empresse de s'éloigner bien avant qu'elle ne revienne au nid. Après la pause, elle lance quelques «tchouink» et se laisse tomber à terre avant de se diriger secrètement vers le nid. On a remarqué qu'elle pouvait s'égosiller lorsqu'elle apercevait un humain à proximité du nid tandis que le mâle restait souvent invisible.

Au cours des derniers jours de l'incubation, le mâle se montre parfois au nid, avec de la nourriture dans son bec. Il ne reste que quelques secondes et les observateurs croient que cette courte visite lui permet de savoir si l'éclosion a eu lieu.

Première phase de croissance

La femelle garde les oisillons sous son ventre pendant les six ou sept premiers jours. Le mâle ne chante alors presque plus, car il est très occupé à nourrir sa famille. Les parents commencent par manger les poches fécales, mais au bout de quelques jours, ils préfèrent les emporter. À la fin de l'incubation, la femelle prend à sa charge la plus grosse part de la collecte de nourriture, ce qui permet au mâle de recommencer à chanter un peu partout sur son territoire.

Au bout du septième ou du huitième jour, les oisillons sortent du nid si l'on vient les déranger, mais ils sont encore incapables de voler. Les parents continuent ensuite de les nourrir en dehors du nid.

Seconde phase de croissance
Les oisillons restent encore dépendants de leurs parents pendant le mois qui suit leur départ du nid. Au cours des premiers jours de cette période, ils restent blottis les uns contre les autres sous les buissons sur le territoire de leurs parents. Une semaine plus tard, ils sont capables de voler sur de courtes distances et commencent à se disperser au coeur des taillis. Un peu plus tard, ils s'installent sur des perchoirs plus exposés et ils sont alors faciles à repérer. Dès qu'ils ont acquis leur autonomie, ils quittent le territoire où ils sont nés pour rejoindre d'autres jeunes. Ces derniers peuvent pénétrer impunément sur le territoire de n'importe quel adulte.

Le plumage

Comment différencier le mâle de la femelle
Leur livrée est très différente. La tête, le dos, les ailes et la queue du mâle sont noirs alors que ces parties sont brunes chez la femelle. Le mâle est également le seul à chanter véritablement, bien que la femelle émet le «chant doux».

Comment distinguer les jeunes des adultes
Les jeunes sont de couleur fauve. Leur plumage est rayé de brun olivâtre sur les flancs, le dos et la tête.

Mue

Les tohis muent complètement une fois par an au début de la saison, vers la mi-juillet, à la suite de quoi on distingue les mâles de un an des mâles adultes grâce à leurs rémiges primaires, qui sont brunes plutôt que noires. Quant aux jeunes femelles, elles sont identiques aux femelles adultes.

Les déplacements saisonniers

Dans le Sud et le centre des États-Unis, les tohis ne migrent pas. En revanche, les oiseaux qui vivent dans le nord des États-Unis et au Canada passent l'hiver dans le Sud. En septembre, ils entreprennent leur migration et, dès mars ou avril, les oiseaux reprennent la route du Nord. On pense que les mâles âgés de un an et les mâles adultes arrivent ensemble. Quant aux femelles, elles n'apparaissent qu'une semaine ou deux plus tard.

Le comportement en société

Pendant l'hiver, les tohis se regroupent en vols à la structure lâche, réunissant de quinze à vingt-cinq individus. Ils écument généralement un territoire qui va de quatre-vingt mille à cent vingt mille mètres carrés. Dans les régions plus septentrionales, ces vols sont surtout constitués de mâles, sans doute parce que les femelles migrent plus au sud que ces derniers.

Les vols de tohis se joignent souvent aux cardinaux. D'autres oiseaux passent aussi l'hiver en leur compagnie, tels que les mésanges, les troglodytes des forêts, les bruants à gorge blanche, les bruants champêtres, les pinsons chanteurs et les juncos. En hiver, les tohis communiquent surtout à l'aide des cris «tchouink» et «sîî».

Bruant familier

(aussi appelé «pinson familier»)

Spizella passerina (Bechstein) / Chipping Sparrow

Bien que le bruant familier soit un hôte fort commun de nos banlieues, on constate avec étonnement qu'il n'est ni très bien connu ni très apprécié. Il adore bâtir son nid dans les petits buissons semper virens qui décorent si souvent les alentours des édifices administratifs et des maisons ainsi que les parcs urbains. Aussitôt arrivé, le mâle commence à chanter du haut de perchoirs bien en vue, situés à la cime d'arbustes. Cette espèce serait peut-être mieux connue si ce n'était de son «chant» peu mélodieux, qui consiste en une série prolongée de «tchip» à peine musicaux, répétés avec une certaine monotonie, rappelant la stridulation des grillons champêtres. Il est facile d'«oublier» ce son, répétitif et monotone, mais si vous vous efforcez d'y porter attention, vous ne manquerez pas de le reconnaître tout en parcourant les banlieues.

Chez le bruant familier, de même que chez son cousin, le bruant des champs, chaque mâle possède sa propre version du «chant» qu'il ne modifie que très rarement. Cette merveilleuse caractéristique vous permettra de reconnaître chaque mâle pendant les querelles territoriales. En outre, les territoires sont relativement exigus, couvrant rarement plus de deux mille mètres carrés, ce qui rend évidemment l'observation plus facile.

La cour semble très sommaire, mais après la formation du couple, la copulation se produit très souvent. Celle-ci est facile à observer, de même que toutes les activités de construction du nid. La femelle y effectue de fréquentes allées et venues, transportant des brins d'herbe dans son bec. Généralement, le mâle l'accompagne dans sa cueillette. C'est le moment idéal pour tenter de découvrir le nid, car elle n'hésitera guère à vous y conduire. En général, les pinsons familiers bâtissent leur nid près du sol, ce qui vous permettra d'observer facilement les activités s'y déroulant.

CALENDRIER DU COMPORTEMENT

	TERRITOIRE	COUR	NIDIFICATION	ÉDUCATION DES OISILLONS	PLUMAGE	DÉPLACEMENTS SAISONNIERS	COMPORTEMENT EN SOCIÉTÉ
JANVIER							■
FÉVRIER							■
MARS	■					■	■
AVRIL	■	■	■	■		■	
MAI	■	■	■	■			
JUIN	■	■	■	■			
JUILLET	■	■	■	■			
AOÛT	■	■	■	■			
SEPTEMBRE				■	■	■	
OCTOBRE					■	■	
NOVEMBRE						■	■
DÉCEMBRE							■

GUIDE DE LA COMMUNICATION

Communication visuelle

1. Abaissement des ailes

Mâle ou femelle   *P, É, A, H*

L'oiseau abaisse les ailes bien en dessous du niveau de la queue. Il accompagne parfois ce geste d'une érection
des plumes de la huppe.

Cri: Aucun.

Contexte: Les occupants des territoires
adoptent cette attitude face aux intrus.
Elle a souvent pour effet de faire battre
les autres oiseaux en retraite. (Voir *Le
territoire.*)

2. Frémissement d'ailes

Femelle   *P, É*

Sur son perchoir, l'oiseau fait rapidement frémir le bout de ses ailes.

Cri: Une série de notes aiguës et sifflantes.

Contexte: La femelle exécute ce mouvement lors du transfert de nourriture,
auquel cas elle abaisse sa queue en
même temps. On observe aussi cette
attitude pendant la copulation, à la différence que la queue est alors élevée.
(Voir *La cour, L'éducation des oisillons.*)

Communication auditive

1. Chant

Mâle   *P, É*

Le «chant» est composé d'une série prolongée et rapide de «tchip» à peine musicaux. Il est répété avec une certaine monotonie. Cependant, chaque mâle chante à son propre rythme, sur son propre registre, ce qui vous permettra de reconnaître «votre» spécimen parmi les autres.

Contexte: Dès le début des renvendications territoriales, les mâles chantent du haut de perchoirs bien en vue. Le cycle de reproduction est bien avancé lorsque le «chant» s'atténue. En outre, lorsque l'un des parents s'approche du nid il lance une série de «tchip» rapides et plus doux. (Voir *Le territoire, L'éducation des oisillons.*)

2. Tchip

Mâle ou femelle   *P, É*

Il s'agit d'une note unique, très sèche, répétée à intervalles irréguliers. Elle peut être plus ou moins sonore.

Contexte: Ce cri signale l'approche d'un danger, vous par exemple. Le couple s'en sert également, sous une forme plus douce, pour coordonner ses activités aux alentours du nid. (Voir *L'éducation des oisillons.*)

3. Tchip rapide

Mâle ou femelle   *P, É*

Cette série très rapide de «tchip» doux

n'est audible qu'à quelques mètres. Les oiseaux la répètent à intervalles irréguliers.

Contexte: L'un des oiseaux lance ce cri lorsqu'il s'approche de son partenaire. On l'entend souvent à proximité du nid.

4. Cri des jeunes

Mâle ou femelle É

Les jeunes oiseaux lancent de brèves volées de «tchip» sonores, qu'ils répètent à plusieurs reprises. Ce cri ressemble à celui des jeunes cardinaux.

Contexte: Les jeunes utilisent ce cri lorsqu'ils mendient de la nourriture à leurs parents. (Voir *L'éducation des oisillons.*)

DESCRIPTION DU COMPORTEMENT

Le territoire

Fonctions: Accouplement; nidification; subsistance.
Dimensions: De 2 000 à 6 000 m².
Comportements habituels: «Chant»; «abaissement des ailes», poursuites.
Durée de sa défense: De l'arrivée dans la région de reproduction jusqu'au début de la seconde phase de croissance des oisillons de la dernière couvée.

Le comportement territorial des bruants familiers est facile à observer, car leurs domaines sont exigus, souvent situés dans des champs ou en banlieue. En outre, chaque mâle possédant sa propre version du chant, ils sont facilement distinguables entre eux. (Voir le «Guide de la communication».) Lorsque plusieurs mâles occupent des territoires contigus, les échanges sont fréquents.

Peu après leur arrivée dans l'aire de reproduction, les mâles commencent à revendiquer leur territoire en chantant tout le long du jour, installés sur des perchoirs bien en vue. Dès qu'un intrus apparaît, l'occupant du territoire vole dans sa direction avant d'exécuter l'«abaissement des ailes». Cette manifestation suffit souvent à faire battre l'audacieux en retraite, mais certains indésirables sont plus effrontés que d'autres, allant jusqu'à chanter tout en parcourant le territoire d'un congénère. Bien que poursuivis par l'occupant, ils n'en restent pas moins sur les lieux sans interrompre leur «chant». Ces conflits peuvent durer plus d'une heure, le maître des lieux restant silencieux tout au long des opérations. Parfois, une attaque directe se produit. Les deux mâles s'élèvent alors jusqu'à six ou huit mètres de hauteur pour s'agripper mutuellement.

Pendant la seconde phase de croissance des oisillons, (ceux de la dernière couvée notamment), le comportement territorial s'atténue et toute la famille prend l'habitude de rôder un peu partout.

La cour

Comportement habituel: Copulation.
Durée: De l'arrivée des femelles jusqu'à la ponte.

Les femelles arrivent généralement sur le territoire une semaine ou deux après les mâles. Les couples semblent se former sans cérémonie. Ensuite, les deux oiseaux sont inséparables, partageant toutes leurs activités.

La seule manifestation connue de la cour est la copulation. C'est la femelle qui fait le premier pas avec le «frémissement d'ailes». Le mâle, généralement occupé à chanter du haut de perchoirs tout proches, vient planer au-dessus d'elle avant de se poser sur son dos pour accomplir la copulation. Ensuite, la femelle fait sa toilette. On a re-

marqué que la copulation se produisait soit sur des perchoirs, soit au sol, ponctuant les activités de la femelle, alors
occupée à manger ou à recueillir des matériaux pour le
nid. Il arrive même que les deux oiseaux s'adonnent à cette
activité pendant que la femelle tient des matériaux dans
son bec. Par moments, ils peuvent s'accoupler aussi souvent que quatre fois à la minute. Les partenaires continuent à s'accoupler jusqu'à ce que la ponte soit bien avan-
cée. Bien qu'il puisse avoir lieu à n'importe quelle heure
du jour, l'accouplement est surtout fréquent le matin, de
dix heures à midi environ.

La nidification

*Emplacement du nid: Sur une branche horizontale, à une hauteur de
1,50 m à 3 m au-dessus du sol, parfois plus bas.*
Dimensions: Diamètre intérieur de 5 cm; profondeur de 3,5 cm à 4 cm.
*Matériaux: Tiges d'herbes folles, brins d'herbe, petites racines; tapissé
de poils.*

La construction du nid débute peu après l'arrivée de la
femelle. Les deux partenaires commencent par voleter sur
le territoire, explorant divers buissons et arbres semper virens afin d'y découvrir un emplacement propice. La femelle entame ensuite les travaux, s'activant principalement
de l'aube au milieu de la matinée. Elle peut parcourir
jusqu'à cent cinquante mètres pour recueillir des matériaux, mais elle les trouve généralement à proximité du nid.
Elle effectue de fréquentes allées et venues, volant très rapidement, et vous n'aurez aucune difficulté à la repérer à
ce moment-là, car elle ne fait preuve d'aucune discrétion.
Il lui faut trois à quatre jours pour achever son oeuvre. Vous
aurez de meilleures chances de la surprendre si vous cherchez dans les buissons de conifères plantés à proximité des
bâtiments, en banlieue.
Pendant que la femelle s'active ainsi, le mâle peut soit
l'accompagner dans ses déplacements, soit rester à côté du

nid pour y chanter. Parfois, il vole vers elle afin d'accomplir la copulation.

Comment découvrir le nid
Emplacement: Dans les banlieues où les parcs et les jardins ont été décorés de buissons semper virens, à quelque distance les uns des autres.
Saison: Très tôt (dès l'arrivée de la femelle), et tout au long de la saison de reproduction, car les bruants familiers ont souvent deux couvées et construisent deux nids.

INDICES DE COMPORTEMENT
1. Repérez les endroits où les mâles revendiquent un territoire grâce au «chant».
2. Essayez de surprendre la femelle tandis qu'elle exécute de fréquentes navettes en transportant de l'herbe dans son bec.
3. Soyez attentif au couple lorsqu'il se promène au ras du sol, notamment si vous voyez la femelle recueillir des brins d'herbe; suivez-la, elle vous conduira au nid.

L'éducation des oisillons

Oeufs: De 3 à 4; d'un bleu pâle, tachetés ou mouchetés, notamment à l'extrémité la plus grosse.
Incubation: De 11 à 12 jours; seule la femelle incube.
Première phase de croissance: De 7 à 10 jours.
Seconde phase de croissance: De 3 à 4 semaines.
Couvées: Environ 2.

Ponte et incubation

La femelle commence à pondre dès que le nid est terminé, à raison de un oeuf par jour. L'incubation débute avant l'arrivée du dernier. Entre les séances (d'une quinzaine de minutes en moyenne), la femelle sort du nid (pendant huit minutes environ) pour se détendre. Le mâle s'approche souvent d'elle pour la nourrir. Soit qu'il se perche sur le rebord du nid ou qu'il attende qu'elle s'en éloigne légèrement. Chaque fois qu'il revient vers le nid, il lance le «tchip» doux ou le «tchip rapide». La femelle exécute parfois le «frémissement d'ailes» tout en recevant sa nourriture.

Il peut arriver que les deux oiseaux s'approchent du nid en faisant des détours, se posant à quelque distance avant de sautiller jusqu'à lui. En revanche, ils s'éloignent du nid sans subterfuge.

Première phase de croissance

La femelle garde les petits sous son ventre pendant les six ou sept premiers jours. Dès le deuxième ou le troisième jour, les oisillons lancent un «zîî-zîî-zîî» très doux au moment de recevoir leur pâture. Le sixième jour seulement, ils commencent à se recroqueviller lorsqu'on les dérange. La femelle cesse progressivement de les couver. Au début, c'est le mâle qui nourrit toute la famille, mais au bout du sixième ou septième jour, la femelle l'aide à recueillir la nourriture des oisillons. Pendant les premiers jours, les parents mangent les poches fécales. Un peu plus tard, il les emportent loin du nid.

Seconde phase de croissance

Si les jeunes oiseaux sont dérangés au cours des derniers moments de la phase précédente, ils quittent prématurément le nid pour se percher sur des branches toutes proches. Deux jours après leur première sortie, ils peuvent voler sur une courte distance. Quatre jours plus tard, ils volent correctement. Ils sont nourris par les parents à l'extérieur du nid pendant deux ou trois semaines et la famille reste groupée jusqu'à la fin de l'été. Cependant, il est fréquent que les parents aient une seconde couvée. Vous les verrez alors continuer à nourrir les rejetons de la première tout en se préparant à s'occuper de la seconde. Le mâle reprend son «chant» avec une vigueur nouvelle, tandis que la femelle construit un second nid et que les deux oiseaux s'accouplent fréquemment.

Le plumage

Comment différencier le mâle de la femelle

Bien que la couleur du bec et les motifs de la tête varient d'un oiseau à l'autre, il est pratiquement impossible de distinguer le mâle de la femelle grâce au plumage. Le comportement vous offre toutefois plusieurs indices à cet égard. Par exemple, seul le mâle chante et seule la femelle bâtit le nid, incube les oeufs et couve les oisillons.

Comment distinguer les jeunes des adultes

Les juvéniles présentent cinq raies noires ou brunes sur la poitrine alors que celle des adultes est claire et unie.

Mues

Les bruants familiers muent deux fois par an. Une mue complète a lieu à l'automne et une mue partielle au printemps. En hiver, la calotte rouille vif des adultes et la barre blanche qui passe au-dessus de l'oeil sont remplacées par une calotte rayée beaucoup plus terne et une barre de couleur fauve.

Les déplacements saisonniers

Les oiseaux migrent vers le Sud de la fin de septembre jusqu'au début de novembre. Ils voyagent en vols qui comptent une trentaine d'oiseaux. Le jour, ils se déplacent peu, occupés à se nourrir. C'est de nuit qu'ils parcourent de longues distances. Ils hivernent sur la côte méridionale des États-Unis.

Le plus gros de la migration printanière se déroule en avril, mais il n'est pas rare d'entendre, dès le mois de mars, les mâles revendiquer chacun leur territoire. Au printemps, les oiseaux voyagent en petits groupes de deux à six spécimens.

Le comportement en société

Les bruants vivent en vols tout l'hiver, se livrant à de fréquents combats aériens, ponctués de cris d'énervement. Les luttes sont brèves mais leur fréquence est telle qu'elle permet de distinguer cette espèce des autres espèces de bruants.

Bruant des champs

(aussi appelé «pinson des champs»)

Spizella pusilla (Wilson) / Field Sparrow

Les bruants des champs sont d'excellents sujets d'observation. Comme leur nom l'indique, ils ont une prédilection pour les champs où l'herbe folle se mêle à des bosquets de jeunes arbres vigoureux. Le «chant» du mâle est particulièrement agréable à entendre. C'est une longue série de sifflements brouillés dont on a comparé le rythme aux rebondissements d'une balle de ping-pong, car il s'accélère progressivement. Chaque mâle possède sa propre version du «chant», que vous pourrez reconnaître avec un peu d'oreille et de patience. En outre, vous n'aurez aucune difficulté à cerner les frontières des territoires, car les mâles chantent souvent et avec enthousiasme du haut de perchoirs bien en vue. Les territoires ne recouvrent que quelques milliers de mètres carrés et sont souvent adjacents, ce qui vous permettra de suivre confortablement les activités des oiseaux, notamment des mâles. On peut les observer de très près, car ils ont tendance à se moquer de la présence des humains.

Lorsque les femelles arrivent, le «chant» des mâles s'atténue et les couples se forment sans cérémonie. La copulation, très fréquente, est ponctuée du cri «tchip» et du «trille». On a remarqué que même avant la nidification proprement dite, la femelle commence à recueillir des brins d'herbe qu'elle laisse tomber ensuite. Lorsque le temps de la nidification est arrivé, elle ramasse des bouquets d'herbe qu'elle transporte directement au nid. Si vous vous approchez de ce dernier pendant l'incubation ou la première phase de croissance des oisillons, les parents vous accueilleront avec des cris d'alarme («tchip»), mais il vous suffira de vous placer à l'affût un peu plus loin pour qu'ils recommencent à vaquer tranquillement à leurs occupations, vous dévoilant, par le fait même, l'emplacement du nid.

Les jeunes suivent leurs parents un peu partout. Vers la fin de l'été et au début de l'automne, les oiseaux se regroupent en grands vols et restent, en gros, dans le même habitat où ils se nourrissent et nichent ensemble jusqu'au moment de la migration.

CALENDRIER DU COMPORTEMENT

	TERRITOIRE	COUR	NIDIFICATION	ÉDUCATION DES OISILLONS	PLUMAGE	DÉPLACEMENTS SAISONNIERS	COMPORTEMENT EN SOCIÉTÉ
JANVIER							
FÉVRIER							
MARS	■	■				■	
AVRIL	■	■	■	■		■	
MAI	■	■	■	■			
JUIN	■	■	■	■			
JUILLET	■	■		■			
AOÛT					■		
SEPTEMBRE					■	■	
OCTOBRE						■	
NOVEMBRE							
DÉCEMBRE							

GUIDE DE LA COMMUNICATION

Communication visuelle

1. Érection de la huppe
Mâle ou femelle   *P, É, A, H*

L'oiseau hérisse les plumes de sa huppe.
Cri: «Tchip».
Contexte: Ce cri signale l'approche d'un danger.

Communication auditive

1. Chant
Mâle   *P, É*

Le «chant» est composé d'une série de notes aiguës et un peu indistinctes les unes des autres. La phrase commence lentement mais le rythme s'accélère peu à peu. Le registre peut être ascendant, descendant ou constant. Chaque mâle possède sa propre version du «chant».

tiouitiouitioui-
tiouitiouit

Contexte: Les mâles chantent à l'occasion des revendications territoriales et pendant la cour. (Voir *Le territoire, La cour.*)

2. Tchip
Mâle ou femelle   *P, É, A, H*

Ce cri, bref et sec, est souvent répété à intervalles irréguliers.
Contexte: On l'entend pendant les affrontements territoriaux et en cas de danger. Les membres d'un couple

l'utilisent parfois pour communiquer. (Voir *Le territoire, La cour.*)

3. Trille

Mâle ou femelle   P, É

Il s'agit d'une série rapide et régulière de notes extrêmement aiguës. Le trille est parfois précédé du «tchip».
Contexte: On entend ce cri pendant les affrontements territoriaux et la copulation. (Voir *Le territoire, La cour.*)

4. Sîî

Mâle ou femelle   P, É

C'est une note très douce et plutôt aiguë.
Contexte: Les membres d'un couple communiquent ainsi lorsqu'ils sont tout près l'un de l'autre. (Voir *La cour.*)

5. Cri des jeunes

Mâle ou femelle   P, É

Il s'agit d'une sorte de bourdonnement bref.
Contexte: Les jeunes crient de cette manière lorsqu'ils ont faim.

DESCRIPTION DU COMPORTEMENT

Le territoire

Fonctions: Accouplement; nidification; subsistance.
Dimensions: De 8 000 à 24 000 m².
Comportements habituels: «Chant», «tchip», «trille»; poursuites.
Durée de sa défense: De l'arrivée dans l'aire de reproduction jusqu'à la fin de la saison des nids.

Les mâles arrivent les premiers et commencent aussitôt à revendiquer leur territoire en chantant du haut de perchoirs bien en vue. Chaque oiseau a sa propre version du «chant» et, en écoutant attentivement, vous finirez par identifier celui qui chante. Lorsque le milieu est propice, les territoires sont exigus et souvent adjacents. Il est donc facile d'observer les nombreux affrontements entre les oiseaux qui s'efforcent d'étendre leur territoire et ceux qui en revendiquent un pour la première fois.

Le «chant» du mâle, haut perché et bien exposé, et les poursuites, surtout dans les bosquets, président à la cour. Ces petits jeux sont ponctués du «tchip» et du «trille». Parfois, les poursuites dégénèrent en luttes au cours desquelles les oiseaux s'agrippent l'un à l'autre, au ras du sol. En vous dirigeant vers l'endroit d'où émerge le «trille», vous parviendrez à quelques mètres seulement des deux adversaires.

Mâles et femelles ont fortement tendance à réintégrer la région dans laquelle ils se sont reproduits l'année précédente. Si leur ancien territoire est déjà occupé, ils peuvent soit essayer d'en déloger les nouveaux résidents, soit s'installer à proximité.

La cour

*Comportements habituels: Brèves périodes de poursuites, copulation;
«sîî» et «trille».*
*Durée: En une journée, le couple est formé; la copulation peut se pour-
suivre jusqu'à la semaine qui précède la ponte de chaque couvée.*

Si les lieux où vous avez observé les comportements
territoriaux d'un mâle fort actif vous paraissent soudain très
silencieux, c'est probablement parce qu'il a trouvé sa partenaire. En effet, avant l'apparition des femelles, les mâles
chantent presque continuellement, mais dès qu'ils ont
trouvé leur compagne, ils se livrent beaucoup moins à
cette activité.

Lorsqu'une femelle se présente sur un territoire, le
mâle commence parfois par la prendre en chasse, comme
s'il s'agissait d'un intrus mâle. Si elle persiste à rester, le
mâle accepte sa présence au bout de quelques heures. Ensuite, les deux oiseaux deviennent inséparables, se promenant et mangeant ensemble. Le seul cri que vous entendrez à ce stade est le doux «sîî» qui leur permet de rester
en contact.

Parfois, des «tchip» et le «trille» s'échappent des buissons. Si vous vous approchez, vous verrez la femelle battre
des ailes tout en lançant son doux «trille». Le «tchip» provient du mâle qui se pose sur le dos de sa compagne pour
s'accoupler. Pendant la copulation, la femelle se recroqueville, élève la queue et agite ses ailes d'un frémissement. Le
mâle bat également des ailes tandis qu'il se perche sur son
dos. Pendant quelques secondes les deux oiseaux lancent
un «trille». Ensuite, le mâle vole vers l'un de ses perchoirs
favoris pour y chanter brièvement. À première vue, vous
aurez l'impression d'assister à des affrontements territoriaux
entre mâles et ce n'est qu'en vous approchant que vous
pourrez observer la copulation et entendre la douce version du «trille» qui ponctue les rapports du couple.

Pendant le reste de la saison, le mâle continue de
chanter et se bat occasionnellement avec tout autre mâle

qui fait irruption sur son territoire. On a remarqué que lorsque deux mâles s'affrontaient, l'un d'eux pouvait soudain quitter le «champ de bataille» pour aller copuler avec sa compagne qui se tient généralement à proximité.

La nidification

Emplacement du nid: Dans des bouquets d'herbe, ou à l'abri de buissons broussailleux très bas. Les premiers nids sont généralement posés à terre tandis que les suivants peuvent être situés à une hauteur de près de 1,20 m, voire plus haut.
Dimensions: Diamètre intérieur de 5 cm; profondeur de 3 à 4 cm.
Matériaux: Herbe et tiges grossières; tapissé d'herbe plus fine et de poils.

C'est la femelle qui choisit l'emplacement du nid et qui se charge des travaux. Le mâle demeure cependant tout près, l'accompagnant lorsqu'elle va recueillir des matériaux et lançant son «tchip» à la moindre alerte. À l'aurore, on peut l'entendre chanter avec plus d'énergie encore que pendant les premiers jours de la cour.

La femelle travaille surtout le matin. Elle accumule les matériaux à côté du nid et peut parcourir près de cent mètres pour les recueillir.

Le nid des bruants des champs semble attirer tout particulièrement les prédateurs et, s'ils perdent leur couvée, les deux oiseaux n'hésitent pas à construire un nouveau nid. Un couple peut construire jusqu'à sept nids dans la même saison avant de parvenir à élever une couvée. La partie extérieure du nid est constituée d'une trame très lâche, composée de matériaux grossiers tandis que l'intérieur est tissé beaucoup plus serré. Lorsque le nid est situé dans un arbre, il n'est pas fixé autour des branches mais simplement posé sur celles-ci. Il peut donc facilement tomber à terre au cours d'un orage. La femelle consacre entre deux et sept jours à la nidification. On a remarqué que les premiers nids lui demandaient plus de temps que les autres.

Comment découvrir le nid
Emplacement: Dans les vieux champs en jachère où poussent des buissons et des arbustes.
Saison: Du début du printemps jusqu'à la fin de l'été.

INDICES DE COMPORTEMENT
1. Essayez de cerner les frontières des territoires en écoutant le «chant» des mâles; arpentez le territoire en tâchant de repérer les endroits où les oiseaux manifestent le plus d'inquiétude.
2. Explorez tôt le matin (entre 6 et 11 heures), car la femelle travaille surtout à ce moment-là. Le mâle, lui, demeure à proximité, lançant ses «tchip». La femelle vole directement vers le nid.

L'éducation des oisillons

Oeufs: De 3 à 5; d'un bleu pâle, tachetés de brun ou de mauve dans des proportions variables.
Incubation: De 10 à 11 jours; seule la femelle incube.
Première phase de croissance: De 6 à 8 jours.
Seconde phase de croissance: De 3 à 4 semaines.
Couvées: De 1 à 3.

Ponte et incubation
La femelle pond un oeuf par jour, tôt le matin, et commence à incuber dès que sa couvée est complète. Elle

passe environ soixante-dix pour cent de la journée dans le nid, effectuant régulièrement des pauses de six à vingt-cinq minutes. Le mâle la nourrit parfois au nid et, à d'autres occasions, il s'approche en lançant le cri «tchip» et l'accompagne tandis qu'elle part à la quête de nourriture.

Première phase de croissance
Pendant les premiers jours, la femelle couve ses petits le jour, notamment lorsqu'il fait mauvais. La nuit, elle reste également dans le nid tout au long de cette phase. Les deux parents nourrissent les oisillons dont la fréquence des «goûters» augmente au fur et à mesure qu'ils grandissent. Les parents se chargent de retirer les poches fécales du nid.

Seconde phase de croissance
Au bout de six à huit jours, les jeunes oiseaux tentent leur première sortie. Ils commencent par sautiller maladroitement et n'osent pas s'éloigner. À ce stade, on les entend lancer sans cesse un bourdonnement, qui ressemble à la stridulation du grillon champêtre. Les parents leur apportent fréquemment leur pâture et, au bout de cinq jours, les jeunes sont assez forts pour voler et accompagner les adultes. Dès qu'ils sont autonomes, ils se rassemblent en petit vols dont l'effectif peut aller jusqu'à douze oiseaux. Ils restent bien à l'abri, non loin de l'endroit où ils sont nés, sans être pourchassés par les mâles adultes dont le comportement territorial renaît avant la couvée suivante. Vers la fin de l'été, jeunes et adultes se rassemblent pour écumer leurs endroits favoris jusqu'au moment de la migration.

Le plumage

Comment différencier le mâle de la femelle
Le mâle et la femelle ont une livrée identique et seul leur comportement vous permet de les distinguer. Le mâle

chante tandis que la femelle construit le nid et incube les oeufs.

Comment distinguer les jeunes des adultes
Les juvéniles ont le haut de la poitrine finement rayé, contrairement aux adultes.

Mue
Les bruants des champs muent entièrement une fois par an, en août et septembre.

Les déplacements saisonniers

Les habitudes migratoires de cette espèce sont très variables. Certains bruants des champs migrent tandis que d'autres résident toute l'année au même endroit. Ils peuvent également décider de migrer une année et non la suivante.

Vers la fin de l'été, jeunes et adultes forment de grands vols qui se nourrissent et nichent ensemble. La migration vers le Sud se déroule de la mi-septembre à la mi-octobre. Les oiseaux hivernent dans les États du Sud, se joignant souvent à d'autres espèces telles que les bruants familiers. Au printemps, ils partent vers le Nord, par petits groupes, en compagnie d'autres espèces de bruants. La migration printanière se déroule en mars et avril.

Liste des manifestations

Cette liste des parades particulières à chaque espèce étu-
diée dans ce volume est destinée à faciliter l'identification
du comportement dont vous êtes témoin et auquel vous
devez vous attendre de la part d'une espèce.

Communication visuelle	*Communication auditive*
Pluvier kildir	
Vols en cercle	Kildîia
Course à l'horizontale	Bégaiement
Exhibition des colliers	Pop-pop
Trépignement	
Basculement latéral	
Mouvement de piston	
Nidification	
Maubèche branle-queue	
Parade triomphale	Chant agressif
Frémissement d'ailes	Chant de cour
Hérissement des plumes dorsales	Crrouî
Manoeuvre de diversion	Cri aigu
Nidification	
Tourterelle triste	
Perchage	Roucoulement long
Charge	Roucoulement bref
Révérence	
Vol en glissade	
Élévation des ailes	
Becquetage	
Nidification	

Communication visuelle   Communication auditive

Martin pêcheur d'Amérique

Hérissement de la huppe	Crécelle
Mouvements verticaux de la tête ou de la queue	
Nidification	

Pic mineur

Mouvements latéraux du bec	Tiic
Hérissement de la huppe	Hennissement précipité
Pose figée	Couic-couic
Ailes en V	Tambourinement
Vol en battant des ailes	Cris des juvéniles
Nidification	

Moucherolle phébi

Hérissement de la couronne	Chant
Frémissement d'ailes	Tchip
Vol de parade	Tikit
Nidification	Pépiement

Pioui de l'est

Nidification	Chant
	Chant de l'aube
	Tchip
	Gazouillis

Hirondelle des granges

Nidification	Chant
	Tchit-tchit
	Sifflement
	Bégaiement
	Geignement

Mésange bicolore

Cou tendu vers l'avant	Chant
Frémissement d'ailes	Tsiu
Érection de la huppe	Djé
Nidification	Sîî-sîî
	Tsip

Communication visuelle	Communication auditive

Sittelle à poitrine blanche

Chant et révérence	Chant
Déploiement de la queue et	Han-han
hérissement des plumes dorsales	Hi-ip
Déploiement des ailes	Fiiou
Nidification	Cris des juvéniles

Troglodyte des marais

Vol avec chant	Chant
Hérissement	Tchec
Nidification	

Moqueur roux

Frémissement d'ailes	Chant
Nidification	Tchioup
	Tii

Grive des bois

Battement des ailes et de la queue	Chant
Étalement de la poitrine	Pioup-pioup
Érection de la huppe	Pip-pip
Hérissement en position	Fïï
horizontale	Cri des oisillons
Nidification	

Jaseur des cèdres

Sautillement latéral	Ziii
Cou tendu vers l'avant	Bzii
Mouvement de rame	Bzii-zii
Nidification	Tsiya

Paruline jaune

Vol en cercle	Chant
Glissade	Tchip
Déploiement des ailes	Tchip métallique
et de la queue	Ti-ti
Vol-papillon	Dziip
Nidification	

Communication visuelle	Communication auditive

Sturnelle des prés

Élévation du bec	Chant
Déploiement rapide des ailes	Dzrrt
et de la queue	Gazouillis guttural
Vol avec saut	Chant en vol
Hérissement	Pîît
Nidification	

Vacher à tête brune

Élévation du bec	Chant
Faux plongeon	Sifflement
Cou tendu vers l'avant	Gazouillis
Ponte (pas de nidification)	Caquet

Oriole du nord

Révérence	Chant
Abaissement des ailes	Gazouillis
Vol avec chant	Ouîît
Nidification	Cri d'alarme
	Cri des jeunes

Tangara écarlate

Frémissement d'ailes	Chant
Abaissement des ailes et	Tchip-beûrr
élévation de la queue	Tchip
Abaissement des ailes	Sîî
Nidification	Tsiiya

Cardinal

Battement de queue	Chant
Cou tendu vers l'avant	Tchip
Vol avec chant	Quiout
Pose disloquée	Pîî-tou
Nidification	Cri des jeunes

Gros-bec à poitrine rose

Érection de la huppe	Chant
Vol avec chant	Tchik
Abaissement des ailes	Iîî
et hérissement	Tchrrr
Nidification	Cris des jeunes

Communication visuelle	Communication auditive

Bruant indigo

Battement de queue	Chant
Érection de la huppe	Chant de vol
Vol-papillon	Tchip
Hérissement	Ziip
Nidification	

Tohi à flancs roux

Élévation des ailes	Chant
Déploiement des ailes et/ou	Tchouink
de la queue	Chant doux
Nidification	Sîî

Bruant familier

Abaissement des ailes	Chant
Frémissement d'ailes	Tchip
Nidification	Tchip rapide
	Cri des jeunes

Bruant des champs

Érection de la huppe	Chant
Nidification	Tchip
	Trille
	Sîî
	Cri des jeunes

Glossaire

Abri primaire: Emplacement fixe où les oiseaux se rassemblent habituellement pendant leur période d'inactivité nocturne.

Abri secondaire: Emplacement fixe qui remplit les mêmes fonctions que l'abri primaire, mais qui est utilisé pendant de plus courtes périodes, généralement intercalées pendant la phase active de la journée des oiseaux.

Aire: Zone dans laquelle un oiseau vit, mais qu'il ne défend pas nécessairement.

Chant: Moyen complexe de communication auditive, partiellement transmis par hérédité et partiellement appris par chaque individu.

Cour: Ensemble des manifestations qui caractérisent les relations entre mâles et femelles en période de reproduction.

Garde des oisillons: Pendant les jours qui suivent l'éclosion des oeufs, l'un des parents, parfois les deux, garde les oisillons sous son ventre pour les protéger et les tenir au chaud. On dit aussi qu'il les couve.

Couvée: Tous les oiseaux nés de la même ponte.

Cri: Moyen de communication auditive, dont la structure est généralement plus simple que celle du chant.

Déplacements saisonniers: Mouvements de populations, prévisibles et de vaste envergure, qui se déroulent à certaines saisons.

Formation des couples: Aspect de la cour qui englobe les

premières rencontres entre les futurs parents et les manifestations qui les lient l'un à l'autre.

Frottement du bec: L'oiseau frotte son bec contre une branche pendant les affrontements.

Incubation: Les oiseaux s'installent sur les oeufs pour les tenir au chaud, favorisant ainsi la croissance des poussins.

Jeune oiseau (on dit aussi: «juvénile»): Oiseau qui a quitté le nid mais dépend encore, partiellement ou totalement, des parents pour se nourrir.

Oisillon: Oiseau nouveau-né qui demeure dans le nid et dépend entièrement des parents.

Parade (on dit aussi: «manifestation»): Mouvement ou cri stéréotypés qui, dans certaines situations, modifient le comportement des autres animaux situés à proximité.

Poches fécales: Petite masse d'excréments solides d'un oisillon, entourée d'une couche de mucus. Elle est soit mangée par les parents, soit emportée au loin.

Replis incubateurs: Taches que présentent la poitrine d'un oiseau incubateur où le plumage est moins épais et où le sang afflue pour permettre aux oeufs de demeurer au chaud pendant l'incubation.

Territoire: Toute zone défendue.

Transfert de nourriture: L'un des partenaires adultes nourrit l'autre, notamment pendant la saison de reproduction.

Bibliographie

Ouvrages généraux

Bent, A. C. *et al.*, *Life Histories of North American Birds*, 23 volumes, New York, Peter Smith and Dover, 1919-1968.

Forbush, E. H., *Birds of Massachusetts and other New England States*, 3 volumes, Boston, Mass., Dept. of Agriculture, 1925-1929.

Godfrey, W. Earl, *Encyclopédie des oiseaux du Québec*, Éditions de l'Homme, Montréal, 1972.

Heymer, Armin, *Vocabulaire éthologique*, Éditions Verlay Paul Parey, Berlin, 1977.

McElroy, Thomas P., Jr., *The New Handbook of Attracting Birds*, New York, Alfred A. Knopf, 1975.

Pettingill, O. S., Jr., *Ornithology in Laboratory and Field*, 4ᵉ édition, Minneapolis, Burgess Publishing Company, 1970.

Robbins, Chandler S., Bortel Brunn et Herbert S-Zim, *Guide des oiseaux d'Amérique du Nord*, Éditions Marcel Broquet, La Prairie (Qc), 1980.

Terres, J. K., *The Audubon Society Encyclopedia of North American Birds*, New York, Alfred A. Knopf, 1980.

Table des matières

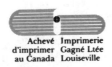

Achevé   Imprimerie
d'imprimer Gagné Ltée
au Canada Louiseville

Ouvrages parus chez les éditeurs du groupe Sogides

* Pour l'Amérique du Nord Seulement
** Pour l'Europe seulement
Sans * pour l'Europe et l'Amérique du Nord

════════ ANIMAUX ════════

* **Art du dressage, L'**, Chartier Gilles
Bien nourrir son chat, D'Orangeville Christianz
Cheval, Le, Leblanc Michel
Chien dans votre vie, Le, Swan Marguerite
Éducation du chien de 0 à 6 mois, L', DeBuyser Dr Colette et Dr Dehasse Joël
Encyclopédie des oiseaux, Godfrey W. Earl
Guide de l'oiseau de compagnie, Le, Dr R. Dean Axelson
Mammifère de mon pays, Duchesnay St-Denis J. et Dumais Rolland
* **Mon chat, le soigner, le guérir**, D'Orangeville Christian
Observations sur les mammifères, Provencher Paul
Papillons du Québec, Les, Veilleux Christian et Prévost Bernard
Petite ferme, T.1,
Les animaux, Trait Jean-Claude
Vous et vos petits rongeurs, Eylat Martin
Vous et vos poissons d'aquarium, Ganiel Sonia
Vous et votre beagle, Eylat Martin

Vous et votre berger allemand, Eylat Martin
Vous et votre boxer, Herriot Sylvain
Vous et votre braque allemand, Eylat Martin
Vous et votre caniche, Shira Sav
Vous et votre chat de gouttière, Gadi Sol
Vous et votre chat tigré, Eylat Odette
Vous et votre chow-chow, Pierre Boistel
Vous et votre collie, Ethier Léon
Vous et votre cocker américain, Eylat Martin
Vous et votre dalmatien, Eylat Martin
Vous et votre doberman, Denis Paula
Vous et votre fox-terrier, Eylat Martin
Vous et votre husky, Eylat Martin
Vous et vos oiseaux de compagnie, Huard-Viau Jacqueline
Vous et votre schnauzer, Eylat Martin
Vous et votre setter anglais, Eylat Martin
Vous et votre siamois, Eylat Odette
Vous et votre teckel, Boistel Pierre
Vous et votre yorkshire, Larochelle Sandra

1

ARTISANAT/ARTS MÉNAGERS

Appareils électro-ménagers, Prentice-Hall du Canada
* Art du pliage du papier, Harbin Robert
Artisanat québécois, T.1, Simard Cyril
Artisanat québécois, T.2, Simard Cyril
Artisanat québécois, T.3, Simard Cyril
Artisanat québécois, T.4, Simard Cyril, Bouchard Jean-Louis
Bon Fignolage, Le, Arvisais Dolorès A.
Coffret artisanat, Simard Cyril
* Construire des cabanes d'oiseaux, Dion André
Construire sa maison en bois rustique, Mann D. et Skinulis R.
Crochet Jacquard, Le, Thérien Brigitte
Cuir, Le, Saint-Hilaire Louis et Vogt Walter
Dentelle, T.1, La, De Seve Andrée-Anne
Dentelle, T.2, La, De Seve Andrée-Anne
Dessiner et aménager son terrain, Prentice-Hall du Canada
Encyclopédie de la maison québécoise, Lessard Michel

Encyclopédie des antiquités, Lessard Michel
Entretien et réparation de la maison, Prentice-Hall du Canada
Guide du chauffage au bois, Flager Gordon
J'apprends à dessiner, Nassh Joanna
Je décore avec des fleurs, Bassili Mimi
J'isole mieux, Eakes Jon
Mécanique de mon auto, La, Time-Life
Outils manuels, Les, Prentice Hall du Canada
Petits appareils électriques, Prentice-Hall du Canada
Piscines, Barbecues et patio
Taxidermie, La, Labrie Jean
Terre cuite, Fortier Robert
Tissage, Le, Grisé-Allard Jeanne et Galarneau Germaine
Tout sur le macramé, Harvey Virginia L.
Trucs ménagers, Godin Lucille
Vitrail, Le, Bettinger Claude

ART CULINAIRE

À table avec soeur Angèle, Soeur Angèle
Art d'apprêter les restes, L', Lapointe Suzanne
Art de la cuisine chinoise, L', Chan Stella
Art de la table, L', Du Coffre Marguerite
Barbecue, Le, Dard Patrice
Bien manger à bon compte, Gauvin Jocelyne
Boîte à lunch, La, Lambert Lagacé Louise
Brunches & petits déjeuners en fête, Bergeron Yolande
100 recettes de pain faciles à réaliser, Saint-Pierre Angéline
Cheddar, Le, Clubb Angela
Cocktails & punchs au vin, Poister John
Cocktails de Jacques Normand, Normand Jacques
Coffret la cuisine
Confitures, Les, Godard Misette
Congélation de A à Z, La, Hood Joan
Congélation des aliments, Lapointe Suzanne
Conserves, Les, Sansregret Berthe
Cornichons, Ketchups et Marinades, Chesman Andrea
Cuisine au wok, Solomon Charmaine
Cuisine aux micro-ondes 1 et 2 portions, Marchand Marie-Paul
Cuisine chinoise, La, Gervais Lizette
* Cuisine chinoise traditionnelle, La, Chen Jean
* Cuisine créative Campbell, La, Cie Campbell
Cuisine de Pol Martin, Martin Pol
* Cuisine du monde entier avec Weight Watchers, Weight Watchers
Cuisine facile aux micro-ondes, Saint-Amour Pauline
Cuisine joyeuse de soeur Angèle, La, Soeur Angèle
Cuisine micro-ondes, La, Benoît Jehane
Cuisine santé pour les aînés, Hunter Denyse

Cuisiner avec le four à convection, Benoît Jehane
* Cuisiner avec les champignons sauvages du Québec, Leclerc Claire L.
Cuisinez selon le régime Scarsdale, Corlin Judith
Cuisinier chasseur, Le, Hugueney Gérard
Entrées chaudes et froides, Dard Patrice
Faire son pain soi-même, Murray Gill Janice
Faire son vin soi-même, Beaucage André
Fine cuisine aux micro-ondes, La, Dard Patrice
Fondues & flambées de maman Lapointe, Lapointe Suzanne
Fondues, Les, Dard Partice
Menus pour recevoir, Letellier Julien
Muffins, Les, Clubb Angela
Nouvelle cuisine micro-ondes, La, Marchand Marie-Paul et Grenier Nicole
Nouvelle cuisine micro-ondes II, La, Marchand Marie-Paul et Grenier Nicole
Pâtés à toutes les sauces, Les, Lapointe Lucette
Patés et galantines, Dard Patrice
Pâtisserie, La, Bellot Maurice-Marie
Poissons et fruits de mer, Dard Patrice
Poissons et fruits de mer, Sansregret Berthe
Recettes au blender, Huot Juliette
Recettes canadiennes de Laura Secord, Canadian Home Economics Association
Recettes de gibier, Lapointe Suzanne
Recettes de maman Lapointe, Les, Lapointe Suzanne
Recettes Molson, Beaulieu Marcel
Robot culinaire, Le, Martin Pol
Salades des 4 saisons et leurs vinaigrettes, Dard Patrice
Salades, sandwichs, hors d'oeuvre, Martin Pol
Soupes, potages et veloutés, Dard Patrice

2

BIOGRAPHIES POPULAIRES

Daniel Johnson, T.1, Godin Pierre
Daniel Johnson, T.2, Godin Pierre
Daniel Johnson - Coffret, Godin Pierre
Dans la fosse aux lions, Chrétien Jean
* Dans la tempête, Lachance Micheline
Duplessis, T.1 - L'ascension, Black Conrad
Duplessis, T.2 - Le pouvoir, Black Conrad
Duplessis - Coffret, Black Conrad
Dynastie des Bronfman, La, Newman Peter C.
Establishment canadien, L', Newman Peter C.
* Léonard de Vinci, L'homme et son temps, Alberti de Mazzeri Sylvia
* Maître de l'orchestre, Le, Nicholson Georges

Maurice Richard, Pellerin Jean
* Monopole, Le, Francis Diane
Mulroney, Macdonald L.I.
Nouveaux Riches, Les, Newman Peter C.
* Paul Desmarais , Un homme et son empire, Greber Dave
Prince de l'Église, Le, Lachance Micheline
Saga des Molson, La, Woods Shirley
Sous les arches de McDonald's, Love John F.
* Trétiak, entre Moscou et Montréal, Trétiak Vladislav
* Une femme au sommet - Son excellence Jeanne Sauvé, Woods Shirley E.

DIÉTÉTIQUE

Combler ses besoins en calcium, Hunter Denyse
* Compte-calories, Le, Brault-Dubuc M., Caron Lahaie L.
Contrôlez votre poids, Ostiguy Dr Jean-Paul
* Cuisine sage, Lambert-Lagacé Louise
* Diète rotation, La, Katahn Dr Martin
Diététique dans la vie quotidienne, Lambert-Lagacé Louise
Livre des vitamines, Le, Mervyn Leonard
* Maigrir en santé, Hunter Denyse
* Menu de santé, Lambert-Lagacé Louise
Oubliez vos allergies, et... bon appétit, Association de l'information sur les allergies
Petite & grande cuisine végétarienne, Bédard Manon

* Plan d'attaque Weight Watchers, Le, Nidetch Jean
Plan d'attaque plus Weight Watchers, Le, Nidetch Jean
Recettes pour aider à maigrir, Ostiguy Dr Jean-Paul
* Régimes pour maigrir, Beaudoin Marie-Josée
Sage bouffe de 2 à 6 ans, La, Lambert-Lagacé Louise
Weight Watchers - cuisine rapide et savoureuse, Weight Watchers
Weight Watchers-Agenda 85 -Français, Weight Watchers
Weight Watchers-Agenda 85 -Anglais, Weight Watchers

DIVERS

* Acheter ou vendre sa maison, Brisebois Lucille
* Acheter et vendre sa maison ou son condominium, Brisebois Lucille
* Acheter une franchise, Levasseur Pierre
* Assemblés délibérantes, Les, Girard Françine,
* Bourse, La, Brown Mark
* Chaînes stéréophoniques, Les, Poirier Gilles
* Choix de carrières, T.1, Milot Guy
* Choix de carrières, T.2, Milot Guy
* Choix de carrières, T.3, Milot Guy
* Comment rédiger son curriculum vitae, Brazeau Julie
* Comprendre le marketing, Levasseur Pierre
Conseils aux inventeurs, Robic Raymond
* Devenir exportateur, Levasseur Pierre
* Dictionnaire économique et financier, Lafond Eugène
Étiquette des affaires, L', Jankovic Elena
* Faire son testament soi-même, Me Poirier Gérald, Lescault Nadeau Martine (notaire)
* Faites fructifier votre argent, Zimmer Henri B.
Finances, Les, Hutzler Laurie H.
* Gérer ses ressources humaines, Levasseur Pierre
* Gestionnaire, Le, Colwell Marian
* Guide de la haute-fidélité, Le, Prin Michel
* Je cherche un emploi, Brazeau Julie
* Lancer son entreprise, Levasseur Pierre

Leadership, Le, Cribbin, James J.
Livre de l'étiquette, Le, Du Coffre Marguerite
* Loi et vos droits, La, Marchand Me Paul-Émile
Meeting, Le, Holland Gary
Mémo, Le, Reimold Cheryl
Notre mariage (étiquette et planification), Du Coffre Marguerite
Patron, Le, Reimold Cheryl
Relations publiques, Les, Doin Richard, Lamarre Daniel
* Règles d'or de la vente, Les, Kahn George N.
* Roulez sans vous faire rouler, T.3, Edmonston Philippe
Savoir vivre aujourd'hui, Fortin Jacques Marcelle
Séjour dans les auberges du Québec, Cazelais Normand et Coulon Jacques
Stratégies de placements, Nadeau Nicole
Temps des fêtes au Québec, Le, Montpetit Raymond
Tenir maison, Gaudet-Smet Françoise
* Tout ce que vous devez savoir sur le condominium, Dubois Robert
Univers de l'astronomie, L', Tocquet Robert
Vente, La, Hopkins Tom
* Votre argent, Dubois Robert
Votre système vidéo, Boisvert Michel et Lafrance André A.
* Week-end à New York, Tavernier-Cartier Lise

3

ENFANCE

* **Aider son enfant en maternelle,** Pedneault-Pontbriand Louise
* **Aider votre enfant à lire et à écrire,** Doyon-Richard Louise
  Alimentation futures mamans, Gougeon Réjeanne et Sekely Trude
  Années clés de mon enfant, Les, Caplan Frank et Theresa
  Art de l'allaitement maternel, L', Ligue internationale La Leche
* **Autorité des parents dans la famille,** Rosemond John K.
  Avoir des enfants après 35 ans, Robert Isabelle
  Bientôt maman, Whalley J., Simkin P. et Keppler A.
  Comment amuser nos enfants, Stanké Louis
* **Comment nourrir son enfant,** Lambert-Lagacé Louise
  Deuxième année de mon enfant, La, Caplan Frank et Theresa
* **Développement psychomoteur du bébé,** Calvet Didier
  Douze premiers mois de mon enfant, Les, Caplan Frank
* **En attendant notre enfant,** Pratte-Marchessault Yvette
* **Encyclopédie de la santé de l'enfant,** Feinbloom Richard
  Enfant stressé, L', Elkind David
  Enfant unique, L', Peck Ellen
  Évoluer avec ses enfants, Gagné Pierre Paul
  Exercices aquatiques pour les futures mamans, Dussault J., Demers C.
  Femme enceinte, La, Bradley Robert A.
  Fille ou garçon, Langendoen Sally et Proctor William
* **Frères-soeurs,** Mcdermott Dr. John F. Jr.
  Futur Père, Pratte-Marchessault Yvette
* **Jouons avec les lettres,** Doyon-Richard Louise
* **Langage de votre enfant, Le,** Langevin Claude
  Maman et son nouveau-né, La, Sekely Trude
  Manuel Johnson et Johnson des premiers soins, Le, Dr Rosenberg Stephen N.
* **Massage des bébés, Le,** Auckette Amédia D.
  Merveilleuse histoire de la naissance, La, Gendron Dr Lionel
  Mon enfant naîtra-t-il en bonne santé? Scher Jonathan et Dix Carol
  Pour bébé, le sein ou le biberon? Pratte-Marchessault Yvette
  Pour vous future maman, Sekely Trude
  Préparez votre enfant à l'école, Doyon-Richard Louise
* **Psychologie de l'enfant,** Cholette-Pérusse Françoise
* **Respirations et positions d'accouchement,** Dussault Joanne
  Soins de la première année de bébé, Kelly Paula
* **Tout se joue avant la maternelle,** Ibuka Masaru
  Un enfant naît dans la chambre de naissance, Fortin Nolin Louise
  Viens jouer, Villeneuve Michel José
  Vivez sereinement votre maternité, Vellay Dr Pierre
  Vivre une grossesse sans risque, Fried Dr Peter A.

ÉSOTÉRISME

Coffret - Passé - Présent - Avenir
Graphologie, La, Santoy Claude
Hypnotisme, L', Manolesco Jean
Lire dans les lignes de la main, Morin Michel

Prévisions astrologiques 1985, Hirsig Huguette
Vos rêves sont des miroirs, Cayla Henri
* **Votre avenir par les cartes,** Stanké Louis

HISTOIRE

Arrivants, Les, Collectif
* **Civilisation chinoise, La,** Guay Michel

* **Or des cavaliers thraces, L',** Palais de la civilisation

INFORMATIQUE

* **Découvrir son ordinateur personnel,** Faguy François
  Guide d'achat des micro-ordinateurs, Le, Blanc Pierre

Informatique, L', Cone E. Paul

4

JARDINAGE

Culture des fleurs, des fruits, Prentice-Hall du Canada
Encyclopédie du jardinier, Perron W.H.
Guide complet du jardinage, Wilson Charles
* J'aime les rosiers, Pronovost René
J'aime les violettes africaines, Davidson Robert

Petite ferme, T. 2 - Jardin potager, Trait Jean-Claude
Plantes d'intérieur, Les, Pouliot Paul
Techniques du jardinage, Les, Pouliot Paul
* Terrariums, Les, Kayatta Ken

JEUX/DIVERTISSEMENTS

Améliorons notre bridge, Durand Charles
* Bridge, Le, Beaulieu Viviane
Clés du scrabble, Les, Sigal Pierre A.
Collectionner les timbres, Taschereau Yves
* Dictionnaire des mots croisés, noms communs, Lasnier Paul
* Dictionnaire des mots croisés, noms propres, Piquette Robert
* Dictionnaire raisonné des mots croisés, Charron Jacqueline

Finales aux échecs, Les, Santoy Claude
Jeux de société, Stanké Louis
* Jouons ensemble, Provost Pierre
Livre des patiences, Le, Bezanovska M. et Kitchevats P.
* Ouverture aux échecs, Coudari Camille
Scrabble, Le, Gallez Daniel
Techniques du billard, Morin Pierre

LINGUISTIQUE

* Anglais par la méthode choc, L', Morgan Jean-Louis
* J'apprends l'anglais, Silicani Gino

Petit dictionnaire du joual, Turenne Auguste
Secrétaire bilingue, La, Lebel Wilfrid

LIVRES PRATIQUES

Bonnes idées de maman Lapointe, Les, Lapointe Lucotte
Chasse-taches, Le, Cassimatis Jack
* Maîtriser son doigté sur un clavier, Lemire Jean-Paul

* Mon automobile, Collège Marie-Victorin, Gouv. du Québec
* Se protéger contre le vol, Kabundi Marcel et Normandeau André
Temps c'est de l'argent, Le, Davenport Rita

MUSIQUE ET CINÉMA

* Guitare, La, Collins Peter
Piano sans professeur, Le, Evans Roger

Wolfgang Amadeus Mozart raconté en 50 chefs-d'oeuvre, Roussel Paul

NOTRE TRADITION

Coffret notre tradition Écoles de rang au Québec, Les, Dorion Jacques
Encyclopédie du Québec, T.1, Landry Louis
Encyclopédie du Québec, T.2, Landry Louis
* Généalogie, La, Faribeault- Beauregard M., Beauregard Malak E.
Histoire de la chanson québécoise, L'Herbier Benoît
Maison traditionnelle, La, Lessard Micheline

Moulins à eau de la vallée du Saint-Laurent, Adam Villeneuve
Objets familiers de nos ancêtres, Genet Nicole
* Sculpture ancienne au Québec, La, Porter John R. et Bélisle Jean
Vive la compagnie, Daigneault Pierre

5

PHOTOGRAPHIE (ÉQUIPEMENT ET TECHNIQUE)

* **Apprenez la photographie avec Antoine Desilets,** Desilets Antoine
Chasse photographique, Coiteux Louis
8/Super 8/16, Lafrance André
Initiation à la Photographie, London Barbara
Initiation à la Photographie-Canon, London Barbara
Initiation à la Photographie-Minolta, London Barbara

Initiation à la Photographie-Nikon, London Barbara
Initiation à la Photographie-Olympus, London Barbara
Initiation à la Photographie-Pentax, London Barbara
* **Je développe mes photos,** Desilets Antoine
* **Je prends des photos,** Desilets Antoine
* **Photo à la portée de tous,** Desilets Antoine
Photo guide, Desilets Antoine

PSYCHOLOGIE

Âge démasqué, L', De Ravinel Hubert
* **Aider mon patron à m'aider,** Houde Eugène
* **Amour de l'exigence à la préférence,** Auger Lucien
Au-delà de l'intelligence humaine, Pouliot Élise
Auto-développement, L', Garneau Jean
Bonheur au travail, Le, Houde Eugène
Bonheur possible, Le, Blondin Robert
Chimie de l'amour, La, Liebowitz Michael
Coeur à l'ouvrage, Le, Lefebvre Gérald
Coffret psychologie moderne Colère, La, Tavris Carol
* **Comment animer un groupe,** Office Catéchèsse
* **Comment avoir des enfants heureux,** Azerrad Jacob
* **Comment déborder d'énergie,** Simard Jean-Paul
Comment vaincre la gêne, Catta Rene-Salvator
* **Communication dans le couple, La,** Granger Luc
* **Communication et épanouissement personnel,** Auger Lucien
Comprendre la névrose et aider les névrosés, Ellis Albert
* **Contact,** Zunin Nathalie
* **Courage de vivre, Le,** Kiev Docteur A.
Courage et discipline au travail, Houde Eugène
Dynamique des groupes, Aubry J.-M. et Saint-Arnaud Y.
Élever des enfants sans perdre la boule, Auger Lucien
* **Émotivité et efficacité au travail,** Houde Eugène
Enfant paraît... et le couple demeure, L', Dorman Marsha et Klein Diane
Enfants de l'autre, Les, Paris Erna
* **Être soi-même,** Corkille Briggs D.
* **Facteur chance, Le,** Gunther Max
* **Fantasmes créateurs, Les,** Singer Jérôme
Infidélité, L', Leigh Wendy
Intuition, L', Goldberg Philip
* **J'aime,** Saint-Arnaud Yves
Journal intime intensif, Progoff Ira
Miracle de l'amour, Un, Kaufman Barry Neil
* **Mise en forme psychologique,** Corrière Richard

* **Parle-moi... J'ai des choses à te dire,** Salome Jacques
Penser heureux, Auger Lucien
* **Personne humaine, La,** Saint-Arnaud Yves
* **Plaisirs du stress, Les,** Hanson Dr Peter G.
* **Première impression, La,** Kleinke Chris, L.
Prévenir et surmonter la déprime, Auger Lucien
* **Prévoir les belles années de la retraite,** D. Gordon Michael
* **Psychologie dans la vie quotidienne,** Blank Dr Léonard
* **Psychologie de l'amour romantique,** Braden Docteur N.
* **Qui es-tu grand-mère? Et toi grand-père?** Eylat Odette
* **S'affirmer et communiquer,** Beaudry Madeleine
* **S'aider soi-même,** Auger Lucien
* **S'aider soi-même d'avantage,** Auger Lucien
* **S'aimer pour la vie,** Wanderer Dr Zev
* **Savoir organiser, savoir décider,** Lefebvre Gérald
* **Savoir relaxer et combattre le stress,** Jacobson Dr Edmund
* **Se changer,** Mahoney Michael
* **Se comprendre soi-même par des tests,** Collectif
* **Se concentrer pour être heureux,** Simard Jean-Paul
Se connaître soi-même, Artaud Gérard
* **Se contrôler par le biofeedback,** Ligonde Paultre
* **Se créer par la Gestalt,** Zinker Joseph
* **S'entraider,** Limoges Jacques
* **Se guérir de la sottise,** Auger Lucien
Séparation du couple, La, Weiss Robert S.
Sexualité au bureau, La, Horn Patrice
Syndrome prémenstruel, Le, Shreeve Dr Caroline
* **Vaincre ses peurs,** Auger Lucien
Vivre à deux: plaisir ou cauchemar, Duval Jean-Marie
* **Vivre avec sa tête ou avec son coeur,** Auger Lucien
Vivre c'est vendre, Chaput Jean-Marc
* **Vivre jeune,** Waldo Myra
* **Vouloir c'est pouvoir,** Hull Raymond

6

ROMANS/ESSAIS

Adieu Québec, Bruneau André
Baie d'Hudson, La, Newman Peter C.
Bien-pensants, Les, Berton Pierre
Bousille et les justes, Gélinas Gratien
Coffret Joey
C.P., Susan Goldenberg
Commettants de Caridad, Les, Thériault Yves
Deux Innocents en Chine Rouge, Hébert Jacques
* Dieu ne joue pas aux dés, Laborit Henri
Dome, Jim Lyon
* Frères divorcés, Les, Godin Pierre
IBM, Sobel Robert
Insolences du Frère Untel, Les, Untel Frère
ITT, Sobel Robert
J'parle tout seul, Coderre Emile

Lamia, Thyraud de Vosjoli P.L.
Mensonge amoureux, Le, Blondin Robert
Nadia, Aubin Benoît
Oui, Lévesque René
Premiers sur la lune, Armstrong Neil
* Rick Hansen, Vivre sans frontières, Hansen Rick,
  Taylor Jim
* Sur les ailes du temps (Air Canada), Smith Philip
Telle est ma position, Mulroney Brian
Terrosisme québécois, Le, Morf Gustave
* Trois semaines dans le hall du Sénat, Hébert
  Jacques
Un doux équilibe, King Annabelle
* Un second souffle, Hébert Diane
Vrai visage de Duplessis, Le, Laporte Pierre

SANTÉ ET ESTHÉTIQUE

* Ablation de la vésicule biliaire, L', Paquet Jean-
  Claude
* Ablation des calculs urinaires, L', Paquet Jean-
  Claude
* Ablation du sein, L', Paquet Jean-Claude
Allergies, Les, Delorme Dr Pierre
Art de se maquiller, L', Moizé Alain
* Bien vivre sa ménopause, Gendron Dr Lionel
Cellulite, La, Ostiguy Dr Jean-Paul
Cellulite, La, Léonard Gérard J.
* Chirurgie vasculaire, La, Paquet Jean-Claude
* Dialyse et la greffe du rein, La, Paquet Jean-Claude
Être belle pour la vie, Meredith Bronwen
Exercices pour les aînés, Godfrey Dr Charles,
  Feldman Michael
Face lifting par l'exercice, Le, Runge Senta Maria
Grandir en 100 exercises, Berthelet Pierre
Hystérectomie, L', Alix Suzanne
* Malformations cardiaques congénitales, Les,
  Paquet Jean-Claude
Médecine esthétique, La, Lanctot Guylaine
Obésité et cellulite, enfin la solution, Léonard Dr
  Gérard J.

Perdre son ventre en 30 jours H-F, Burstein Nancy et
  Matthews Roy
* Pontage coronarien, Le, Paquet Jean-Claude
Santé, un capital à préserver, Peeters E.G.
Travailler devant un écran, Feeley Dr Helen
Coffret 30 jours
30 jours pour avoir de beaux cheveux, Davis Julie
30 jours pour avoir de beaux ongles, Bozic Patricia
30 jours pour avoir de beaux seins, Larkin Régina
30 jours pour avoir un beau teint, Zizmor Dr
  Jonathan
30 jours pour cesser de fumer, Holland Gary et
  Weiss Herman
30 jours pour mieux organiser, Holland Gary
30 jours pour perdre son ventre (homme et
  femme), Matthews Roy, Burnstein Nancy
30 jours pour redevenir un couple amoureux, Nida
  Patricia K. et Cooney Kevin
30 jours pour un plus grand épanouissement
  sexuel, Schneider Alan et Laiken Deidre
Vos dents, Kandelman Dr Daniel
* Vos yeux, Chartrand Marie et Lepage-Durand
  Micheline

SEXOLOGIE

Adolescente veut savoir, L', Gendron Lionel
Contacts sexuels sans risques, Prévenir le SIDA,
  IASHS
Fais voir, Fleischhaner H.
Guide illustré du plaisir sexuel, Corey Dr Robert E.
  Helg, Bender Erich F.
* Ma sexualité de 0 à 6 ans, Robert Jocelyne
* Ma sexualité de 6 à 9 ans, Robert Jocelyne

* Ma sexualité de 9 à 12 ans, Robert Jocelyne
Nous, on en parle, Lamarche M., Danheux P.
Plaisir partagé, Le, Gary-Bishop Hélène
* Première expérience sexuelle, La, Gendron Lionel
* Sexe au féminin, Le, Kerr Carmen
* Sexualité du jeune adolescent, Gendron Lionel
* Sexualité dynamique, La, Lefort Dr Paul
* Shiatsu et sensualité, Rioux Yuki

7

SPORTS

100 trucs de billard, Morin Pierre
Le programme pour être en forme
Apprenez à patiner, Marcotte Gaston
Arc et la chasse, L', Guardon Greg
* Armes de chasse, Les, Petit Martinon Charles
* Badminton, Le, Corbeil Jean
* Canadiens de 1910 à nos jours, Les, Turowetz Allan et Goyens Chrystian
* Carte et boussole, Kjellstrom Bjorn
* Chasse au petit gibier, La, Paquet Yvon-Louis
Chasse et gibier du Québec, Bergeron Raymond
Chasseurs sachez chasse, Lapierre Lucie
* Comment se sortir du trou au golf, Brien Luc
* Comment vivre dans la nature, Rivière Bill
* Corrigez vos défauts au golf, Bergeron Yves
Curling, Le, Lukowich E.
Devenir gardien de but au hockey, Allair François
Encyclopédie de la chasse au Québec, Leiffet Bernard
Entraînement, poids-haltères, L', Ryan Frank
Exercices à deux, Gregor Carol
Golf au féminin, Le, Bergeron Yves
Grand livre des sports, Le, Le groupe Diagram
Guide complet du judo, Arpin Louis
* Guide complet du self-defense, Arpin Louis
Guide d'achat de l'équipement de tennis, Chevalier Richard et Gilbert Yvon
Guide de l'alpinisme, Le, Cappon Massimo
Guide de survie de l'armée américaine
Guide des jeux scouts, Association des scouts
Guide du judo au sol, Arpin Louis
Guide du self-defense, Arpin Louis
Guide du trappeur, Le, Provencher Paul
Hatha yoga, Piuze Suzanne
Initiation à la planche à voile, Wulff D., Morch K.
* J'apprends à nager, Lacoursière Réjean
* Jogging, Le, Chevalier Richard
Jouez gagnant au golf, Brien Luc
Larry Robinson, le jeu défensif, Robinson Larry
Lutte olympique, La, Sauvé Marcel
* Manuel de pilotage, Transport Canada

* Marathon pour tous, Anctil Pierre
Maxi-performance, Garfield Charles A. et Bennett Hal Zina
* Médecine sportive, Mirkin Dr Gabe
Mon coup de patin, Wild John
Musculation pour tous, Laferrière Serge
Natation de compétition, La, Lacoursière Réjean
Partons en camping, Satterfield Archie et Bauer Eddie
Partons sac au dos, Satterfield Archie et Bauer Eddie
Passes au hockey, Champleau Claude
Pêche à la mouche, La, Marleau Serge
Pêche à la mouche, Vincent Serge-J.
Pêche au Québec, La, Chamberland Michel
* Planche à voile, La, Maillefer Gérald
* Programme XBX, Aviation Royale du Canada
Provencher, le dernier coureur des bois, Provencher Paul
Racquetball, Corbeil Jean
Racquetball plus, Corbeil Jean
Raquette, La, Osgoode William
* Rivières et lacs canotables, Fédération québécoise du canot-camping
* S'améliorer au tennis, Chevalier Richard
Secrets du baseball, Les, Raymond Claude
Ski de fond, Le, Roy Benoît
* Ski de randonnée, Le, Corbeil Jean
Soccer, Le, Schwartz Georges
Stratégie au hockey, Meagher John W.
Surhommes du sport, Les, Desjardins Maurice
* Taxidermie, La, Labrie Jean
Techniques du billard, Morin Pierre
* Technique du golf, Brien Luc
Techniques du hockey en URSS, Dyotte Guy
* Techniques du tennis, Ellwanger
* Tennis, Le, Roch Denis
Tous les secrets de la chasse, Chamberland Michel
Vivre en forêt, Provencher Paul
Voie du guerrier, La, Di Villadorata
Volley-ball, Le, Fédération de volley-ball
Yoga des sphères, Le, Leclerq Bruno

8

le jour,
éditeur

ANIMAUX

Guide du chat et de son maître, Laliberté Robert
Guide du chien et de son maître, Laliberté Robert

Poissons de nos eaux, Melançon Claude

ART CULINAIRE ET DIÉTÉTIQUE

Armoire aux herbes, L', Mary Jean
Breuvages pour diabétiques, Binet Suzanne
Cuisine du jour, La, Pauly Robert
Cuisine sans cholestérol, Boudreau-Pagé
Desserts pour diabétiques, Binet Suzanne
Jus de santé, Les, Brunet Jean-Marc
Mangez ce qui vous chante, Pearson Dr Leo

Mangez, réfléchissez et devenez svelte, Kothkin Leonid
Nutrition de l'athlète, Brunet Jean-Marc
Recettes Soeur Berthe - été, Sansregret soeur Berthe
Recettes Soeur Berthe - printemps, Sansregret soeur Berthe

ARTISANAT/ARTS MÉNAGERS

Diagrammes de courtepointes, Faucher Lucille
Douze cents nouveaux trucs, Grisé-Allard Jeanne
Encore des trucs, Grisé-Allard Jeanne

Mille trucs madame, Grisé-Allard Jeanne
Toujours des trucs, Grisé-Allard Jeanne

DIVERS

Administrateur de la prise de décision, Filiatreault P. et Perreault Y.G.
Administration, développement, Laflamme Marcel
Assemblées délibérantes, Béland Claude
Assoiffés du crédit, Les, Féd. des A.C.E.F.
Baie James, La, Bourassa Robert
Bien s'assurer, Boudreault Carole
Cent ans d'injustice, Hertel François
Ces mains qui vous racontent, Boucher André-Pierre
550 métiers et professions, Charneux Helmy
Coopératives d'habitation, Les, Leduc Murielle
Dangers de l'énergie nucléaire, Les, Brunet Jean-Marc
Dis papa c'est encore loin, Corpatnauy Francis
Dossier pollution, Chaput Marcel

Énergie aujourd'hui et demain, De Martigny François
Entreprise et le marketing, L', Brousseau
Forts de l'Outaouais, Les, Dunn Guillaume
Grève de l'amiante, La, Trudeau Pierre
Hiérarchie ethnique dans la grande entreprise, Rainville Jean
Impossible Québec, Brillant Jacques
Initiation au coopératisme, Béland Claude
Julius Caesar, Roux Jean-Louis
Lapokalipso, Duguay Raoul
Lune de trop, Une, Gagnon Alphonse
Manifeste de l'Infonie, Duguay Raoul
Mouvement coopératif québécois, Deschêne Gaston
Obscénité et liberté, Hébert Jacques

9

Philosophie du pouvoir, Blais Martin
Pourquoi le bill 60, Gérin-Lajoie P.
Stratégie et organisation, Desforges Jean et
  Vianney C.

Trois jours en prison, Hébert Jacques
Vers un monde coopératif, Davidovic Georges
Vivre sur la terre, St-Pierre Hélène
Voyage à Terre-Neuve, De Gébineau comte

ENFANCE

Aidez votre enfant à choisir, Simon Dr Sydney B.
Deux caresses par jour, Minden Harold
Être mère, Bombeck Erma
Parents efficaces, Gordon Thomas

Parents gagnants, Nicholson Luree
Psychologie de l'adolescent, Pérusse-Cholette
  Françoise
1500 prénoms et significations, Grisé Allard J.

ÉSOTÉRISME

* Astrologie et la sexualité, L', Justason Barbara
Astrologie et vous, L', Boucher André-Pierre
* Astrologie pratique, L', Reinicke Wolfgang
Faire se carte du ciel, Filbey John
Grand livre de la cartomancie, Le, Von Lentner G.
* Grand livre des horoscopes chinois, Le, Lau
  Theodora
Graphologie, La, Cobbert Anne
* Horoscope et énergie psychique, Hamaker-Zondag

Horoscope chinois, Del Sol Paula
Lu dans les cartes, Jones Marthy
* Pendule et baguette, Kirchner Georg
* Pratique du tarot, La, Thierens E.
Preuves de l'astrologie, Comiré André
Qui êtes-vous? L'astrologie répond, Tiphaine
Synastrie, La, Thornton Penny Traité d'astrologie,
  Hirsig Huguette
Votre destin par les cartes, Dee Nerys

HISTOIRE

Administration en Nouvelle-France, L', Lanctot
  Gustave
Histoire de Rougemont, Bédard Suzanne
Lutte pour l'information, La, Godin Pierre
Mémoires politiques, Chaloult René
Rébellion de 1837, Saint-Eustache, Globensky
  Maximillien

Relations des Jésuites T.2
Relations des Jésuites T.3
Relations des Jésuites T.4
Relations des Jésuites T.5

JEUX/DIVERTISSEMENTS

Backgammon, Lesage Denis

LINGUISTIQUE

Des mots et des phrases, T. 1, Dagenais Gérard
Des mots et des phrases, T. 2, Dagenais Gérard

Joual de Troie, Marcel Jean

NOTRE TRADITION

Ah mes aïeux, Hébert Jacques

Lettre à un Français qui veut émigrer au Québec,
  Dubuc Carl

OUVRAGES DE RÉFÉRENCES

Petit répertoire des excuses, Le, Charbonneau
Christine et Caron Nelson

Règles d'or de la vente, Les, Kahn George N.

PSYCHOLOGIE

* Adieu, Halpern Dr Howard
  Adieu Tarzan, Frank Helen
* Agressivité créatrice, Bach Dr George
  Aimer, c'est choisir d'être heureux, Kaufman Barry
  Neil
* Aimer son prochain comme soi-même, Murphy
  Joseph
* Anti-stress, L', Eylat Odette
  Arrête! tu m'exaspères, Bach Dr George
  Art d'engager la conversation et de se faire des
  amis, L', Grabor Don
* Art de convaincre, L', Ryborz Heinz
* Art d'être égoïste, L', Kirschner Joseph
* Au centre de soi, Gendlin Dr Eugène
* Auto-hypnose, L', Le Cron M. Leslie
  Autre femme, L', Sevigny Hélène
  Bains Flottants, Les, Hutchison Michael
* Bien dans sa peau grâce à la technique Alexander,
  Stransky Judith
  Ces hommes qui ne communiquent pas, Naifeh S. et
  White S.G.
  Ces vérités vont changer votre vie, Murphy Joseph
  Chemin infaillible du succès, Le, Stone W. Clément
  Clefs de la confiance, Les, Gibb Dr Jack
  Comment aimer vivre seul, Shanon Lynn
* Comment devenir des parents doués, Lewis David
* Comment dominer et influencer les autres,
  Gabriel H.W.
  Comment s'arrêter de fumer, McFarland J. Wayne
* Comment vaincre la timidité en amour, Weber Éric
  Contacts en or avec votre clientèle, Sapin Gold
  Carol
* Contrôle de soi par la relaxation, Marcotte Claude
* Couple homosexuel, Le, McWhirter David P. et
  Mattison Andres M.
* Devenir autonome, St-Armand Yves
* Dire oui à l'amour, Buscaglia Léo
* Ennemis intimes, Bach Dr George
  États d'esprit, Glasser Dr William Être efficace,
  Hanot Marc
  Être homme, Goldberg Dr Herb
  Famille moderne et son avenir, La , Richar Lyn
  Gagner le match, Gallwey Timothy
  Gestalt, La, Polster Erving
  Guide du succès, Le, Hopkins Tom
  Harmonie, une poursuite du succès, L', Vincent
  Raymond
* Homme au dessert, Un, Friedman Sonya
  Homme en devenir, L', Houston Jean
* Homme nouveau, L', Bodymind, Dychtwald Ken
  Influence de la couleur, L', Wood Betty
* Jouer le tout pour le tout, Frederick Carl

  Maigrir sans obsession, Orback Suisie
  Maîtriser la douleur, Bogin Meg
  Maîtriser son destin, Kirschner Joseph
  Manifester son affection, Bach Dr George
* Mémoire, La, Loftus Elizabeth
* Mémoire à tout âge, La, Dereskey Ladislaus
* Mère et fille, Horwick Kathleen
* Miracle de votre esprit, Murphy Joseph
* Négocier entre vaincre et convaincre, Warschaw Dr
  Tessa
  Nouvelles Relations entre hommes et femmes,
  Goldberg Herb
* On n'a rien pour rien, Vincent Raymond
* Oracle de votre subconscient, L, Murphy Joseph
  Parapsychologie, La, Ryzl Milan
* Parlez pour qu'on vous écoute, Brien Micheline
* Partenaires, Bach Dr George
* Pensée constructive et bon sens, Vincent Dr
  Raymond
  Personnalité, La, Buscaglia Léo
  Personne n'est parfait, Weisinger Dr H.
  Pourquoi ne pleures-tu pas?, Yahraes Herbert,
  McKnew Donald H. Jr., Cytryn Leon
  Pourquoi remettre à plus tard? Burka Jane B. et
  Yuen L. M.
  Pouvoir de votre cerveau, Le, Brown Barbara
  Prospérité, La, Roy Maurice
* Psy-jeux, Masters Robert
* Puissance de votre subconscient, La, Murphy Dr
  Joseph
  Reconquête de soi, La, Paupst Dr James C.
* Réfléchissez et devenez riche, Hill Napoléon
* Réussir, Hanot Marc
  Rythmes de votre corps, Les, Weston Lee
  S'aimer ou le défi des relations humaines,
  Buscaglia Léo
  Se vider dans la vie et au travail, Pines Ayala M.
* Secrets de la communication, Bandler Richard
  Sous le masque du succès, Harvey Joan C. et Datz
  Cynthia
* Succès par la pensée constructive, Le, Hill
  Napoléon
  Technostress, Brod Craig
* Thérapies au féminin, Les, Brunel Dominique
  Tout ce qu'il y a de mieux, Vincent Raymond
  Triomphe de vous-même et des autres, Murphy Dr
  Joseph
  Univers de mon subsconscient, L', Dr Ray Vincent
  Vaincre la dépression par la volonté et l'action,
  Marcotte Claude
  Vers le succès, Kassoria Dr Irène C.
* Vieillir en beauté, Oberleder Muriel

11

Vivre avec les imperfections de l'autre, Janda Dr Louis H.
* Vivre c'est vendre, Chaput Jean-Marc

* Vivre heureux avec le strict nécessaire, Kirschner Josef
Votre perception extra sensorielle, Milan Dr Ryzl
Votre talon d'Achille, Bloomfield Dr. Harold

ROMANS/ESSAIS

À la mort de mes 20 ans, Gagnon P.O.
Affrontement, L', Lamoureux Henri
Bois brûlé, Roux Jean-Louis
100 000e exemplaire, Le, Dufresne Jacques
* Ça s'est passé à Montréal, Steinberg Donna
C't'a ton tour Laura Cadieux, Tremblay Michel
Cité dans l'oeuf, La, Tremblay Michel
Coeur de la baleine bleue, Le, Poulin Jacques
Coffret petit jour, Martucci Abbé Jean
Colin-Maillard, Hémon Louis
Contes pour buveurs attardés, Tremblay Michel
Contes érotiques indiens, Schwart Herbert
Crise d'octobre, Pelletier Gérard
Cyrille Vaillancourt, Lamarche Jacques
Desjardins Al., Homme au service, Lamarche Jacques
De Z à A, Losique Serge
Deux Millième étage, Le, CarrierRoch
D'Iberville, Pellerin Jean
Dragon d'eau, Le, Holland R.F.
Équilibre instable, L', Deniset Louis
Éternellement vôtre, Péloquin Claude
Femme d'aujourd'hui, La, Landsberg Michele
Femme de demain, Keeton Kathy
Femmes et politique, Cohen Yolande
Filles de joie et filles du roi, Lanctot Gustave
Floralie où es-tu, Carrier Roch

Fou, Le, Châtillon Pierre
Français langue du Québec, Le, Laurin Camille
Hommes forts du Québec, Weider Ben
Il est par là le soleil, Carrier Roch
J'ai le goût de vivre, Delisle Isabelle
J'avais oublié que l'amour, Doré-Joyal Yves
Jean-Paul ou les hasards de la vie, Bellier Marcel
Johnny Bungalow, Villeneuve Paul
Jolis Deuils, Carrier Roch
Lettres d'amour, Champagne Maurice
Louis Riel patriote, Bowsfield Hartwell
Louis Riel un homme à pendre, Osier E.B.
Ma chienne de vie, Labrosse Jean-Guy
Marche du bonheur, La, Gilbert Normand
Mémoires d'un Esquimau, Metayer Maurice
Mon cheval pour un royaume, Poulin J.
Neige et le feu, La, Baillargeon Pierre
N'Tsuk, Thériault Yves
* Objectif camouflé, Porter Anna
Opération Orchidée, Villon Christiane
Orphelin esclave de notre monde, Labrosse Jean
Oslovik fait la bombe, Oslovik
Parlez-moi d'humour, Hudon Normand
Scandale est nécessaire, Le, Baillargeon Pierre
* Thrax, Guay Michel
Train de Maxwell, Le, Hyde Christopher
Vivre en amour, Delisle Lapierre

SANTÉ

Alcool et la nutrition, L', Brunet Jean-Marc
Bruit et la santé, Le, Brunet Jean-Marc
Chaleur peut vous guérir, La, Brunet Jean-Marc
Échec au vieillissement prématuré, Blais J.
Greffe des cheveux vivants, Guy Dr
Guérir votre foie, Jean-Marc Brunet
Information santé, Brunet Jean-Marc
Magie en médecine, Sylva Raymond
Maigrir naturellement, Lauzon Jean-Luc
Mort lente par le sucre, Duruisseau Jean-Paul

40 ans, âge d'or, Taylor Eric
Recettes naturistes pour arthritiques et rhumatisants, Cuillerier Luc
Santé de l'arthritique et du rhumatisant, Labelle Yvan
* Tao de longue vie, Le, Soo Chee
Vaincre l'insomnie, Filion Michel,Boisvert Jean-Marie, Melanson Danielle
Vos aliments sont empoisonnés, Leduc Paul

SEXOLOGIE

* **Aimer les hommes pour toutes sortes de bonnes raisons**, Nir Dr Yehuda
* **Apprentissage sexuel au féminin, L'**, Kassoria Irene
* **Comment faire l'amour à la même personne pour le reste de votre vie**, O'Connor Dagmar
* **Comment faire l'amour à un homme**, Penney Alexandra
* **Comment faire l'amour ensemble**, Penney Alexandra
  Dépression nerveuse et le corps, La, Lowen Dr Alexander
  Drogues, Les, Boutot Bruno

* **Femme célibataire et la sexualité, La**, Robert M.
* **Jeux de nuit**, Bruchez Chantal
  Magie du sexe, La, Penney Alexandra
* **Massage en profondeur, Le**, Bélair Michel
  Massage pour tous, Le, Morand Gilles
  Première fois, La, L'Heureux Christine
  Rapport sur l'amour et la sexualité, Brecher Edward
  Sexualité expliquée aux adolescents, La, Boudreau Yves
  Sexualité expliquée aux enfants, La, Cholette Pérusse F.

SPORTS

Baseball-Montréal, Leblanc Bertrand
Chasse au Québec, Deyglun Serge
Chasse et gibier du Québec, Guardon Greg
Exercice physique pour tous, Bohemier Guy
Grande forme, Baer Brigitte
Guide des pistes cyclables, Guy Côté
Guide des rivières du Québec, Fédération canot-kayac
Lecture des cartes, Godin Serge
Offensive rouge, L', Boulonne Gérard

Pêche et coopération au Québec, Larocque Paul
Pêche sportive au Québec, Deyglun Serge
Raquette, La, Lortie Gérard
Santé par le yoga, Piuze Suzanne
Saumon, Le, Dubé Jean-Paul
Ski nordique de randonnée, Brady Michael
Technique canadienne de ski, O'Connor Lorne
Truite et la pêche à la mouche, La, Ruel Jeannot
Voile, un jeu d'enfants, La, Brunet Mario

ROMANS/ESSAIS/THÉÂTRE

Andersen Marguerite,
De mémoire de femme
AquinHubert,
Blocs erratiques
Archambault Gilles,
La fleur aux dents
Les pins parasols
Plaisirs de la mélancolie
Atwood Margaret,
Les danseuses et autres nouvelles
La femme comestible
Marquée au corps
Audet Noël,
Ah, L'amour l'amour

Baillie Robert,
La couvade
Des filles de beauté
Barcelo François,
Agénor, Agénor, Agénor et Agénor
Beaudin Beaupré Aline,
L'aventure de Blanche Morti
Beaudry Marguerite,
Tout un été l'hiver
Beaulieu Germaine,
Sortie d'elle(s) mutante

13

COLLECTIF DE NOUVELLES

LIVRES DE POCHES 10/10

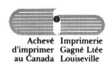

Achevé   Imprimerie
d'imprimer   Gagné Ltée
au Canada   Louiseville